WITHDRAWN

BENITO PÉREZ GALDÓS

ZARAGOZA

POR

BENITO PÉREZ GALDÓS

Edited with Introduction, Notes
and Vocabulary

BY

JOHN VAN HORNE

ASSISTANT PROFESSOR OF ROMANCE LANGUAGES
UNIVERSITY OF ILLINOIS

INTER-
NATIONAL
MODERN
LANGUAGE
SERIES

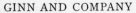

GINN AND COMPANY
BOSTON · NEW YORK · CHICAGO · LONDON
ATLANTA · DALLAS · COLUMBUS · SAN FRANCISCO

The Athenæum Press

GINN AND COMPANY · PRO-
PRIETORS · BOSTON · U.S.A.

TO MY MOTHER

MARY VAN HORNE

PREFACE

The *Episodios nacionales* are of literary importance as among the best Spanish historical novels, and of historical importance because they represent a vast popularization of history. *Zaragoza* has been chosen as one of the most suitable of the *Episodios nacionales* for editing because the story represents one of the greatest single feats of heroism of modern Spain, and because it has almost uninterrupted action and a good side plot.

It is true that there is no historical figure in *Zaragoza* equal to Mariano Álvarez de Castro, defender of Gerona. However, the novel *Gerona* is not equal to *Zaragoza* as a work of art; the action is less unified, the scenes are more nerve-racking, and the besieged city is not so important. Others of the *Episodios nacionales* might well be edited, but, all things considered, not any one seems more satisfactory than *Zaragoza*.

In order to produce a text of convenient length for use in class, about one fourth of the original has been left out. Omitted portions are summarized in the proper places in the text. Most of the omissions deal with military details, and will not detract seriously from the interest in the novel, nor render the narrative obscure. Above all, they will not cause attention to stray from the heroic defense of the city. This is hardly possible in a book in which all of the action deals directly or indirectly with the defense.

The introduction is devoted chiefly to the historical background of *Zaragoza*. Inasmuch as Galdós is one of the outstanding figures of modern Spanish literature, a detailed discussion of his life or works would have exceeded the scope of this study. The bibliography gives only the best authorities available.

The notes are devoted chiefly to linguistic difficulties. So far as possible, historical, biographical, and geographical matter is contained in the introduction, map, and vocabulary. The vocabulary is intended to be complete. Both notes and vocabulary have been composed with the idea that they may be used by students who have completed only an elementary grammar. In the vocabulary idioms are listed under the most important word, usually the verb. Sometimes they are listed under more than one word. No fixed policy has been followed in this respect. Where it seems likely that the meaning of a phrase may be sought under more than one heading, it has been so entered.

The map of the city of Saragossa is based on the plan found in the Spanish translation of Rogniat's work on the siege. This book is described in the bibliographical note at the end of the introduction.

The editor wishes to express his thanks to Dr. Manuel Fuentes of Saragossa for information concerning certain local features of the city.

CONTENTS

INTRODUCTION

Biographical Sketch. Benito Pérez Galdós[1] was born on May 10, 1843, in Las Palmas, Canary Islands. His early years were spent in that place. In 1863 he went to Madrid to study law, but gradually he became attracted to literature. He felt some enthusiasm for the liberal revolution of 1868–1874, but he did not take an active part in the turbulent events of those years. He worked primarily as a journalist from 1869 until 1872. His first novel *La fontana de oro* appeared in 1870.[2] In 1873 Galdós began to work intensively upon his novels. His life from that time until 1912 is largely a chronicle of successive literary productions. In 1892 he wrote his first successful play. He traveled extensively in Spain in order to collect material for his writings, and he also journeyed in foreign countries. He was stricken with blindness in 1912, but he continued his literary work between that time and his death on January 4, 1920.

Galdós was more than once elected to the *Cortes,* or Spanish parliament. He was a member of the Liberal party, but he never took a very active part in debates.

Galdós and the Spanish Novel. Galdós was the literary contemporary of Alarcón, Pereda, and Valera. With them he may be said to have founded the modern Spanish novel, although we recognize the debt of all these authors to talented precursors like Fernán Caballero. The splendid

[1] Generally referred to for brevity as Galdós rather than as Pérez Galdós.

[2] It was written in 1867–1868.

series of modern novels in Spain has had hardly any interruption since the early seventies of the nineteenth century. Of the four authors mentioned Galdós was the most prolific and the most versatile as a novelist. Alarcón's social novels are inferior to his brilliant short stories. Pereda excelled in the realistic novel, portraying provincial manners and customs; his point of view was always conservative. Valera was an intensely cultivated cosmopolitan who delighted in the fine analysis of character. Galdós was eminent in the historical novel, in the objective realistic novel, and in the polemical novel of liberalism or progress.

Writings of Galdós. The writings of Galdós fall naturally into three great divisions—realistic novels, historical novels, and plays. Only brief mention will be made here of the first and last divisions. The twenty-eight realistic novels include the seven early novels (1870–1878) known as *Novelas de la primera época*, and the twenty-one *Novelas españolas contemporáneas* (1880–1897). Perhaps the best known of the *Novelas de la primera época* are *Doña Perfecta* and *Gloria*, which treat religious affairs. Among the *Novelas españolas contemporáneas* are probably Galdós's best productions, notably the long four-volume novel *Fortunata y Jacinta*. Disregarding unsuccessful early attempts, Galdós's career as a dramatist began in 1892. His most celebrated play, although hardly his best, was *Electra*, famous for modernist tendencies. As a work of art *El abuelo* is superior.

Perhaps the most striking element in Galdós's plays and realistic novels is his persistent attempt to point out to Spain the path of modern progress. Repeatedly he throws the whole force of his vigorous personality on the side of liberalism and modernism. This practical purpose and the great volume of Galdós's output, with his consequent hasty production, interfere somewhat with the artistic excellence of his work, although these very qualities testify to his sincerity and vigor. Moreover, at his best, Galdós belongs among the authors of all time who have most clearly observed and pictured human nature. This is nowhere more clear than in the perfect naturalness of the characters of *Fortunata y Jacinta*.

Episodios Nacionales. The *Episodios nacionales* are historical novels outlining the great events of the nineteenth century in Spain. There are four complete series of ten novels each, and a fifth series of six novels. The first two series were composed during Galdós's youth, and the others in his late middle age and old age. The first series (written 1873–1875)[1] proceeds from the battle of Trafalgar nearly through the war against Napoleon. The second series (written 1875–1879) covers substantially the reign of Ferdinand VII from 1814 to his death in 1834. The third series (written 1898–1900) describes the Carlist War of the thirties and continues to the year 1848. The fourth series (written 1902–1907) embraces the period from 1848 to the first years of the revolution of 1868–1874. The incomplete fifth series (written 1908–1912) takes us through and beyond this revolution to the latter years of the nineteenth century.

The *Episodios* are a popularization of history on a vast scale. In agreeable form they call to the attention of the reading public the vicissitudes that attended the progress of the nineteenth century in Spain. Great achievements, heroism, terrible misfortunes, and villainy are alike portrayed. In the earlier novels the author is more objective than in the later ones, where he often follows his chosen mission of preaching progress. However, it must be remembered that the first novels deal chiefly with the resistance of Spain to Napoleon, that the circumstances are usually heroic, that there is less room than in other settings for party bickerings

[1] *Zaragoza* was written in March and April, 1874.

and for selfishness, and that therefore the natural result is a patriotic record of achievement.

General Historical Background. The king of Spain at the opening of the nineteenth century was Charles IV, who reigned from 1788 until his abdication in 1808. His personality and ability were by no means striking. At first his foreign policy was friendly to France, but the French Revolution disturbed the amicable relations between the two countries. Later, after the rise to power of Napoleon, Spain again became friendly to France. Much criticism has justly been directed against the administration of Charles IV, on account of the actions of Manuel Godoy, prime minister during the greater part of Charles's reign.

In 1803 Spain was allied with Napoleonic France against England. Three years later Spain joined Napoleon's continental blockade against England. As Portugal was unwilling to participate in this blockade, Napoleon secured the permission of Godoy and Charles IV to transport an army across Spain. French troops occupied Portugal and part of Spain in 1807, and Madrid and other places in the early part of 1808.

Napoleon decided to get Spain completely under his control. The enraged Spanish people had forced Charles to abdicate on March 19, 1808, in favor of his son, Ferdinand VII. By devious means Napoleon secured the presence in France of both Charles and Ferdinand. Ferdinand was constrained to restore the throne to his father, who promptly surrendered his rights as king of Spain in favor of Napoleon himself. Napoleon then proclaimed his brother Joseph Bonaparte king of Spain, with the consent of certain submissive elements and therefore with a semblance of justification. Thus, owing to the weakness of their leaders, the Spanish people found themselves under a foreign sovereign, and virtually betrayed into

intment as captain general of Aragon of the popular young
sé Palafox y Melci, a man of courage and good character,
hough not of extraordinary ability. He had the good sense
surround himself with able men. Under his leadership
oops were raised, Saragossa was hurriedly prepared for
fense, and legislative sessions were held. *Juntas* were
pointed for various tasks. On June 7 the French general
febvre-Desnouettes left Pamplona to try to capture Sara-
ssa with 4000 men, later reënforced. He defeated Spanish
mies outside the city, which he reached on June 15. Then
lowed the first siege of Saragossa, of which some outstand-
; incidents are narrated in the second chapter of the novel,
hough the real subject matter of Galdós's work is the more
morable second siege. A list of important happenings in
first siege follows:

JUNE 15. Battle of Las Eras. The French approach the city
ur the gates of Portillo, Carmen, and Santa Engracia. There is
ch casual skirmishing, but no formal attack.

JUNE 17. Fruitless negotiations.

JUNE 26. Verdier replaces Lefebvre-Desnouettes.

JUNE 28. Capture of Mt. Torrero.

JULY 1. Attack on the Portillo gate and exploits of Agustina
gón.

JULY 2. Capture of the Carmen gate and investment of the
rtillo gate. Palafox, who had left the city, brings an army to
Arrabal and the French retreat from the Portillo gate.

JULY 28. Defeat of the relieving force.

AUGUST 1. The city is surrounded.

AUGUST 3. Fruitless negotiations.

AUGUST 4. Grand attack. The French penetrate to El Coso
l hold half of the city. The Spaniards refuse to surrender.
et fighting ensues.

AUGUST 13. Joseph Bonaparte orders the immediate raising of
siege.

AUGUST 14. The French withdraw.

the hands of the French. The response was almost immediate.
Although any real central authority was lacking, the Spaniards arose in all parts of the peninsula, appointed local
commissions (*juntas*) to govern them, and refused to accept
French domination.

The great rising in Madrid had occurred on May 2, 1808,
before the proclamation of Joseph Bonaparte as king of
Spain. A central or national *junta* was formed. Portugal
also rose in revolt. England was asked for help. A great war
began, known in Spain as the *Guerra de independencia*, famous in English history as the Peninsular War.

The early part of the war was favorable to the Spaniards,
who won the battle of Bailén on July 19, 1808. Joseph
Bonaparte fled from Madrid on July 31, 1808. The English
troops landed, and the French abandoned Portugal. Spanish
forces advanced toward the north. However, conditions soon
changed. Napoleon himself intervened and defeated the
English and Spaniards throughout northern Spain. Madrid
fell on December 4, 1808. With few exceptions the years
1809 and 1810 were favorable to France. In 1810 the French
occupied most of the peninsula except Cadiz and the English
positions in Portugal. The Spaniards devoted themselves to
guerrilla warfare, while the English, under Sir Arthur Wellesley, later Duke of Wellington, were preparing systematically
for subsequent fighting. The tide turned in 1811, and the
allies under Wellesley made considerable headway. In 1812,
while Napoleon was engaged in his Russian expedition, the
French steadily lost ground. Madrid was recaptured on
August 12, 1812. In 1813 and 1814 the war proceeded successfully for the allies, who had invaded southern France
before peace was made. Thus Napoleon's Spanish enterprise
proved to be a great failure, and may be regarded as in some
respects the beginning of his downfall.

The First Series of Episodios. The first ten *Episodios* deal with outstanding events of the early nineteenth century in Spain, and principally with the War of Independence. The novels of this series are autobiographical in form. Except in the account of the siege of Gerona, the narrator is Gabriel de Araceli, a character created by Galdós on the basis of an actual survivor of Trafalgar. He is an attractive young man, whose feelings and actions are those of a natural, honest, patriotic young Spaniard of his day. His own story, with its ramifications, supplies the fictional matter of the first series of *Episodios.* We follow Gabriel's love affair and his private adventures with interest to their successful conclusion. However, the matter of chief concern is the history of Spain, and the real hero of these novels is the Spanish people struggling against invasion.

The novels of the first series are as follows:

1. *Trafalgar,* describing the great naval battle of October 20, 1805, with due regard for English skill and valor and for Spanish valor.
2. *La corte de Carlos IV,* containing accounts of intrigues at the court in 1807.
3. *El 19 de marzo y el 2 de mayo,* narrating the uprising against Godoy in Aranjuez on March 19, 1808, and the famous riot in Madrid on May 2 of the same year.
4. *Bailén,* with an account of the Spanish victory of July 19, 1808.
5. *Napoleón en Chamartín,* presenting the events leading up to the reoccupation of Madrid by the French in December, 1808.
6. *Zaragoza,* with the famous second siege of the city.
7. *Gerona,* describing the heroic defense of this city in 1809 by Mariano Álvarez de Castro, perhaps the greatest single Spanish hero of the War of Independence.
8. *Cádiz,* describing the gathering in this city in 1810 of the Spanish legislative assembly or Cortes.

9. *Juan Martín el Empecinado,* treating one of the mos of the Spanish guerrilla warriors in 1811.
10. *La batalla de los Arapiles,* devoted chiefly to the En tribution to the war.

The first novel of the second series, *El equipaje* José, deals also with the war of independence, treatin feat of the French in the battle of Vitoria on June

Throughout these novels are found many side opinions and customs in Spain. They are a mine of tion collected by Galdós from many sources.

Immediate Historical Background of "Zarag order to understand the plot of *Zaragoza* we need formation regarding the novels that precede it in t there is nothing in *Zaragoza* related to Gabriel's l the secondary plot being furnished entirely by th encountered in the city by Gabriel. However, son edge of the military facts connected with the sieges i

Saragossa[1] is a famous old city on the river Ebr eastern Spain. It is situated now in the provinc gossa, once a part of the old kingdom of Aragon. was known in Roman times, and its name, Cæsar Latin, is derived from that of Cæsar Augustus. I been the scene of stirring events, during the perio ish domination, later when it was the capital of A still later as a part of the united kingdom of Spa the scene of fighting in the early eighteenth cen War of the Spanish Succession, as well as later against Napoleon.

The patriotic uprising in Spain after the succe throne of Joseph Bonaparte spread quickly to popular revolt, begun on May 24, 1808, resulted

[1] Except in referring to the name of the novel, the Saragossa is used in this introduction instead of the Span

So ended the first siege of Saragossa successfully for the defenders. French military authorities regard this siege with some justice as a poorly-prepared attempt at a surprise attack rather than a scientifically conducted siege. Nevertheless it was an important check to their arms. The Spaniards were naturally elated by their success. The withdrawal of the French was made necessary by the reverses suffered by them throughout Spain in 1808, culminating in the evacuation of Madrid. Large Spanish forces reached Saragossa shortly after the retreat of the French.

In September and October, 1808, Spanish armies occupied upper Aragon. About this time occurred the general French advance southward directed by Napoleon himself. Marshal Lannes defeated the Spanish armies at Tudela, on November 23. As Saragossa was an important strategic point, another siege was imminent. The inhabitants prepared for it with great spirit, as is shown in Galdós's novel. Napoleon decided on a regular siege and sent an army to undertake it. This army consisted of from 30,000 to 40,000 men (authorities differ). The defending forces were probably slightly more numerous, but not so well trained or equipped. The French military engineer Rogniat[1] describes the situation as that of a weak French army in a hostile country, but with military science, against a superior force unable, through lack of training, to fight in the open field. Before the second siege the civilian population of Saragossa was estimated at about 70,000, so that more than 100,000 people were within the city. Saragossa was not a fortress. The defense was hastily prepared. However, the convents were naturally strong buildings, and they furnished the chief bulwarks for defensive operations. The chief events of the second siege were as follows:

[1] See bibliographical note at end of introduction.

DECEMBER 20. The French army under Moncey appears before Saragossa.

DECEMBER 21. Fall of Mt. Torrero and unsuccessful attack on the Arrabal.

DECEMBER 22. Unsuccessful negotiations, and beginning of trench-digging.

DECEMBER 29. Junot replaces Moncey.

DECEMBER 31. Great Spanish sortie, with partial success.

JANUARY 12. Capture of San José.

JANUARY 22. Lannes supplants Junot.

JANUARY 24. Negotiations fail.

JANUARY 27–28. General attack along a wide front; street fighting begins; fall of Trinitarios.

JANUARY 29. Fall of Santa Mónica.

FEBRUARY 1. Fall of San Agustín; much house-to-house fighting.

FEBRUARY 3. Fall of Jerusalén; mine warfare becomes intense.

FEBRUARY 8. Fall of the convent of Jesús.

FEBRUARY 10. Fall of San Francisco.

FEBRUARY 18.. Capture of the Arrabal.

FEBRUARY 20. Surrender of the city.

After the fall of the Arrabal, the situation of the defenders, already extremely bad, became desperate. Palafox was unwilling to assume responsibility for the surrender. He was sick at the time, and the authority was turned over to a new *junta* or governing commission. After negotiations terms of surrender were arranged. The chief features of these terms were that the garrison should march out of the city through the Portillo gate, and lay down their arms outside that gate; that officers and soldiers should take an oath of allegiance to Joseph Bonaparte and either enter his service or become prisoners; that all military equipment should be handed over to the French; and that the French should occupy the city and respect the lives and property of the inhabitants. The victors did not entirely abide by the conditions, although they acted about as well perhaps as could be expected of a victorious army. They sent Palafox to France as a prisoner, although he was ill and they had promised to release him.

Authorities agree that the defenders were in a pitiable condition at the time of the surrender. Not only had the stress of fighting weakened them, but the overcrowding of the city had occasioned a scarcity of food, and, what was still more deadly, an epidemic of typhus fever. Over fifty thousand people within the city lost their lives during the siege. The stubborn defense of the city must rank as one of the great exploits in the War of Independence, or indeed in Spanish history. Seldom in modern times has a city been defended so desperately, or with such a terrible proportion of losses. In the War of Independence only the defense of Gerona is comparable to it.

While we recognize the bravery, hardihood, and patriotism of the defenders, it is also true that the capture of the city was a great achievement. The French army fought bravely in a hostile country, and, according to French authorities themselves, the attacking forces weakened more than once and almost desisted from their efforts.

Sources. The sources used by Galdós in *Zaragoza* have been investigated by the French scholar M. Bataillon in an article entitled *les Sources historiques de Zaragoza*.[1] It is there pointed out that the chief sources are the history of the two sieges by Alcaide Ibieca and the history of the War of Independence by Toreno.[1] M. Bataillon finds that Galdós used these authorities, especially Alcaide Ibieca, in great detail, although he naturally did not hesitate to omit particulars or to expand descriptions for literary purposes. Examples of these processes are given and discussed by M. Bataillon, who has identified nearly all the names and oper-

[1] See bibliographical note.

ations mentioned by Galdós in connection with specific military activities. We owe to M. Bataillon a long list of the exact sources of references throughout the novel. Thus, in Chapter II, he has traced the authority for the exploits of Esteban López, the *artillera*, D. Andrés Guspide, Francisco Quílez, D. Felipe San Clemente y Romeu, D. Miguel Salamero, D. Mariano Cereso, the defense of Santa Engracia, Pepillo Ruiz, D. Antonio Quadros, etc.; and similarly in other chapters. The names and activities of bodies of troops can likewise be traced. Only three names connected with the actual fighting (D. Miguel Gila, D. Pedro Pizueta, and the Marquis of Pino-Hermoso[1]) have not been identified; of course some names such as Montoria are deliberately and obviously fictitious and connected with the unhistoric plot of the story. The presence of these few unidentified names, occasional minor divergences from Alcaide Ibieca's spelling of names, and verbal differences in reports of proclamations, speeches, etc., indicate that Galdós may have made occasional use of some other source or sources. This is not surprising. In general, there is nothing here to add to the excellent discussion of M. Bataillon.

Conclusion. Among a number of literary works dealing with the sieges of Saragossa, Galdós's novel is the most famous. It was written in the months of March and April, 1874. As is inevitable in a work written so hastily, some defects are apparent. Galdós occasionally employs constructions that are not quite consistent, or he allows a discrepancy to creep into his work. Without doubt he could have produced a more finished novel if he had devoted more time to it. But after all allowance for blemishes, the novel *Zaragoza* remains a notable work of art. Despite instances of careless

---

[1] This last name may well be fictitious, as his exploit is connected with an unhistoric episode.

style, the language of the novel is usually the clear, vigorous blending of literary and colloquial Spanish that Galdós well knew how to employ.[1] An occasional discrepancy is counterbalanced by the habitually skillful mingling of history and fiction.

The real protagonist of *Zaragoza* is the people of Saragossa or of Aragon. Don José de Montoria represents the Aragonese gentleman, Pirli the careless, fearless, gay, enthusiastic youth, and El Tío Garcés the heroic peasant. These characters show the patriotism, the stubborn endurance, the fidelity and religious fervor, for which the people of Aragon are famous. Similar traits are shown by other characters, the appearance or mention of whom is more incidental, and notably by the women and priests. Montoria, Pirli, and Garcés are types that enable the reader to understand the spirit of loyalty to country and church that animated the defenders of Saragossa, and indeed of all Spain.

In *Zaragoza* Gabriel de Araceli is his usual amiable and natural self. By his connection with Agustín Montoria and the Candiolas he introduces us to the fictional portion of the book. We have in this a really moving story, constructed out of the ever-popular theme of a lover disliked by the father of his beloved. This story is interwoven skillfully with the martial events of the siege. In one important case Galdós deliberately falsified history to help his plot: he made the supposed treachery of Candiola an important element in bringing about the fall of the city. For this purpose he described the fall of San Francisco, and not the fall of the Arrabal, as the culminating event of the siege.[2]

---

[1] Galdós himself discusses the difficulty of reconciling literary and colloquial Spanish in his preface to Pereda's novel *El sabor de la tierruca.*

[2] This is pointed out and discussed by M. Bataillon.

Candiola is perhaps unnaturally villainous, but his character is dexterously drawn and seems plausible. In several instances the contact between the Candiola and Montoria families approaches the purest tragedy. This tragedy is evidenced in the enmity between Candiola and Montoria, but it reaches its height in the mistaken opinion of María held by Montoria, in the passionate appeals of María for her father before both Montorias, and in the assistance given by José Montoria to Agustín in the final chapter.

BIBLIOGRAPHICAL NOTE

So far as the editor is aware there is no complete study of the life and works of Galdós. There are many partial studies. The following are among the best sources of information, including discussion of the *Episodios nacionales*:

LEOPOLDO ALAS (CLARÍN). *Galdós*, in Clarín's *Obras completas*, volume I, Madrid, 1912. [An excellent study going to the year 1890.]

L. ANTÓN DEL OLMET and A. GARCÍA CARRAFFA. *Galdós*, in the series *Los grandes españoles*, Madrid, 1912. [Much information based on interviews granted to the authors by Galdós.]

M. MENÉNDEZ Y PELAYO. *Discurso leído ante la Real Academia Española en la recepción pública del 7 de febrero de 1897*, accessible in Menéndez y Pelayo's *Estudios de crítica literaria*, volume V, pp. 83–127. [A brilliant analysis of Galdós's literary career, on the occasion of the admission of Galdós to the Academy.]

B. PÉREZ GALDÓS. *Memorias de un desmemoriado*, in *La esfera*, volume III, 1916.

F. VÉZINET. *Les Maîtres du roman espagnol contemporain*, Paris, 1907, pp. 41–128.

There are several accounts of the sieges of Saragossa. The following are the most pertinent that have come to the attention of the editor:

A. ALCAIDE IBIECA. *Historia de los dos sitios que pusieron a Zaragoza en los años de 1808 y 1809 las tropas de Napoleón*, 3 volumes, Madrid, 1830. [The chief source of *Zaragoza*; a somewhat prolix work, often criticized for lack of historical method, but full of details.]

M. Casamayor. *Diario de los sitios de Zaragoza*, Saragossa, 1908. [A day-by-day account of the sieges, reflecting the author's personal observations.]

Le Général Baron Lejeune. *Histoire et peinture des événements qui ont eu lieu dans cette ville ouverte pendant les deux siéges qu'elle a soutenus en 1808 et 1809*. Paris, Librairie de Firmin-Didot frères, 1840. [A clear, straightforward account by a French officer, participant in the two sieges, who gives due credit to both sides.]

F. Rodríguez Landeyra and F. Galiay. *Versión y crítica de la relación del sitio de Zaragoza del T. General Baron de Rogniat*, Saragossa, Mariano Escar, 1908. [A translation, with copious notes and corrections, of the account of the second siege by Rogniat, a prominent military engineer in the attacking army. Rogniat's account is an excellent example of clear, concise narrative, strictly scientific in spirit. It does justice to the heroism of the defenders.]

Conde de Toreno. *Historia del levantamiento, guerra y revolución de España*. Biblioteca de Autores Españoles, volume LXIV, Madrid, 1872. [The classic history of the War of Independence, containing a vivid account of the sieges of Saragossa, from which Galdós borrowed some incidents.]

The best account of the sources of the novel *Zaragoza* is the following:

M. Bataillon. *Les Sources historiques de Zaragoza*, in *Bulletin hispanique*, volume XXIII (1921), pp. 129–141. [A scholarly discussion of the chief sources.]

ZARAGOZA

I

Me parece que fué al anochecer del 18 cuando avistamos a Zaragoza. Entrando por la puerta de Sancho, oímos que daba las diez el reloj de la Torre Nueva. Nuestro estado era excesivamente lastimoso en lo tocante a vestido y alimento, porque las largas jornadas que habíamos hecho desde Lerma por Salas de los Infantes, Cervera, Ágreda, Tarazona y Borja, escalando montes, vadeando ríos, franqueando atajos y vericuetos hasta llegar al camino real de Gallur y Alagón, nos dejaron molidos, extenuados y enfermos de fatiga. Con todo, la alegría de vernos libres endulzaba todas nuestras penas.

Éramos cuatro los que habíamos logrado escapar entre Lerma y Cogollos, divorciando nuestras inocentes manos de la cuerda que enlazaba a tantos patriotas. El día de la evasión reuníamos entre los cuatro un capital de once reales; pero después de tres días de marcha, y cuando entramos en la metrópoli aragonesa, hízose un balance y arqueo de la caja social, y nuestras cuentas sólo arrojaron un activo de treinta y un cuartos. Compramos pan junto a la Escuela Pía, y nos lo distribuimos.

D. Roque, que era uno de los expedicionarios, tenía buenas relaciones en Zaragoza; pero aquélla no era hora de presentarnos a nadie. Aplazamos para el día siguiente el buscar amigos, y como no podíamos alojarnos en una posada, discurrimos por la ciudad buscando un abrigo donde pasar la noche. Los portales del mercado no nos

parecían tener las comodidades y el sosiego que nuestros
cansados cuerpos exigían. Visitamos la torre inclinada,
y aunque alguno de mis compañeros propuso que nos
guareciéramos al amor de su zócalo, yo opiné que allí está-
5 bamos como en campo raso. Sirviónos, sin embargo, de
descanso aquel lugar, y también de refectorio para nuestra cena de pan seco, la cual despachamos alegremente,
mirando de rato en rato la mole amenazadora, cuya desviación la asemeja a un gigante que se inclina para mirar
10 quién anda a sus pies. A la claridad de la luna, aquel
centinela de ladrillo proyecta sobre el cielo su enjuta
figura, que no puede tenerse derecha. Corren las nubes
por encima de su aguja, y el espectador que mira desde
abajo se estremece de espanto, creyendo que las nubes
15 están quietas y que la torre se le viene encima. Esta
absurda fábrica, bajo cuyos pies ha cedido el suelo cansado de soportarla, parece que se está siempre cayendo y
nunca acaba de caer.

Recorrimos luego el Coso desde la casa de los Gigantes
20 hasta el Seminario; nos metimos por la calle Quemada y
la del Rincón, ambas llenas de ruinas, hasta la plazuela
de San Miguel, y de allí, pasando de callejón en callejón,
y atravesando al azar angostas e irregulares vías, nos
encontramos junto a las ruinas del Monasterio de Santa
25 Engracia, volado por los franceses al levantar el primer
sitio. Los cuatro lanzamos una misma exclamación que
indicaba la conformidad de nuestros pensamientos. Habíamos encontrado un asilo y excelente alcoba donde pasar
la noche.

[The ruins of the monastery are described.]

30   D. Roque nos dijo que bajo aquella iglesia había otra,
donde se veneraban los huesos de los Santos Mártires de

Zaragoza; pero la entrada del subterráneo estaba obstruí-
da. Profundo silencio reinaba allí; mas internándonos,
oímos voces humanas que salían de aquellos antros mis-
teriosos. La primera impresión que el escucharlas nos
produjo, fué como si hubieran aparecido las sombras de 5
los dos famosos cronistas, de los mártires cristianos y de
los patriotas sepultados bajo aquel polvo, y nos increparan
por haber turbado su sueño. En el mismo instante, al resplandor de una llama que iluminó parte de la escena, dis-
tinguimos un grupo de personas que se abrigaban unas 10
contra otras en el hueco formado entre dos machones
derruídos. Eran mendigos de Zaragoza que se habían
arreglado un palacio en aquel sitio, resguardándose de la
lluvia con vigas y esteras. También nosotros nos pudimos
acomodar por otro lado, y tapándonos con manta y media, 15
llamamos al sueño. D. Roque me decía así:

—Yo conozco a D. José de Montoria, uno de los labra-
dores más ricos de Zaragoza. Ambos somos hijos de
Mequinenza, fuimos juntos a la escuela y juntos jugába-
mos al truco en el altillo del Corregidor. Aunque hace 20
treinta años que no le veo, creo que nos recibirá bien.
Como buen aragonés, todo él es corazón. Le veremos,
muchachos; veremos a D. José Montoria. . . . Yo también tengo sangre de Montoria por la línea materna. Nos
presentaremos a él; le diremos . . . 25

Durmióse D. Roque y también me dormí.

II

El lecho en que yacíamos no convidaba por sus blan-
duras a dormir perezosamente la mañana; antes bien,
colchón de guijarros hace buenos madrugadores. Des-
pertamos, pues, con el día, y como no teníamos que 30

entretenernos en melindres de tocador, bien pronto estuvimos en disposición de salir a hacer nuestras visitas. A los
cuatro nos ocurrió simultáneamente la idea de que sería
muy bueno desayunarnos, pero al punto convinimos, con
5 igual unanimidad, en que no era posible por carecer de los
fondos indispensables para tan alta empresa.

—No os acobardéis, muchachos—dijo Don Roque,—
que al punto os he de llevar a todos a casa de mi amigo, el
cual nos amparará.

10 Cuando esto decía, vimos salir a dos hombres y una
mujer de los que fueron durante la noche nuestros compañeros de posada, y parecían gente habituada a dormir
en aquel lugar. Uno de ellos era un infeliz lisiado, un
hombre que acababa en las rodillas y se ponía en movi-
15 miento con ayuda de muletas o bien andando a cuatro
remos, viejo, de rostro jovial y muy tostado por el sol.
Como nos saludara afablemente al pasar, dándonos los
buenos días, D. Roque le preguntó hacia qué parte de la
ciudad caía la casa de D. José de Montoria, oyendo lo
20 cual repuso el cojo:

—¿D. José de Montoria? Le conozco más que a las
niñas de mis ojos. Hace veinte años vivía en la calle de
la Albardería; después se mudó a la de la Parra; después . . . Pero ustés son forasteros por lo que veo.

25 —Sí, buen amigo: forasteros somos, y venimos a afiliar-
nos en el ejército de esta valiente ciudad.

—¿De modo que no estaban ustés aquí el 4 de Agosto?

—No, amigo—le respondí,—no hemos presenciado ese
gran hecho de armas.

30 —¿Ni tampoco vieron la batalla de las Eras?—preguntó
el mendigo sentándose frente a nosotros.

—Tampoco hemos tenido esa felicidad.

—Pues allí estuvo D. José Montoria: fué de los que

THE MAID OF SARAGOSSA (LA ARTILLERA)

From the painting by M. Hiráldez Acosta

llevaron arrastrando el cañón hasta enfilarlo . . . pues.
Veo que ustés no han visto nada. ¿De qué parte del
mundo vienen ustés?

—De Madrid—dijo D. Roque.—¿Conque usted nos podrá decir dónde vive mi gran amigo D. José?

—¡Pues no he de poder, hombre, pues no he de poder!
—repuso el cojo, sacando un mendrugo para desayunarse.
—De la calle de la Parra se mudó a la de Enmedio. Ya
saben ustés que todas las casas volaron . . . pues. Allí estaba Esteban López, soldado de la décima compañía del
primer tercio de voluntarios de Aragón, y él solo con cuarenta hombres hizo retirar a los franceses.

—¡Eso sí que es cosa admirable!—dijo Don Roque.

—Pero si no han visto ustés lo del 4 de Agosto, no han
visto nada—continuó el mendigo.—Yo vi también lo del 4
de Junio, porque me fuí arrastrando por la calle de la Paja,
y vi a la *artillera* cuando dió fuego al cañón de 24.

—Ya, ya tenemos noticia del heroísmo de esa insigne
mujer—manifestó D. Roque.—Pero si usted nos quisiera
decir . . .

—Pues sí: D. José de Montoria es muy amigo del comerciante D. Andrés Guspide, que el 4 de Agosto estuvo
haciendo fuego desde la visera del callejón de la Torre del
Pino, y por allí llovían granadas, balas, metralla, y mi
D. Andrés fijo como un poste. Más de cien muertos había
a su lado, y él solo mató cincuenta franceses.

—Gran hombre es ése: ¿y es amigo de mi amigo?

—Sí, señor—respondió el cojo.—Y ambos son los mejores caballeros de Zaragoza, y me dan limosna todos los
sábados. Porque han de saber ustés que yo soy Pepe Pallejas, y me llaman por mal nombre *Sursum Corda*, pues
como fuí hace veintinueve años sacristán de Jesús, y canta-
ba . . . pero esto no viene al caso, y prosigo diciendo que

yo soy *Sursum Corda*, y *pué* que hayan ustés oído hablar
de mí en Madrid.

—Sí—dijo D. Roque, cediendo a un impulso de generosidad:—me parece que allá he oído nombrar al señor de
5 *Sursum Corda*. ¿No es verdad, muchachos?

—Pues ello . . . —prosiguió el mendigo.—Y sepan también que antes del sitio yo pedía limosna en la puerta de
este Monasterio de Santa Engracia, volado por los bandidos el 13 de Agosto. Ahora pido en la puerta de Jerusalén,
10 donde me podrán hallar siempre que gusten. . . . Pues como iba diciendo, el día 4 de Agosto estaba yo aquí, y vi salir
de la iglesia a Francisco Quílez, sargento primero de la
primera compañía del primer batallón de fusileros, el cuál
ya saben ustés que fué el que con treinta y cinco hombres
15 echó a los bandidos del Convento de la Encarnación. . . .
Veo que se asombran ustés . . . ya. Pues en la huerta de
Santa Engracia, aquí detrás, murió el subteniente D. Miguel Gila. Lo menos había doscientos cadáveres en la tal
huerta, y allí perniquebraron a D. Felipe San Clemente y
20 Romeu, comerciante de Zaragoza. Verdad es que si no hubiera estado presente D. Miguel Salamero . . . ¿ustés no
saben nada de esto?

—No, amigo y señor mío—dijo D. Roque;—nada de
esto sabemos, y aunque tenemos el mayor gusto en que us-
25 ted nos cuente tantas maravillas, lo que es ahora más nos
importa saber dónde encontraremos al D. José, mi antiguo amigo, porque padecemos los cuatro de un mal que
llaman hambre, y que no se cura oyendo contar hechos
sublimes.

30 —Ahora mismo les llevaré a donde quieren ir—repuso
Sursum Corda, después de ofrecernos parte de sus mendrugos.—Pero antes les quiero decir una cosa, y es que
si D. Mariano Cereso no hubiera defendido la Aljafería

como la defendió, nada se habría hecho en el Portillo. ¡Y
que es hombre de mantequillas en gracia de Dios el tal
D. Mariano Cereso! En la del 4 de Agosto andaba por las
calles con su espada y rodela antigua, y daba miedo verle.
Esto de Santa Engracia parecía un horno, señores. Las 5
bombas y las granadas llovían; pero los patriotas no les
hacían más caso que si fueran gotas de agua. Una buena
parte del convento se desplomó; las casas temblaban, y
todo esto que estamos viendo parecía un barrio de naipes,
según la prontitud con que se incendiaba y se desmorona- 10
ba. Fuego en las ventanas, fuego arriba, fuego abajo; los
franceses caían como moscos, señores, y a los zaragozanos
lo mismo les daba morir que nada. Don Antonio Quadros
embocó por allí, y cuando miró a las baterías francesas, se
las quería comer. Los bandidos tenían sesenta cañones 15
echando fuego sobre estas paredes. ¿Ustés no lo vieron?
Pues yo sí, y los pedazos del ladrillo de las tapias y la tierra de los parapetos salpicaban como miajas de un bollo.
Pero los muertos servían de parapeto, y muertos arriba,
muertos abajo, aquello era una montaña. Don Antonio 20
Quadros echaba llamas por los ojos. Los muchachos hacían fuego sin parar: su alma era toda balas. ¿Ustés no
lo vieron? Pues yo sí, y las baterías francesas se quedaban limpias de artilleros. Cuando vió que un cañón enemigo había quedado sin gente, el comandante gritó: 25
«¡Una charretera al que clave aquel cañón!» y Pepillo
Ruiz echa a andar como quien se pasea por un jardín entre mariposas y flores de Mayo; sólo que aquí las mariposas eran balas, y las flores bombas. Pepillo Ruiz clava
el cañón y se vuelve riendo. Pero velay que otro pedazo 30
de convento se viene al suelo. El que fué aplastado, aplastado quedó. D. Antonio Quadros dijo que aquello no importaba nada, y viendo que la artillería de los bandidos

había abierto un gran boquete en el muro, fué a taparlo él mismo con una saca de lana. Entonces una bala le dió en la cabeza. Retiráronle aquí; dijo que tampoco aquello era nada, y espiró.

[Sursum Corda continues his stories of the first siege, while Don Roque and his companions become more and more impatient.]

5 —Ya sabemos lo demás, buen hombre—dijo D. Roque. —Adelante y más que de prisa.

—Pero mucho mejor fué lo que hizo Codé, labrador de la parroquia de la Magdalena, con el cañón de la calle de la Parra—continuó el mendigo deteniéndose otra vez.—Pues
10 al ir a disparar, los franceses se echan encima: huyen todos; pero Codé se mete debajo del cañón; pasan los franceses sin verlo, y después, ayudado de una vieja que le dió una cuerda, arrastra la pieza hasta la boca-calle. Vengan ustés y les enseñaré.

15 —No, no queremos ver nada: adelante, adelante en nuestro camino.

Tanto le azuzamos, y con tanta obstinación cerramos nuestros oídos a sus historias, que al fin, aunque muy despacio, nos llevó por el Coso y el Mercado a la calle de la
20 Hilarza, donde la persona a quien queríamos ver tenía su casa.

III

Pero ¡ay! D. José de Montoria no estaba en ella, y nos fué preciso buscarle en los alrededores de la ciudad. Dos de mis compañeros, aburridos de tantas idas y venidas, se
25 separaron de nosotros, aspirando a buscar con su propia iniciativa un acomodo militar o civil. Nos quedamos solos D. Roque y un servidor, y así emprendimos con más desembarazo el viaje a la torre de nuestro amigo (llaman

en Zaragoza *torres* a las casas de campo), situada a Poniente, lindando con el camino de Muela y a poca distancia de la Bernardona. Un paseo tan largo a pie y en ayunas no era lo más satisfactorio para nuestros fatigados cuerpos; pero la necesidad nos obligaba a tan inoportuno 5 ejercicio, y por bien servidos nos dimos encontrando al deseado zaragozano, y siendo objeto de su cordial hospitalidad.

Ocupábase Montoria, cuando llegamos, en talar los frondosos olivos de su finca, porque así lo exigía el plan de obras de defensa establecido por los jefes facultativos ante 10 la inminencia de un segundo sitio. Y no era sólo nuestro amigo el que por sus propias manos destruía sin piedad la hacienda heredada: todos los propietarios de los alrededores se ocupaban en la misma faena, y presidían los devastadores trabajos con tanta tranquilidad como si fuera 15 un riego, un replanteo o una vendimia. Montoria nos dijo:

—En el primer sitio talé la heredad que tengo al lado allá de la Huerva; pero este segundo asedio que se nos prepara dicen que será más terrible que aquél, a juzgar por el gran aparato de tropas que traen los franceses. 20

Contámosle la capitulación de Madrid, lo cual pareció causarle mucha pesadumbre; y como elogiáramos con exclamaciones hiperbólicas las ocurrencias de Zaragoza desde el 15 de Junio al 14 de Agosto, encogióse de hombros y contestó: 25

—Se ha hecho todo lo que se ha podido.

Acto continuo D. Roque pasó a hacer elogios de mi personalidad, militar y civilmente considerada; y de tal modo se le fué la mano en este capítulo, que me hizo sonrojar, mayormente considerando que algunas de sus afirmaciones 30 eran estupendas mentiras. Díjole primero que yo pertenecía a una de las más alcurniadas familias de *la baja Andalucía en tierra de Doñana*, y que había asistido al glo-

rioso combate de Trafalgar en clase de guardia marina.
Le dijo también que la Junta me había concedido un destino en el Perú, y que durante el sitio de Madrid había
hecho prodigios de valor en la Puerta de los Pozos, siendo
5 tanto mi ardimiento, que los franceses, después de la rendición, creyeron conveniente deshacerse de tan terrible
enemigo, enviándome con otros patriotas a Francia. Añadió que mis ingeniosas invenciones habían proporcionado
la fuga a los cuatro compañeros refugiados en Zaragoza, y
10 puso fin a su panegírico asegurando que por mis cualidades
personales era yo acreedor a las mayores distinciones.

Montoria en tanto me examinaba de pies a cabeza, y si
llamaba su atención mi mal traer y las feas roturas de mi
vestido, también debió advertir que éste era de los que
15 usan las personas de calidad, revelando su finura, buen
corte y aristocrático origen en medio de la multiplicidad
abrumadora de sus desperfectos. Luego que me examinó
me dijo:

—¡Porra! No le podré afiliar a usted en la tercera es-
20 cuadra de la compañía de escopeteros de D. Santiago Sas,
de cuya compañía soy capitán; pero entrará en el cuerpo
en que está mi hijo; y si no quiere usted, largo de Zaragoza, que aquí no admitimos gente haragana. Y a usted,
D. Roque, amigo mío, puesto que no está para coger el fu-
25 sil, ¡porra! le haremos practicante en los hospitales del
ejército.

Luego que esto oyó D. Roque, expuso por medio de
circunlocuciones retóricas y de graciosas elipsis la gran
necesidad en que nos encontrábamos, y lo bien que reci-
30 biríamos sendas magras y un par de panes cada uno.
Entonces vimos que frunció el ceño el gran Montoria, mirándonos de un modo severo, lo cual nos hizo temblar, y
pareciónos que íbamos a ser despedidos por la osadía de

pedir de comer. Balbucimos tímidas excusas, y entonces
nuestro protector, con rostro encendido, nos habló asi:

—¿Conque tienen hambre? ¡Porra, váyanse al demonio con cien mil pares de porras! ¿Y por qué no lo
habían dicho? ¿Conque yo soy hombre capaz de con- 5
sentir que los amigos tengan hambre, porra? Sepan que
no me faltan diez docenas de jamones colgados en el techo
de la despensa, ni veinte cubas de lo añejo, sí, señor; y
tener hambre y no decírmelo en mi cara sin retruécanos,
es ofender a un hombre como yo. Ea, muchachos, entrad 10
adentro y mandar que frían obra de cuatro libras de lomo,
y que estrellen dos docenas de huevos, y que maten seis
gallinas, y saquen de la cueva siete jarros de vino, que yo
también quiero almorzar. Vengan todos los vecinos, los
trabajadores y mis hijos, si están por ahí. Y ustedes, se- 15
ñores, prepárense a hacer penitencia conmigo. ¡Nada de
melindres, porra! Comerán de lo que hay, sin dengues ni
boberías. Aquí no se usan cumplidos. Usted, Sr. D. Roque, y usted, Sr. de Araceli, están en su casa hoy y mañana
y siempre, ¡porra! José de Montoria es muy amigo de los 20
amigos. Todo lo que tiene es de los amigos.

La ruda generosidad de aquel insigne varón nos tenía
anonadados. Como recibiera muy mal los cumplimientos,
resolvimos dejar a un lado el formulario artificioso de la
Corte, y vierais allí cómo la llaneza más primitiva reinó 25
durante el almuerzo.

—¿Qué, no come usted más?—me dijo Don José.—Me
parece que es usted un boquirrubio que se anda con en-
juagues y finuras. A mí no me gusta eso, caballerito: me
parece que me voy a enfadar y tendré que pegar palos para 30
hacerles comer. Ea, despache usted este vaso de vino.
¿Acaso es mejor el de la Corte? Ni a cien leguas. Conque,
porra, beba usted, porra, o nos veremos las caras.

Esto fué causa de que comiera y bebiera mucho más de lo que en mi cuerpo cabía; pero había que corresponder a la generosa franqueza de Montoria, y no era cosa de que por una indigestión más o menos se perdiera tan buena
5 amistad.

Después del almuerzo siguieron los trabajos de tala, y el rico labrador los dirigía como si fuera una fiesta.

—Veremos—decía,—si esta vez se atreven a atacar el castillo. ¿No ha visto usted las obras que hemos hecho?
10 Menudo trabajo van a tener. Yo he dado doscientas sacas de lana, una friolera, y daré hasta el último mendrugo.

Cuando nos retirábamos a la ciudad, llevónos Montoria a examinar las obras defensivas que a la sazón se estaban construyendo en aquella parte occidental.

[The works are briefly described.]

15 Todas estas obras, como hechas a prisa, aunque con inteligencia, no se distinguían por su solidez. Cualquier general enemigo, ignorante de los acontecimientos del primer sitio y de la inmensa estatura moral de los zaragozanos al ponerse detrás de aquellos montones de tierra, se habría
20 reído de fortificaciones tan despreciables para un buen material de sitio; pero Dios ha dispuesto que alguien escape de vez en cuando a las leyes físicas establecidas por la guerra. Zaragoza, comparada con Amberes, Dantzig, Metz, Sebastopol, Cartagena, Gibraltar y otras célebres plazas
25 fuertes tomadas o no, era entonces una fortaleza de cartón. Y sin embargo . . .

IV

En su casa, Montoria se enfadó otra vez con D. Roque y conmigo porque no quisimos admitir el dinero que nos ofrecía para nuestros primeros gastos en la ciudad; y aquí

se repitieron los puñetazos en la mesa y la lluvia de *porras*
y otras palabras que no cito; pero al fin llegamos a una
transacción honrosa para ambas partes. Y ahora caigo en
que me ocupo demasiado de hombre tan singular sin haber
anticipado algunas observaciones acerca de su persona. 5
Era D. José un hombre de sesenta años, fuerte, colorado,
rebosando salud, bienestar, contento de sí mismo, conformidad con la suerte y conciencia tranquila. Lo que le sobraba en patriarcales virtudes y en costumbres ejemplares
y pacíficas (si es que esto puede estar de sobra en algún 10
caso), le faltaba en educación, es decir, en aquella educación atildada que entonces empezaban a recibir algunos hijos de familias ricas. D. José no conocía los artificios de
la etiqueta, y por carácter y por costumbres, era refractario a la mentira discreta, y a los amables embustes que 15
constituyen la base fundamental de la cortesía. Como él
llevaba siempre el corazón en la mano, quería que asimismo lo llevasen los demás, y su bondad salvaje no toleraba
las coqueterías frecuentemente falaces de la conversación
fina. En los momentos de enojo era impetuoso y dejábase 20
arrastrar a muy violentos extremos, de que por lo general
se arrepentía más tarde.

En él no había disimulo, y tenía las grandes virtudes
cristianas en crudo y sin pulimento, como un macizo canto
del más hermoso mármol, donde el cincel no ha trazado 25
una raya siquiera. Era preciso saberlo entender, cediendo
a sus excentricidades, si bien en rigor no debe llamarse excéntrico el que tanto se parecía a la generalidad de sus paisanos. No ocultar jamás lo que sentía era su norte, y si
bien esto le ocasionaba algunas molestias en el curso de la 30
vida ordinaria y en asuntos de poca monta, era un tesoro
inapreciable siempre que se tratase con él un negocio
grave, porque puesta a la vista toda su alma, no había que

temer malicia alguna. Perdonaba las ofensas, agradecía los beneficios, y daba gran parte de sus cuantiosos bienes a los menesterosos.

Vestía con aseo; comía abundantemente, ayunando con todo escrúpulo la Cuaresma entera, y amaba a la Virgen del Pilar con fanático amor de familia. Su lenguaje no era, según se ha visto, un modelo de comedimiento, y él mismo confesaba como el mayor de sus defectos lo de soltar a todas horas *porra* y más *porra*, sin que viniese al caso; pero más de una vez le oí decir que, conocedor de la falta, no la podía remediar, porque aquello de las *porras* le salía de la boca sin que él mismo se diera cuenta de ello.

Tenía mujer y tres hijos. Era aquélla Doña Leocadia Sarriera, navarra de origen. De los vástagos, el mayor y la hembra estaban casados y habían dado a los viejos algunos nietos. El más pequeño de los hijos llamábase Agustín y era destinado a la Iglesia, como su tío del mismo nombre, arcediano de la Seo. A todos les conocí en el mismo día, y eran la mejor gente del mundo. Fuí tratado con tanto miramiento, que me tenía absorto su generosidad, y si me conocieran desde el nacer no habrían sido más rumbosos. Sus obsequios, espontáneamente sugeridos por corazones generosos, me llegaban al alma, y como yo siempre he sido fácil en dejarme querer, les correspondí desde el principio con muy sincero afecto.

—Sr. D. Roque—dije aquella noche a mi compañero cuando nos acostábamos en el cuarto que nos destinaron,— yo jamás he visto gente como ésta. ¿Son así todos los aragoneses?

—Hay de todo—me respondió;—pero hombres de la madera de D. José de Montoria, y familias como esta familia, abundan mucho en esta tierra de Aragón.

Al siguiente día nos ocupamos de mi alistamiento. La

decisión de aquel vecindario me entusiasmaba de tal modo, que nada me parecía tan honroso como seguir tras ella, aunque fuera a distancia, husmeando su rastro de gloria. Ninguno de ustedes ignora que en aquellos días Zaragoza y los zaragozanos habían adquirido un renombre fabuloso; que sus hazañas enardecían las imaginaciones, y que todo lo referente al sitio famoso de la inmortal ciudad, tomaba en boca de los narradores las proporciones y el colorido de una leyenda de los tiempos heroicos. Con la distancia, las acciones de los zaragozanos adquirían dimensiones mayores aún, y en Inglaterra y en Alemania, donde les consideraban como los numantinos de los tiempos modernos, aquellos paisanos medio desnudos, con alpargatas en los pies y un pañizuelo arrollado en la cabeza, eran figuras de coturno. *Capitulad y os vestiremos,*—decían los franceses en el primer sitio, admirados de la constancia de unos pobres aldeanos vestidos de harapos.—*No sabemos rendirnos* —contestaban,—*y nuestras carnes sólo se cubren de gloria.* Éstas y otras frases habían dado la vuelta al mundo.

[Minor difficulties in enlistment are overcome.]

Diéronme un puesto en el batallón de voluntarios de las Peñas de San Pedro, bastante mermado en el primer sitio, y recibí un uniforme y un fusil. No formé, como había dicho mi protector, en las filas de Mosén Santiago Sas, fogoso clérigo, puesto al frente de un batallón de escopeteros, porque esta valiente partida se componía exclusivamente de vecinos de la parroquia de San Pablo. Tampoco querían gente moza en su batallón, por cuya causa ni el mismo hijo de D. José de Montoria, Agustín Montoria, pudo servir a las órdenes de Sas, y se afilió como yo en el batallón de las Peñas de San Pedro. La suerte me deparaba un buen compañero y un excelente amigo.

Desde el día de mi llegada oí hablar de la aproximación del ejército francés; pero esto no fué un hecho incontrovertible hasta el 20. Por la tarde una división llegó a Zuera, en la orilla izquierda, para amenazar el Arrabal;
5 otra, mandada por Suchet, acampó en la derecha sobre San Lamberto. Moncey, que era el General en jefe, situóse con tres divisiones hacia el Canal y en las inmediaciones de la Huerva. Cuarenta mil hombres nos cercaban.

Sabido es que, impacientes por vencernos, los franceses
10 comenzaron sus operaciones el 21 desde muy temprano, embistiendo con gran furor y simultáneamente el monte Torrero y el arrabal de la izquierda del Ebro, puntos sin cuya posesión era excusado pensar en someter la valerosa ciudad; pero si bien tuvimos que abandonar a Torrero,
15 por ser peligrosa su defensa, en el Arrabal desplegó Zaragoza tan temerario arrojo, que es aquel día uno de los más brillantes de su brillantísima historia.

[A brief description of defensive works on the south side of Saragossa.]

Agustín Montoria y yo no nos separábamos, porque su apacible carácter, el afecto que me mostró desde que nos
20 conocimos, y cierta conformidad, cierta armonía inexplicable en nuestras ideas, me hacían muy agradable su compañía. Era él un joven de hermosísima figura, ojos grandes y vivos, despejada frente y cierta gravedad melancólica en su fisonomía. Su corazón, como el del padre,
25 estaba lleno de aquella generosidad que se desbordaba al menor impulso; pero tenía sobre él la ventaja de no lastimar al favorecido, porque la educación le había quitado gran parte de la rudeza nacional. Agustín entraba en la edad viril con la firmeza y la seguridad de un corazón lleno,
30 de un entendimiento rico y no gastado, de un alma vigoro-

sa y sana, a la cual no faltaba sino ancho mundo, ancho espacio para producir bondades sin cuento. Estas cualidades eran realzadas por una imaginación brillante, pero de vuelo seguro y derecho, no parecida a la de nuestros modernos geniecillos, que las más de las veces ignoran por dónde van, sino serena y majestuosa, como educada en la gran escuela de los latinos.

Aunque con viva inclinación a la poesía (pues Agustín era poeta), había aprendido la ciencia teológica, descollando en ella como en todo. Los Padres del Seminario, hombres de mucha ciencia y muy cariñosos con la juventud, le tenían por un prodigio en las letras humanas y en las divinas, y se congratulaban de verle con un pie dentro de la Iglesia docente. La familia de Montoria no cabía en sí de gozo, y esperaba el día de la primera misa como el santo advenimiento.

Sin embargo (me veo obligado a decirlo desde el principio), Agustín no tenía vocación eclesiástica. Su familia, lo mismo que los buenos Padres del Seminario, no lo comprendían así ni lo comprendieran aunque bajara a decírselo el Espíritu Santo en persona. El precoz teólogo, el humanista que tenía a Horacio en las puntas de los dedos, el dialéctico que en los ejercicios semanales dejaba atónitos a los maestros con la intelectual gimnasia de la ciencia escolástica, no tenía más vocación para el sacerdocio que la que tuvo Mozart para la guerra, Rafael para las matemáticas, o Napoleón para el baile.

V

—Gabriel—me decía aquella mañana,—¿tienes ganas de batirte?

—Agustín, ¿tienes tú ganas de batirte?—repliqué. (Como se ve, nos tuteábamos a los tres días de conocernos.)

—No muchas—dijo.—Figúrate que la primera bala nos matara . . .

—Moriríamos por la patria, por Zaragoza; y aunque la posteridad no se acordara de nosotros, siempre es un honor caer en el campo de batalla por una causa como ésta.

—Dices bien—repuso con tristeza;—pero es una lástima morir. Somos jóvenes. ¿Quién sabe lo que nos está destinado en la vida?

—La vida es una miseria, y para lo que vale mejor es no pensar en ella.

—Eso que lo digan los viejos; pero no nosotros que empezamos a vivir. Francamente, yo no quisiera ser muerto en este terrible cerco que nos han puesto los franceses. En el otro sitio también tomamos las armas todos los alumnos del Seminario, y te confieso que estaba yo más valiente que ahora. No sé qué fuego enardecía mi sangre, y me lanzaba a los puestos de mayor peligro sin temer la muerte. Hoy no me pasa lo mismo: estoy medroso, y el disparo de un fusil me hace estremecer.

—Eso es natural—contesté.—El miedo no existe cuando no se conoce el peligro. Por eso dicen que los más valientes soldados son los bisoños.

—No es nada de eso. Francamente, Gabriel, te confieso que esto de morir sin más ni más, me sabe muy mal. Por si muero, voy a hacerte un encargo, que espero cumplirás con la solicitud de un buen amigo. Atiende bien a lo que te digo. ¿Ves aquella torre que se cae de un lado y parece inclinarse hacia acá para ver lo que aquí pasa, u oír lo que estamos diciendo?

—La Torre Nueva. Ya la veo: ¿qué encargo me vas a dar para esa señora?

Amanecía, y entre los irrregulares tejados de la ciudad, entre las espadañas, minaretes, miradores y cimborrios de las iglesias, se destacaba la Torre Nueva, siempre *vieja* y nunca derecha.

—Pues oye bien—continuó Agustín.—Si me matan a los primeros tiros en este día que ahora comienza, cuando acabe la acción y rompan filas, te vas allá . . .   5

—¿A la Torre Nueva? Llego, subo . . .

—No, hombre, subir no. Te diré: llegas a la plaza de San Felipe donde está la Torre . . . Mira hacia allá: ¿ves que junto a la gran mole hay otra torre, un campanario pequeñito? Parece un monaguillo delante del señor canó- 10 nigo, que es la torre grande.

—Sí, ya veo el monaguillo. Y si no me engaño es el campanario de San Felipe. Y ahora toca el maldito.

—A misa, está tocando a misa—dijo Agustín con grande emoción.—¿No oyes el esquilón rajado?   15

—Pues bien: sepamos lo que tengo que decir a ese señor monaguillo que toca el esquilón rajado.

—No, no es nada de eso. Llegas a la plaza de San Felipe. Si miras al campanario, verás que está en una esquina; de esta esquina parte una calle angosta: entras 20 por ella, y a la izquierda encontrarás al poco trecho otra calle angosta y retirada que se llama de Antón Trillo. Sigues por ella hasta llegar a espaldas de la iglesia. Allí verás una casa: te paras . . .

—Y luego me vuelvo.   25

—No: junto a la casa de que te hablo hay una huerta, con un portalón pintado de color de chocolate. Te paras allí . . .

—Me paro allí, y allí me estoy.

—No, hombre: verás . . .   30

—Estás más blanco que la camisa, Agustinillo. ¿Qué significan esas torres y esas paradas?

—Significan—continuó mi amigo con más embarazo

cada vez,—que en cuanto estés allí . . . Te advierto que debes ir de noche . . . Bueno: llegas, te paras, aguardas un poquito, luego pasas a la acera de enfrente, alargas el cuello y verás por sobre la tapia de la huerta una ventana. Coges una piedrecita, y la tiras contra los vidrios de modo que no haga mucho ruido.

—Y en seguida saldrá ella.

—No, hombre: ten paciencia. ¿Qué sabes tú si saldrá o no saldrá?

—Bueno: pongamos que sale.

—Antes te diré otra cosa, y es que allí vive el tío Candiola. ¿Tú sabes quién es el tío Candiola? Pues es un vecino de Zaragoza, hombre que, según dicen, tiene en su casa un sótano lleno de dinero. Es avaro y usurero, y cuando presta saca las entrañas. Sabe de leyes y moratorias y ejecuciones más que todo el Consejo y Cámara de Castilla. El que se mete en pleito con él está perdido.

—De modo que la casa del portalón pintado de color de chocolate será un magnífico palacio.

—Nada de eso: verás una casa miserable, que parece se está cayendo. Te digo que el tío Candiola es avaro. No gasta un real aunque le fusilen, y si le vieras por ahí le darías una limosna. Te diré otra cosa y es que en Zaragoza nadie le puede ver y le llaman tío Candiola por mofa y desprecio de su persona. Su nombre es D. Jerónimo de Candiola, natural de Mallorca, si no me engaño.

—Y ese tío Candiola tiene una hija.

—Hombre, espera. ¡Qué impaciente eres! ¿Qué sabes tú si tiene o no tiene una hija?—me dijo, disimulando con estas evasivas su turbación.—Pues, como te iba contando, el tío Candiola es muy aborrecido en la ciudad por su gran avaricia y mal corazón. A muchos pobres ha metido en la cárcel después de arruinarlos. Además, en el otro sitio no dió un cuarto para la guerra, ni tomó las armas, ni recibió heridos en su casa, ni le pudieron sacar una peseta; y como un día dijera que a él lo mismo le daba Juan que Pedro, estuvo a punto de ser arrastrado por los patriotas.

—Pues es una buena pieza el hombre de la casa de la huerta del portalón color de chocolate. ¿Y si cuando arroje la piedra a la ventana sale el tío Candiola con un garrote, y me da una solfa por hacerle chicoleos a su hija?

—No seas bestia, y calla. ¿No sabes que desde que obscurece, Candiola se encierra en un cuarto subterráneo y se está contando su dinero hasta más de media noche? ¡Bah! Ahora va él a ocuparse . . . Los vecinos dicen que sienten un cierto rumorcillo o sonsonete, como si estuvieran vaciando sacos de onzas.

—Bien: llego, arrojo la piedra, espero, ella sale y le digo . . .

—Le dices que he muerto . . . no, no seas bárbaro. Le das este escapulario . . . no, le dices . . . no, más vale que no le digas nada.

—Entonces, le daré el escapulario.

—Tampoco: no le lleves el escapulario.

—Ya, ya comprendo. Luego que salga, le daré las buenas noches y me marcharé cantando *La Virgen del Pilar dice* . . .

—No: es preciso que sepa mi muerte. Tú haz lo que yo te mando.

—Pero si no me mandas nada.

—¿Pero qué prisa tienes? Deja tú. Todavía puede ser que no me maten.

—Ya. ¡Cuánto ruido para nada!

—Es que me pasa una cosa, Gabriel, y te la diré francamente. Tenía muchos, muchísimos deseos de confiarte

este secreto que se me sale del pecho. ¿A quién lo había
de revelar sino a ti, que eres mi amigo? Si no te lo dijera,
me reventaría el corazón como una granada. Temo mucho
decirlo de noche en sueños, y por este temor no duermo.
5 Si mi padre, mi madre o mi hermano lo supieran, me
matarían.

—¿Y los Padres del Seminario?

—No nombres a ésos. Verás: te contaré lo que me ha
pasado. ¿Conoces al Padre Rincón? Pues el Padre Rin-
10 cón me quiere mucho, y todas las tardes me sacaba a paseo
por la ribera o hacia Torrero, camino de Juslibol. Hablá-
bamos de teología y de letras humanas. Rincón es tan
entusiasta del gran poeta Horacio, que suele decir: « Es
lástima que ese hombre no haya sido cristiano para cano-
15 nizarle.» Lleva siempre consigo un pequeño Elzevirius,
a quien ama más que a las niñas de sus ojos, y cuando nos
cansamos en el paseo, él se sienta, lee y entre los dos hacemos los comentarios que se nos ocurren . . . Bueno . . .
ahora te diré que el Padre Rincón era pariente de Doña
20 María Rincón, difunta esposa de Candiola, y que éste tiene
una heredad en el camino de Monzalbarba, con una *torre*
miserable, más parecida a cabaña que a *torre*, pero rodeada de frondosos árboles y con deliciosas vistas al Ebro.
Una tarde, después que leímos el *Quis multa gracilis te*
25 *puer in rosa*, mi maestro quiso visitar a su pariente. Fuimos allá, entramos en la huerta, y Candiola no estaba.
Pero nos salió al encuentro su hija, y Rincón le dijo:—
Mariquilla, da unos melocotones a este joven, y saca para
mí una copita de lo que sabes.

30 —¿Y es guapa Mariquilla?

—No preguntes eso. ¿Que si es guapa? Verás . . . El
Padre Rincón le tomó la barba, y haciéndole volver la cara
hacia mí, me dijo:—«Agustín, confiesa que en tu vida has

visto una cara más linda que ésta. Mira qué ojos de fuego, qué boca de ángel y qué pedazo de cielo por frente.»
Yo temblaba, y Mariquilla, con el rostro encendido como
la grana, se reía. Luego Rincón continuó diciendo:—«A ti
que eres un futuro Padre de la Iglesia, y un joven ejemplar 5
sin otra pasión que la de los libros, se te puede enseñar
esta divinidad. Joven, admira aquí las obras admirables
del Supremo Creador. Observa la expresión de este rostro,
la dulzura de esas miradas, la gracia de esa sonrisa, el
frescor de esa boca, la suavidad de esa tez, la elegancia de 10
ese cuerpo y confiesa que si es hermoso el cielo, y la flor, y
las montañas, y la luz, todas las creaciones de Dios se
obscurecen al lado de la mujer, la más perfecta y acabada
hechura de las inmortales manos.» Esto me dijo mi maestro, y yo, mudo y atónito, no cesaba de contemplar aque- 15
lla obra maestra, que era sin disputa mejor que la Eneida.
No puedo explicarte lo que sentí. Figúrate que el Ebro,
ese gran río que baja desde Fontibre hasta dar en el mar
por los Alfaques, se detuviera de improviso en su curso, y
empezase a correr hacia arriba volviendo a las Asturias de 20
Santillana: pues una cosa así pasó en mi espíritu. Yo
mismo me asombraba de ver cómo todas mis ideas se detuvieron en su curso sosegado, y volvieron atrás, echando no
sé por qué nuevos caminos. Te digo que estaba asombrado y lo estoy todavía. Mirándola sin saciar nunca la an- 25
siedad, tanto de mi alma como de mis ojos, yo me decía:—
«La amo de un modo extraordinario. ¿Cómo es que hasta
ahora no había caído en ello?» Yo no había visto a Mariquilla hasta aquel momento.

—¿Y los melocotones?   30

—Mariquilla estaba tan turbada delante de mí como yo
delante de ella. El Padre Rincón se puso a hablar con el
hortelano sobre los desperfectos que habían hecho en la

finca los franceses (pues esto pasaba a principios de Septiembre, un mes después de levantado el primer sitio), y Mariquilla y yo nos quedamos solos. ¡Solos! Mi primer impulso fué echar a correr, y ella, según me ha dicho, también sintió lo mismo. Pero ni ella ni yo corrimos, sino que nos quedamos allí. De pronto sentí una grande y extraña energía en mi cerebro. Rompiendo el silencio, comencé a hablar con ella: dijimos varias cosas indiferentes al principio; pero a mí me ocurrían pensamientos que, según mi entender, sobresalían de lo vulgar, y todos, todos los dije. Mariquilla me respondía poco; pero sus ojos eran más elocuentes que cuanto yo le estaba diciendo. Al fin, llamónos el Padre Rincón, y nos marchamos. Me despedí de ella, y en voz baja le dije que pronto nos volveríamos a ver. Volvimos a Zaragoza. ¡Ay! Por el camino, los árboles, el Ebro, las cúpulas del Pilar, los campanarios de la ciudad, los transeuntes, las casas, las tapias de las huertas, el suelo, el rumor del viento, los perros del camino, todo me parecía distinto; todo, cielo y tierra habían cambiado. Mi buen maestro volvió a leer a Horacio, y yo dije que Horacio no valía nada. Me quiso comer, y amenazóme con retirarme su amistad. Yo elogié a Virgilio con entusiasmo, y repetí aquellos célebres versos

Est mollis flamma medullas
interea, et tacitum vivit sub pectore vulnus.

—Eso pasó a principios de Septiembre—le dije.—¿Y de entonces acá?

—Desde aquel día ha empezado para mí la nueva vida. Comenzó por una inquietud ardiente que me quitaba el sueño, haciéndome aborrecible todo lo que no fuera Mariquilla. La propia casa paterna me era odiosa, y vagando por los alrededores de la ciudad sin compañía alguna,

buscaba en la soledad la paz de mi espíritu. Aborrecí el
colegio, los libros todos y la teología; y cuando llegó
Octubre y me querían obligar a vivir encerrado en la santa
casa, me fingí enfermo para quedarme en la mía. Gracias
a la guerra, que a todos nos ha hecho soldados, puedo vivir 5
libremente, salir a todas horas, incluso de noche, y verla
y hablarle con frecuencia. Voy a su casa, hago la seña
convenida, baja, abre una ventana con reja, y hablamos
largas horas. Los transeuntes pasan; pero como yo estoy
embozado en mi capa hasta los ojos, con esto y la obscuri- 10
dad de la noche, nadie me conoce. Por eso los muchachos
del pueblo se preguntan unos a otros: «¿Quién será el
novio de la Candiola?» De algunas noches a esta parte,
recelando que nos descubran, hemos suprimido la conversación por la reja. María baja, abre el portalón de la 15
huerta y entro. Nadie puede descubrirnos, porque D. Jerónimo, creyéndola acostada, se retira a su cuarto a contar
el dinero, y la criada vieja, única que hay en la casa, nos
protege. Solos en la huerta, nos sentamos en una escalera
de piedra que allí existe, y al través de las ramas de un 20
álamo negro y corpulento, vemos a pedacitos la claridad
de la luna. En aquel silencio majestuoso nuestras almas
comprenden lo divino, y sentimos con una intensidad que
no puede expresarse por el lenguaje. Nuestra felicidad es
tan grande, que a veces es un tormento vivísimo; y si 25
hay momentos en que uno desearía centuplicarse, también los hay en que uno desearía no existir. Pasamos allí
largas horas. Anteanoche estuve hasta cerca del día, pues
como mis padres me creen en el cuerpo de guardia, no
tengo prisa para retirarme. Cuando principiaba a clarear 30
la aurora, nos despedimos. Por encima de la tapia de la
huerta se ven los techos de las casas inmediatas y el pico
de la Torre Nueva. María, señalándole, me dijo:

—Cuando esa torre se ponga derecha, dejaré de quererte.
No dijo más Agustín, porque sonó un cañonazo del lado
de Monte Torrero, y ambos volvimos hacia allá la vista.

VI

[The fall of Monte Torrero and the successful defense of the
Arrabal are described at length in Chapter VI.]

VII

Llegada la noche, y cuando parte de nuestras tropas se
5 replegó a la ciudad, todo el pueblo corrió hacia el Arrabal
para contemplar de cerca el campo de batalla, ver los des-
trozos hechos por el fuego, contar los muertos, y regocijar
la imaginación representándose una por una las heroicas
escenas. La animación, el movimiento y bulla hacia aque-
10 lla parte de la ciudad eran inmensas. Por un lado, grupos de soldados cantando con febril alegría; por otro, las
cuadrillas de personas piadosas que transportaban a sus
casas los heridos; en todas partes general satisfacción,
que se mostraba en los diálogos vivos, en las preguntas,
15 en las exclamaciones jactanciosas, y con lágrimas y risas,
mezclando la jovialidad al entusiasmo.

Serían las nueve cuando rompimos filas los de mi batallón, porque faltos de acuartelamiento, se nos permitía dejar el puesto por algunas horas, siempre que no hubiera
20 peligro. Corrimos Agustín y yo hacia el Pilar, donde se
agolpaba un gentío inmenso, y entramos difícilmente.
Quedéme sorprendido al ver cómo forcejeaban unas contra
otras, las personas allí reunidas, para acercarse a la capilla
en que mora la Virgen del Pilar. Los rezos, las plegarias
25 y las demostraciones de agradecimiento formaban un conjunto que no se parecía a los rezos de ninguna clase de
fieles. Más que rezo era un hablar continuo, mezclado de

LA TORRE NUEVA

sollozos, gritos, palabras tiernísimas y otras de íntima e ingenua confianza, como suele usarlas el pueblo español con los santos que le son queridos. Caían de rodillas, besaban el suelo, se asían a las rejas de la capilla, dirigíanse a la santa imagen llamándola con los nombres más fami- 5 liares y más patéticos del lenguaje. Los que por la aglomeración de la gente no podían acercarse, hablaban con la Virgen desde lejos agitando sus brazos. Allí no había sacristanes que prohibieran los modales descompuestos y los gritos irreverentes, porque éstos y aquéllos eran hijos del 10 desbordamiento de la devoción, semejante a un delirio. Faltaba el silencio solemne de los lugares sagrados: todos estaban allí como en su casa; como si la casa de la Virgen querida, la madre, ama y reina de los zaragozanos, fuese también la casa de sus hijos, siervos y súbditos. 15

Asombrado de aquel fervor, a quien la familiaridad hacía más interesante, pugné por abrirme paso hasta la reja, y vi la célebre imagen.

[The image is described.]

Yo contemplaba la imagen cuando Agustín me apretó el brazo, diciéndome: 20

—Mírala, allí está.

—¿Quién, la Virgen? Ya la veo.

—No, hombre: Mariquilla. ¿La ves? Allá enfrente, junto a la columna.

Miré y sólo vi mucha gente: al instante nos apartamos 25 de aquel sitio, buscando entre la multitud un paso para transportarnos al otro lado.

—No está con ella el tío Candiola—dijo Agustín muy alegre.—Viene con la criada.

Y diciendo esto, codeaba a un lado y otro para hacerse 30 camino, estropeando pechos y espaldas, pisando pies, cha-

fando sombreros y arrugando vestidos. Yo seguía tras él,
causando iguales estragos a derecha e izquierda, y por fin
llegamos junto a la hermosa joven, que lo era realmente,
según pude reconocerlo en aquel momento por mis pro-
5 pios ojos. La entusiasta pasión de mi buen amigo no me
engañó, y Mariquilla valía la pena de ser desatinadamente
amada. Llamaban la atención en ella la tez morena y des-
colorida, los ojos de profundo negror, la nariz correctísi-
ma, la boca incomparable y la frente hermosa, aunque
10 pequeña. Había en su rostro, como en su cuerpo delgado
y ligero, cierto voluptuoso abandono; cuando bajaba los
ojos, creyérase que una dulce y amorosa obscuridad en-
volvía su figura, confundiéndola con las nuestras. Sonreía
con gravedad, y cuando nos acercamos, sus miradas reve-
15 laban temor. Todo en ella anunciaba la pasión circuns-
pecta y reservada de las mujeres de cierto carácter, y
debía de ser, según me pareció en aquel momento, poco
habladora, falta de coquetería y pobre de artificios. Después tuve ocasión de comprobar aquél mi prematuro juicio.
20 Resplandecía en el rostro de Mariquilla una calma plató-
nica y cierta seguridad de sí misma. A diferencia de la
mayor parte de las mujeres, y semejante al menor número
de las mismas, aquella alma se alteraba difícilmente; pero
al verificarse la alteración, la cosa iba de veras. Blandas
25 y sensibles otras como la cera, ante un débil calor sin
esfuerzo se funden; pero Mariquilla, de durísimo metal
compuesta, necesitaba la llama de un gran fuego para
perder la compacta conglomeración de su carácter, y si
este momento llegaba, había de ser como el metal derre-
30 tido que abrasa cuanto toca.

Además de su belleza, me llamó la atención la elegancia
y hasta cierto punto el lujo con que vestía, pues acostum-
brado a oír exagerar la avaricia del tío Candiola, supuse

que tendría reducida a su hija a los últimos extremos de
la miseria en lo relativo a traje y tocado. Pero no era
así. Según Montoria me dijo después, el tacaño de los
tacaños, no sólo permitía a su hija algunos gastos, sino que
la obsequiaba de peras a higos con tal cual prenda, que a 5
él le parecía el *non plus ultra* de las pompas mundanas.
Si Candiola era capaz de dejar morir de hambre a parien-
tes cercanos, tenía con su hija condescendencias de bolsillo
verdaderamente escandalosas y fenomenales; aunque avaro, era padre: amaba regularmente, quizás mucho, a la 10
infeliz muchacha, hallando por esto en su generosidad el
primero, tal vez el único agrado de su árida existencia.

Algo más hay que hablar en lo referente a este punto;
pero irá saliendo poco a poco durante el curso de la narración, y ahora me concretaré a decir que mi amigo no había 15
dicho aún diez palabras a su adorada María, cuando un
hombre se nos acercó de súbito, y después de mirarnos un
instante a los dos con centelleantes ojos, dirigióse a la joven, la tomó por el brazo, y enojadamente le dijo:

—¿Qué haces aquí? Y usted, tía Guedita, ¿por qué la 20
ha traído al Pilar a estas horas? A casa, a casa pronto.

Y empujándolas a ambas, ama y criada, llevólas hacia
la puerta y a la calle, desapareciendo los tres de nuestra
vista.

Era Candiola. Lo recuerdo bien, y su recuerdo me hace 25
estremecer de espanto. Más adelante sabréis por qué.
Desde la breve escena en el templo del Pilar, la imagen
de aquel hombre quedó grabada en mi memoria, y no era
ciertamente su figura de las que prontamente se olvidan.
Viejo, encorvado, con aspecto miserable y enfermizo, de 30
mirar oblicuo y desapacible, flaco de cara y hundido de
mejillas, Candiola se hacía antipático desde el primer momento. Su nariz corva y afilada como el pico de un pájaro

lagartijero, la barba igualmente picuda, los largos pelos
de las cejas blanquinegras, la pupila verdosa, la frente
vasta y surcada por una pauta de paralelas arrugas, las
orejas cartilaginosas, la amarilla tez, el ronco metal de la
voz, el desaliñado vestir, el gesto insultante, toda su persona, desde la punta del cabello, mejor dicho, desde la bolsa
de su peluca hasta la suela del zapato, producía repulsión
invencible. Se comprendía que no tuviera ningún amigo.

Candiola no tenía barbas: llevaba el rostro, según la
moda, completamente rasurado, aunque la navaja no entraba en aquellos campos sino una vez por semana. Si D.
Jerónimo hubiera tenido barbas, le compararía por su figura a cierto mercader veneciano que conocí mucho después,
viajando por el vastísimo continente de los libros, y en
quien hallé ciertos rasgos de fisonomía que me hicieron
recordar los de aquél que bruscamente se nos presentó en
el templo del Pilar.

—¿Has visto qué miserable y ridículo viejo?—me dijo
Agustín cuando nos quedamos solos, mirando a la puerta
por donde las tres personas habían desaparecido.

—No gusta que su hija tenga novios.

—Pero estoy seguro de que no me vió hablando con ella.
Tendrá sospechas; pero nada más. Si pasara de la sospecha a la certidumbre, María y yo estaríamos perdidos.
¿Viste qué mirada nos echó? ¡Condenado avaro, alma
negra forrada en la piel de Satanás!

—Mal suegro tienes.

—Tan malo—dijo Montoria con tristeza,—que no doy
por él dos cuartos con cardenillo. Estoy seguro de que
esta noche la pone de vuelta y media, y gracias que no
acostumbra a maltratarla de obra.

—Y el Sr. Candiola—pregunté,—¿no tendrá gusto en
verla casada con el hijo de D. José de Montoria?

—¿Estás loco? Sí . . . ve a hablarle de eso. Además
de que ese miserable avariento guarda a su hija como si
fuera un saco de onzas y no parece dispuesto a darla a
nadie, tiene un resentimiento antiguo y profundo contra
mi buen padre, porque éste libró de sus garras a unos in- 5
felices deudores. Te digo que si él llega a descubrir el
amor que su hija me tiene, la guardará dentro de un arca
de hierro en el sótano donde esconde los pesos duros. Pues
no te digo nada si mi padre llega a saberlo . . . Me tiem-
blan las carnes sólo de pensarlo. La pesadilla más atroz 10
que puede turbar mi sueño, es aquélla que me representa
el instante en que mi señor padre y mi señora madre se
enteren de este inmenso amor que tengo por Mariquilla.
¡Un hijo de D. José de Montoria enamorado de la hija
del tío Candiola! ¡Qué horrible pensamiento! ¡Un jo- 15
ven que formalmente está destinado a ser obispo . . .
obispo, Gabriel; yo voy a ser obispo, en el sentir de mis
padres!

Diciendo esto, Agustín dió un golpe con su cabeza en el
sagrado muro en que nos apoyábamos. 20

—¿Y piensas seguir amando a Mariquilla?

—No me preguntes eso—me respondió con energía.—
¿La viste? Pues si la viste, ¿a qué me dices si seguiré
amándola? Su padre y los míos antes me quieren ver
muerto que casado con ella. ¡Obispo, Gabriel; quieren 25
que yo sea obispo! Compagina tú el ser obispo y el amar
a Mariquilla durante toda la vida terrenal y la eterna;
compagina tú esto, y ten lástima de mí.

—Dios abre caminos desconocidos,—le dije.

—Es verdad. Yo tengo a veces una confianza sin lími- 30
tes. ¡Quién sabe lo que nos traerá el día de mañana!
Dios y la Virgen del Pilar me sacarán adelante.

—¿Eres devoto de esta imagen?

—Sí. Mi madre pone velas a la que tenemos en casa, para que no me hieran en las batallas; yo la miro, y para mis adentros la digo:—¡Señora, que esta ofrenda de velas sirva también para recordaros que no puedo dejar de amar 5 a la Candiola!

Estábamos en la nave a que corresponde el ábside de la capilla del Pilar. Hay allí una abertura en el muro, por donde los devotos, bajando dos o tres peldaños, se acercan a besar el pilar que sustenta la venerada imagen. Agustín 10 besó el mármol rojo; besélo yo también, y luego salimos de la iglesia para ir a nuestro vivac.

VIII

El día siguiente, 22, fué cuando Palafox dijo al parla-mentario de Moncey que venía a proponerle la rendición: *No sé rendirme: después de muerto hablaremos de eso.* 15 Contestó en seguida a la intimación en un largo y elocuen-te pliego que publicó la *Gaceta* (pues también en Zara-goza había *Gaceta*); pero según opinión general, ni aquel documento ni ninguna de las proclamas que aparecían con la firma del Capitán General eran obra de éste, sino de 20 la discreta pluma de su maestro y amigo el Padre Basilio Boggiero, hombre de mucho entendimiento a quien se veía con frecuencia en los sitios de peligro rodeado de patriotas y jefes militares.

Excusado es decir que los defensores estaban muy en-25 valentonados con la gloriosa acción del 21. Era preciso, para dar desahogo a su ardor, disponer alguna salida. Así se hizo, en efecto; pero ocurrió que todos querían tomar parte en ella al mismo tiempo, y fué preciso sortear los cuerpos. Las salidas, dispuestas con prudencia, eran con-30 venientes, porque los franceses, extendiendo su línea en

CATHEDRAL OF EL PILAR

derredor de la ciudad, se preparaban para un sitio en regla, y habían comenzado las obras de su primera paralela. Además, el recinto de Zaragoza encerraba mucha tropa, lo cual, a los ojos del vulgo, era una ventaja, pero un gran peligro para los inteligentes, no sólo por el estorbo que causaba, sino porque el gran consumo de víveres traería pronto el hambre, ese terrible general que es siempre el vencedor de las plazas bloqueadas. Por esta misma causa del exceso de gente eran oportunas las salidas.

[Description of sorties, especially the extensive one of December 31.]

IX

Desde aquel día, tan memorable en el segundo sitio como el de las Eras en el primero, empezó el gran trabajo, el gran frenesí, la exaltación ardiente en que vivieron por espacio de mes y medio sitiadores y sitiados. Las salidas verificadas en los primeros dos días de Enero no fueron de gran importancia. Los franceses, concluída la primera paralela, avanzaron en zig-zag para abrir la segunda, y con tanta actividad trabajaron en ella, que bien pronto vimos amenazadas nuestras dos mejores posiciones del Mediodía, San José y el reducto del Pilar, por imponentes baterías de sitio, cada una con diez y seis cañones.

[Some arrangements for defense are here described.]

Era el reducto una obra, aunque de circunstancias, bastante fuerte, y no carecía de ningún requisito material para ser bien defendida. Sobre la puerta de entrada, al extremo del puente, habían puesto sus constructores una tabla con la siguiente inscripción: *Reducto inconquistable de Nuestra Señora del Pilar. ¡Zaragozanos: morir por la Virgen del Pilar o vencer!*

Allí dentro no teníamos alojamiento, y aunque la estación no era muy cruda, lo pasábamos bastante mal. El suministro de provisiones de boca se hacía por una Junta encargada de la administración militar; pero esta Junta, a pesar de su celo, no podía atendernos de un modo eficaz. Por nuestra fortuna y para honor de aquel magnánimo pueblo, de todas las casas vecinas nos mandaban diariamente lo mejor de sus provisiones, y a menudo éramos visitados por las mismas mujeres caritativas que desde la acción del 31 se habían encargado de cuidar en su propio domicilio a nuestros pobres heridos.

No sé si he hablado de Pirli. Pirli era un muchacho de los arrabales, labrador, como de veinte años y de condición tan festiva, que los lances peligrosos desarrollaban en él una alegría nerviosa y febril. Jamás le vi triste; acometía a los franceses cantando, y cuando las balas silbaban en torno suyo, sacudía manos y pies haciendo grotescos gestos y cabriolas. Llamaba al fuego graneado *pedrisco*, a las balas de cañón *las tortas calientes*, a las granadas las *señoras,* y a la pólvora la *harina negra,* usando además otros terminachos de que no hago memoria en este momento. Pirli, aunque poco formal, era un cariñoso compañero.

No sé si he hablado del tío Garcés. Era un hombre de cuarenta y cinco años, natural de Garrapinillos, fortísimo, atezado, con semblante curtido y miembros de acero, ágil cual ninguno en los movimientos, e imperturbable como una máquina ante el fuego; poco hablador y bastante desvergonzado cuando hablaba, pero con cierto gracejo en su garrulería. Tenía una pequeña hacienda en los alrededores, y casa muy modesta; mas con sus propias manos había arrasado la casa, y puesto por tierra los perales, para quitar defensas al enemigo. Oí contar de él mil proezas realizadas en el primer sitio; ostentaba bordado en la manga derecha el *escudo de premio y distinción* de 16 de Agosto. Vestía tan mal que casi iba medio desnudo, no porque careciera de traje, sino por no haber tenido tiempo para ponérselo. Él y otros como él, fueron sin duda los que inspiraron la célebre frase de que antes he hecho mención. Sus carnes *sólo se vestían de gloria.* Dormía sin abrigo y comía menos que un anacoreta, pues con dos pedazos de pan acompañados de un par de mordiscos de cecina, dura como cuero, tenía bastante para un día. Era hombre algo meditabundo, y cuando observaba los trabajos de la segunda paralela, decía mirando a los franceses: *Gracias a Dios que se acercan, ¡cuerno!* . . . *¡Cuerno! esta gente le acaba a uno la paciencia.*

—¿Qué prisa tiene usted, tío Garcés?—le decíamos.

—¡Recuerno! Tengo que plantar los árboles otra vez antes que pase el invierno—contestaba,—y para el mes que entra quisiera volver a levantar la casita.

En resumen: el tío Garcés, como el reducto, debía llevar un cartel en la frente que dijera: *Hombre inconquistable.*

Pero ¿quién viene allí, avanzando lentamente por la hondonada de la Huerva, apoyándose en un grueso bastón, y seguido de un perrillo travieso que ladra a todos los transeuntes por pura fanfarronería y sin intención de morderles? Es el Padre Fray Mateo del Busto, lector y calificador de la Orden de Mínimos, capellán del segundo tercio de voluntarios de Zaragoza, insigne varón a quien, a pesar de su ancianidad, se vió durante el primer sitio en todos los puestos de peligro, socorriendo heridos, auxiliando moribundos, llevando municiones a los sanos, y animando a todos con el acento de su dulce palabra.

Al entrar en el reducto, nos mostró una cesta grande y pesada que trabajosamente cargaba, y en la cual traía algunas vituallas algo mejores que las de nuestra ordinaria mesa.

—Estas tortas—dijo sentándose en el suelo y sacando uno por uno los objetos que iba nombrando,—me las han dado en casa de la excelentísima señora Condesa de Bureta, y ésta en casa de D. Pedro Ric. Aquí tenéis también un par de lonjas de jamón, que son de mi Convento y se destinaban al Padre Loshoyos, que está muy enfermito del estómago; pero él, renunciando a este regalo, me lo dió para traéroslo. A ver qué os parece esta botella de vino. ¿Cuánto darían por ella los gabachos que tenemos enfrente?

Todos miramos hacia el campo. El perrillo, saltando denodadamente a la muralla, empezó a ladrar a las líneas francesas.

—También os traigo un par de libras de orejones, que se han conservado en la despensa de nuestra casa. Íbamos a ponerlos en aguardiente; pero primero que nadie sois vosotros, valientes muchachos. Tampoco me he olvidado de ti, querido Pirli—añadió volviéndose al chico de este nombre,—y como estás casi desnudo y sin manta, te he traído un magnífico abrigo. Mira este lío. Pues es un hábito viejo que tenía guardado para darlo a un pobre: ahora te lo regalo para que cubras y abrigues tus carnes. Es vestido impropio de un soldado; pero si el hábito no hace al monje, tampoco el uniforme hace al militar. Póntelo, y estarás muy holgadamente con él.

El fraile dió a nuestro amigo su lío, y éste se puso el hábito entre risas y jácara de una y otra parte; y como conservaba aún, llevándolo constantemente en la cabeza, el alto sombrero de piel que el día 31 había cogido en el campamento enemigo, hacía la figura más extraña que puede imaginarse.

Poco después llegaron algunas mujeres también con cestas de provisiones. La aparición del sexo femenino transformó de súbito el aspecto del reducto. No sé de dónde sacaron la guitarra; lo cierto es que la sacaron de alguna parte: uno de los presentes empezó a rasguear primorosamente los compases de la incomparable, de la divina, de la inmortal jota, y en un momento se armó gran jaleo de baile. Pirli, cuya grotesca figura empezaba en ingeniero francés y acababa en fraile español, era el más exaltado de los bailarines, y no se quedaba atrás su pareja, una muchacha graciosísima, vestida de serrana, y a quien desde el primer momento oí que llamaban Manuela. Representaba veinte o veintidós años, y era delgada, de tez pálida y fina. La agitación del baile inflamó bien pronto su rostro, y por grados avivaba sus movimientos, insensible al cansancio. Con los ojos medio cerrados, las mejillas enrojecidas, agitando los brazos al compás de la grata cadencia, sacudiendo con graciosa presteza sus faldas, cambiando de lugar con ligerísimo paso, presentándosenos, ora de frente, ora de espaldas, Manuela nos tuvo encantados durante largo rato. Viendo su ardor coreográfico, más se animaban el músico y los demás bailarines, y con el entusiasmo de éstos aumentábase el suyo, hasta que al fin, cortado el aliento y rendida de fatiga, aflojó los brazos, y cayó sentada en tierra sin respiración y casi como la grana.

Pirli se puso junto a ella, y al punto formóse un corrillo, cuyo centro era la cesta de provisiones.

—A ver qué nos traes, Manuelilla—dijo Pirli.—Si no fuera por ti y el Padre Busto, que está presente, nos moriríamos de hambre. Y si no fuera por este poco de baile con que quitamos el mal gusto de *las tortas calientes* y de *las señoras*, ¡qué sería de estos pobres soldados!

—Os traigo lo que hay—repuso Manuela sacando las provisiones.—Queda poco, y si esto dura, comeréis ladrillos.

—Comeremos metralla amasada con harina negra—dijo
5 Pirli.—Manuelilla, ¿ya se te ha quitado el miedo a los tiros?

Al decir esto tomó con presteza su fusil, disparándolo al aire. La moza dió un fuerte grito, y sobresaltada huyó de nuestro grupo.

10 —No es nada, hija—dijo el fraile.—Las mujeres valientes no se asustan del ruido de la pólvora; antes al contrario, deben encontrar en él tanto agrado como en el son de las castañuelas y bandurrias.

—Cuando oigo un tiro—dijo Manuela acercándose llena
15 de miedo,—no me queda gota de sangre en las venas.

En aquel instante, los franceses, que sin duda querían probar la artillería de su segunda paralela, dispararon un cañón, y la bala vino a rebotar contra la muralla del reducto, haciendo saltar en pedazos mil los deleznables
20 ladrillos.

Levantáronse todos a observar el campo enemigo; la serrana lanzó una exclamación de terror, y el tío Garcés púsose a dar gritos desde una tronera contra los franceses, prodigándoles insolentes vocablos, acompañados de mu-
25 cho *cuerno* y *recuerno*. El perrillo, recorriendo la cortina de un extremo a otro, ladraba con exaltada furia.

—Manuela, echemos otra jota al son de esta música, y ¡viva la Virgen del Pilar!—exclamó Pirli saltando como un insensato.

30 Impulsada por la curiosidad, alzábase Manuela lentamente, alargando el cuello para mirar al campo por encima de la muralla. Luego, al extender los ojos por la llanura, parecía disiparse poco a poco el miedo en su espíritu

pusilánime, y al fin la vimos observando la línea enemiga con cierta serenidad y hasta con un poco de complacencia.

—Uno, dos, tres cañones—dijo contando las bocas de fuego que a lo lejos se divisaban.—Vamos, chicos, no tengáis miedo. Eso no es nada para vosotros. 5

Oyóse hacia San José estrépito de fusilería, y en nuestro reducto sonó el tambor, mandando tomar las armas. Del fuerte cercano había salido una pequeña columna que se tiroteaba de lejos con los trabajadores franceses. Algunos de éstos, corriéndose hacia su izquierda, parecían 10 próximos a ponerse al alcance de nuestros fuegos: corrimos todos a las aspilleras, dispuestos a enviarles un poco de *pedrisco*, y sin esperar la orden del jefe, algunos dispararon sus fusiles con gran algazara. Huyeron en tanto por el puente y hacia la ciudad todas las mujeres, excepto Ma- 15 nuela. ¿El miedo le impedía moverse? No: su miedo era inmenso; temblaba, dando diente con diente, desfigurado el rostro por repentina amarillez; pero una curiosidad irresistible la retenía en el reducto, y fijaba los atónitos ojos en los tiradores, y en el cañón que en aquel instante 20 iba a ser disparado.

—Manuela—le dijo Agustín.—¿No te vas? ¿No te causa temor esto que estás mirando?

La serrana, con la atención fija en aquel espectáculo, asombrada, trémula, los labios blancos y el pecho palpi- 25 tante, ni se movía ni hablaba.

—Manuelilla—gritó Pirli, corriendo hacia ella,—toma mi fusil y dispáralo.

Contra lo que esperábamos, Manuelilla no hizo movimiento alguno de terror. 30

—Tómalo, prenda—añadió Pirli, haciéndole tomar el arma:—pon el dedo aquí, apunta afuera y tira. ¡Viva la segunda artillera Manuela Sancho, y la Virgen del Pilar!

La serrana tomó el arma, y a juzgar por su actitud y el estupor inmenso revelado en su mirar, parecía que ella misma no se daba cuenta de su acción. Pero alzando el arma con mano temblorosa, apuntó hacia el campo, tiró
5 del gatillo e hizo fuego.

Mil gritos y ardientes aplausos acogieron este disparo, y la serrana soltó el fusil. Estaba radiante de satisfacción, y el júbilo encendió de nuevo sus mejillas.

—¿Ves? ya has perdido el miedo—dijo el Mínimo.—Si
10 a estas cosas no hay más que tomarlas el gusto. Lo mismo debieran hacer todas las zaragozanas, y de ese modo la Agustina y Casta Álvarez no serían una gloriosa excepción entre las de su sexo.

—¡Venga otro fusil!—exclamó la serrana,—que quiero
15 tirar otra vez.

—Se han marchado ya, prenda. ¿Te ha sabido a bueno? —dijo Pirli, preparándose a hacer desaparecer algo de lo que contenían las cestas.—Mañana, si quieres, estás convidada a un poco de *torta caliente*. Ea, sentémonos, y
20 a comer.

El fraile, llamando a su perrillo, le decía:

—Basta, hijo, no ladres tanto, ni lo tomes tan a pechos, que vas a quedarte ronco. Guarda ese arrojo para mañana: por hoy, no hay en qué emplearlo, pues si no me en-
25 gaño van a toda prisa a guarecerse detrás de sus parapetos.

En efecto: la escaramuza de los de San José había concluído, y por el momento no teníamos franceses a la vista. Un rato después sonó de nuevo la guitarra, y regresando las mujeres, comenzaron los dulces vaivenes de la jota con
30 Manuela Sancho y el gran Pirli en primera línea.

X

Cuando desperté al amanecer del siguiente día, vi a Montoria, que se paseaba por la muralla.

—Creo que va a empezar el bombardeo—me dijo.—Se nota gran movimiento en la línea enemiga.

—Empezarán por batir este reducto—indiqué yo, levantándome con pereza.—¡Qué feo está el cielo, Agustín! El día amanece muy triste.

—Creo que atacarán por todas partes a la vez, pues tienen hecha su segunda paralela. Ya sabes que Napoleón, hallándose en París, al saber la resistencia de esta ciudad en el primer sitio, se puso furioso contra Lefebvre Desnouettes porque había embestido la plaza por el Portillo y la Aljafería. Luego pidió un plano de Zaragoza; se lo dieron, e indicó que la ciudad debía ser atacada por Santa Engracia.

—¿Por aquí? Pronto lo veremos. Mal día se nos prepara si se cumplen las órdenes de Napoleón. Dime: ¿tienes por ahí algo que comer?

—No te lo enseñé antes porque quise sorprenderte,—me dijo, mostrándome un cesto que servía de sepulcro a dos aves asadas fiambres, con algunas confituras y conservas finas.

—¿Lo has traído anoche . . . ? Ya. ¿Cómo pudiste salir del reducto?

—Pedí licencia al jefe, y me la concedió por una hora. Mariquilla tenía preparado este festín. Si el tío Candiola sabe que dos de las gallinas de su corral han sido muertas y asadas para regalo de los defensores de la ciudad, se le llevarán los demonios. Comamos, pues, Sr. Araceli, y esperemos ese bombardeo . . . ¡Eh! ¡Aquí está . . . una bomba, otra, otra!

Las ocho baterías que embocaban sus tiros contra San
José y el reducto del Pilar, empezaron a hacer fuego;
¡pero qué fuego! ¡Todo el mundo a las troneras, o al pie
del cañón! ¡Fuera almuerzos, fuera desayunos, fuera me-
5 lindres! Los aragoneses no se alimentan sino de gloria.
El fuerte inconquistable contestó al insolente sitiador con
orgulloso cañoneo, y bien pronto el gran aliento de la patria dilató nuestros pechos. Las balas rasas, rebotando en
la muralla de ladrillo y en los parapetos de tierra, destro-
10 zaban el reducto, cual si fuera un juguete apedreado por
un niño; las granadas, cayendo entre nosotros, reventaban
con estrépito, y las bombas, pasando con pavorosa majestad por sobre nuestras cabezas, iban a caer en las calles y
en los techos de las casas.

15 ¡A la calle todo el mundo! No haya gente cobarde ni
ociosa en la ciudad. Los hombres a la muralla, las mujeres a los hospitales de sangre, los chiquillos y los frailes
a llevar municiones. Ne se haga caso de estas terribles
masas inflamadas que agujerean los techos, penetran en las
20 habitaciones, abren las puertas, horadan los pisos, bajan
al sótano, y al reventar desparraman las llamas del infierno en el hogar tranquilo, sorprendiendo con la muerte al
anciano inválido en su lecho y al niño en su cuna. Nada
de esto importa. ¡A la calle todo el mundo, y con tal que
25 se salve el honor, perezcan la ciudad y la casa, la iglesia
y el convento, el hospital y la hacienda, que son cosas
terrenas! Los zaragozanos, despreciando los bienes mate-
riales como desprecian la vida, viven con el espíritu en los
infinitos espacios de lo ideal.

[French attacks are repulsed throughout January 10.]

30 Durante la noche no descansamos ni un solo momento,
y la mañana del 11 nos vió poseídos del mismo frenesí, ya

apuntando las piezas contra la trinchera enemiga, ya acribillando a fusilazos a los pelotones que venían a flanquearnos, sin abandonar ni un instante la operación de tapar la brecha, que de hora en hora iba agrandando su horroroso espacio vacío. Así nos sostuvimos toda la ma- 5 ñana, hasta el momento en que dieron el asalto a San José, ya convertido en un montón de ruinas, y con gran parte de su guarnición muerta. Aglomerando contra los dos puntos grandes fuerzas, mientras caían sobre el convento, dirigieron un atrevido movimiento sobre nosotros; y fué 10 que con objeto de hacer practicable la brecha que nos habían abierto, avanzaron por el camino de Torrero con dos cañones de batalla, protegidos por una columna de infantería.

En aquel instante nos consideramos perdidos: tembla- 15 ron los endebles muros, y los ladrillos mal pegados se desbarataban en mil pedazos. Acudimos a la brecha que se abría y se abría cada vez más. Los franceses nos abrasaron con un fuego espantoso, porque viendo que el reducto se deshacía pedazo a pedazo, cobraron ánimo, 20 llegando al borde mismo del foso. Era locura tratar de tapar aquel hueco formidable, y hacerlo a pecho descubierto, era ofrecer víctimas sin fin al curioso enemigo. Abalanzáronse muchos con sacos de lana y paletadas de tierra, y más de la mitad quedaron yertos en el sitio. Cesó 25 el fuego de cañón, porque parecía innecesario; hubo un momento de pánico indefinible: se nos caían los fusiles de las manos; nos vimos destrozados, deshechos, aniquilados por lluvia de disparos que parecían incendiar el aire, y nos olvidamos del honor, de la muerte gloriosa, de la patria y 30 de la Virgen del Pilar, cuyo nombre decoraba la puerta del baluarte inconquistable. La confusión más espantosa reinó en nuestras filas. Rebajado de improviso el nivel

moral de nuestras almas, todos los que no habíamos caído, deseamos unánimemente la vida, y saltando por encima de los heridos y pisoteando los cadáveres, huimos hacia el puente, abandonando aquel horrible sepulcro antes que se
5 cerrara enterrándonos a todos.

En el puente nos agolpamos con pavor y desorden invencibles. Nada hay más frenético que la cobardía: sus vilezas son tan vehementes como las sublimidades del valor. Los jefes nos gritaban:—«Atrás, canallas. El reducto del
10 Pilar no se rinde.»—Y al mismo tiempo sus sables azotaron de plano nuestras viles espaldas. Nos revolvimos en el puente sin poder avanzar, porque otras tropas venían a acometernos, y tropezamos unos con otros, confundiendo la furia de nuestro miedo con el ímpetu de su bravura.

15 —¡Atrás, canallas!—gritaban los jefes abofeteándonos. —¡A morir en la brecha!

El reducto estaba vacío: no había en él más que muertos y heridos. De repente vimos que entre el denso humo y el espeso polvo, saltando sobre los exánimes cuerpos y
20 los montones de tierra, sobre las ruinas, y las cureñas rotas, y el material deshecho, avanzaba una figura impávida, pálida, grandiosa, imagen de la serenidad trágica. Era una mujer que se había abierto paso entre nosotros, y penetrando en el recinto abandonado, marchaba majestuo-
25 sa hasta la horrible brecha. Pirli, que yacía en el suelo herido en una pierna, exclamó con terror:

—Manuela Sancho, ¿a dónde vas?

Todo esto pasó en mucho menos tiempo del que empleo en contarlo. Tras de Manuela Sancho se lanzó uno, luego
30 tres, luego muchos, y al fin todos los demás, azuzados por los jefes que a sablazos nos llevaron otra vez al puesto del deber. Ocurrió esta transformación portentosa por un simple impulso del corazón de cada uno, obedeciendo a

sentimientos que se comunicaban a todos, sin que nadie supiera de qué misterioso foco procedían. Ni sé por qué fuimos cobardes, ni sé por qué fuimos valientes unos cuantos segundos después. Lo que sé es que, movidos todos por fuerza extraordinaria, poderosísima, sobrehumana, nos lanzamos a la brecha tras la heroica mujer, a punto que los franceses intentaban con escalas el asalto; y sin que tampoco sepa decir la causa, nos sentimos con centuplicadas energías, y aplastamos, arrojándoles en lo profundo del foso, a aquellos hombres de algodón que antes nos parecieron de acero. A tiros, a sablazos, con granadas de mano, a paletadas, a golpes, a bayonetazos, murieron muchos de los nuestros para servir de baluarte a los demás con sus fríos cuerpos; defendimos el paso de la brecha, y los franceses se retiraron, dejando mucha gente al pie de la muralla. Volvieron a disparar los cañones, y el reducto inconquistable no cayó el día 11 en poder de la Francia.

Cuando la tempestad de fuego se calmó, no nos conocíamos: estábamos transfigurados, y algo nuevo y desconocido palpitaba en lo íntimo de nuestras almas, dándonos una ferocidad inaudita. Al día siguiente decía Palafox con elocuencia: «*Las bombas, las granadas y las balas, no mudan el color de nuestros semblantes, ni toda la Francia lo alteraría.*»

XI

[The Spaniards finally evacuate the redoubt on January 15.]

Estábamos tristes, y un poco, un poquillo desanimados. Pero ¿qué importaba un decaimiento momentáneo si al día siguiente tuvimos una fiesta divertidísima? Después de batirse uno con ardor frenético, no venía mal un poco de jolgorio y bullanga precisamente cuando faltaba tiempo para enterrar muertos, y acomodar en las casas el inmenso número de heridos. Verdad es que para todo había manos, gracias a Dios; y el motivo de la general alegría fué que empezaron a circular noticias estupendas sobre ejérci5 tos españoles que venían a socorrernos, sobre derrotas de los franceses en distintos puntos de la Península, y otras zarandajas.

[Some of the stories published by the Gazette are told.]

Con ser tantas y tan gordas, nos las tragamos, y allí fueron las demonstraciones de alegría, el repicar campa10 nas, y el correr por las calles cantando la jota, con otros muchos excesos patrióticos que por lo menos tenían la ventaja de proporcionarnos un poco de aquel refrigerio espiritual que necesitábamos. No crean ustedes que por consideración a nuestra alegría había cesado la lluvia de 15 bombas. Muy lejos de eso, aquellos condenados parecían querer mofarse de las noticias de nuestra *Gaceta*, repitiendo la dosis.

Sintiendo un deseo vivísimo de reírnos en sus barbas, corrimos a la muralla, y allí las músicas de los regimientos 20 tocaron con cierta afectación provocativa, cantando todos en inmenso coro el famoso tema:

La Virgen del Pilar dice
Que no quiere ser francesa . . .

También ellos estaban para burlas, y arreciaron el fuego 25 de tal modo, que la ciudad recibió en menos de dos horas mayor número de proyectiles que en el resto del día. Ya no había asilo seguro; ya no había un palmo de suelo ni de techo libre de aquel satánico fuego. Huían las familias de sus hogares, o se refugiaban en los sótanos; los heridos, 30 que abundaban en las principales casas, eran llevados a

las iglesias, buscando reposo bajo sus fuertes bóvedas;
otros salían arrastrándose; otros más ágiles llevaban a
cuestas sus propias camas. Los más se acomodaban en el
Pilar, y después de ocupar todo el pavimento, tendíanse en
los altares y obstruían las capillas. A pesar de tantos in- 5
fortunios, se consolaban con mirar a la Virgen, la cual
sin cesar, con el lenguaje de sus brillantes ojos, les decía
que no quería ser francesa.

XII

[The siege continues.]

Yo comprendí bien pronto que lo publicado en la *Gaceta*
del 16 era una filfa, y así lo dije a D. José de Montoria y 10
a su mujer, los cuales en su optimismo atribuyeron mi incredulidad a falta de sentido común. Yo había ido con
Agustín y otros amigos a la casa de mis protectores para
ayudarles en una tarea que les traía muy apurados, pues
destruído por las bombas parte del techo, y amenazada de 15
ruina una pared maestra, estaban mudándose a toda prisa.
El hijo mayor de Montoria, herido en la acción del Molino
de aceite, se había albergado con su mujer e hijo en el sótano de una casa inmediata, y Doña Leocadia no daba paz
a los pies y las manos para ir y venir de un sitio a otro, 20
trayendo y llevando lo que era menester.

—No puedo fiarme de nadie—me decía.—Mi genio es
así. Aunque tengo criados, no quedo contenta si no lo
hago todo yo misma. ¿Qué tal se ha portado mi hijo
Agustín? 25

—Como quien es, señora—le contesté.—Es un valiente
muchacho, y su disposición para las armas es tan grande,
que no me asombraría verle de General dentro de un par
de años.

—¡General ha dicho usted!—exclamó con sorpresa.—
Mi hijo cantará misa en cuanto se acabe el sitio, pues ya
sabe usted que para eso le hemos criado. Dios y la Virgen
del Pilar le saquen en bien de esta guerra, que lo demás
5 irá por sus pasos contados. Los Padres del Seminario me
aseguran que veré a mi hijo con su mitra en la cabeza y
su báculo en la mano.

—Así será, señora: no lo pongo en duda. Pero al ver
cómo maneja las armas, no puede acostumbrarse uno a
10 considerar que con aquella misma mano que tira del gatillo ha de echar bendiciones.

—Verdad es, Sr. de Araceli: yo siempre he dicho que a
la gente de iglesia no le cae bien el gatillo; pero ¿qué
quiere usted? Ahí tenemos hechos unos guerreros que dan
15 miedo a Don Santiago Sas; a D. Manuel Lasartesa; al
beneficiado de San Pablo, D. Antonio la Casa; al teniente
cura de la parroquia de San Miguel de los Navarros, D.
José Martínez, y también a D. Vicente Casanova, que
tiene fama de ser el primer teólogo de Zaragoza. Pues los
20 demás lo hacen, guerree también mi hijo, aunque supongo
que él estará rabiando por volver al Seminario y meterse en la balumba de sus estudios. Y no crea usted . . .
últimamente estaba estudiando en unos libros tan grandes,
tan grandes, que pesan dos quintales. ¡Válgame Dios con
25 el chico! Yo me embobo cuando le oigo recitar una cosa
larga, muy larga, toda en latín por supuesto, y que debe
de ser algo de nuestro divino Señor Jesucristo y del amor
que tiene a su Iglesia, porque hay mucho de *amorem* y
de *formosa* y *pulcherrima, inflamavit* y otras palabrillas
30 por el estilo.

—Justamente—le respondí,—y se me figura que lo que
recita es el libro cuarto de una obra eclesiástica, que llaman la *Eneida*, que escribió un tal Fray Virgilio, de la Or-

den de Predicadores, y en cuya obra se habla mucho del
amor que Jesucristo tiene a su Iglesia.

—Eso debe ser—repuso Doña Leocadia.—Ahora, Sr. de
Araceli, veamos si me ayuda usted a bajar esta mesa.

—Con mil amores, señora mía: la llevaré yo solo,— 5
contesté cargando el mueble, a punto que entraba D. José
de Montoria echando porras y cuernos por su bendita boca.

—¿Qué es esto, porra?—exclamó.—¡Los hombres ocu-
pados en faenas de mujer! Para mudar muebles y trastos
no se le ha puesto a usted un fusil en la mano, Sr. de Ara- 10
celi. Y tú, mujer, ¿para qué distraes de este modo a los
hombres que hacen falta en otro lado? Tú y las chicas,
¡porra! ¿no podéis bajar los muebles? Sois de pasta de
requesón. Mira: por la calle abajo va la Condesa de Bureta con un colchón a cuestas, mientras sus dos doncellas 15
transportan un soldado herido en una camilla.

—Bueno—dijo Doña Leocadia,—para eso no es menester tanto ruido. Váyanse afuera, pues, los hombres. A la
calle todo el mundo, y déjennos solas. Afuera tú también,
Agustín, hijo mío, y Dios te conserve sano en medio de 20
este infierno.

—Hay que transportar veinte sacos de harina del Convento de Trinitarios al almacén de la Junta de Abastos—
ordenó Montoria.—Vamos todos.

Y cuando llegamos a la calle, añadió: 25

—La mucha tropa que tenemos dentro de Zaragoza,
hará que pronto no podamos dar sino media ración. Verdad es, amigos míos, que hay muchos víveres escondidos;
y aunque se ha mandado que todo el mundo declare lo que
tiene, muchos no hacen caso, y acaparan para vender a 30
precios fabulosos. ¡Mal pecado! Si les descubro y caen
bajo mis manos, les haré entender quién es Montoria, presidente de la Junta de Abastos.

Llegamos a la parroquia de San Pablo, cuando nos salió al encuentro el Padre Fray Mateo del Busto, que venía muy fatigado, forzando su débil paso, y le acompañaba otro fraile a quien nombraron el Padre Luengo.

5 —¿Qué noticias nos traen sus Paternidades?—les preguntó Montoria.

—Efectivamente: D. Juan Gallart tenía algunas arrobas de embutidos que pone a disposición de la Junta.

—Y D. Pedro Pizueta, el tendero de la calle de las Mos-
10 cas, entrega generosamente sesenta sacos de lana, y toda la harina y la sal de sus almacenes,—añadió Luengo.

—Pero acabamos de librar con el tío Candiola—dijo el fraile,—una batalla, que ni la de las Eras se le compara.

—Pues qué—preguntó D. José con asombro,—¿no ha
15 entendido ese miserable cicatero que le pagaremos su harina, ya que es el único de todos los vecinos de Zaragoza que no ha dado ni un higo para el abastecimiento del ejército?

—Váyale usted con esos sermones a Candiola—repuso
20 Luengo.—Ha dicho terminantemente que no volvamos por allá si no llevamos ciento veinticuatro reales por cada costal de harina, de sesenta y ocho que tiene en su almacén.

—¡Infamia igual!—exclamó Montoria soltando una serie de porras que no copio por no cansar al lector.—
25 ¡Conque a ciento veinticuatro reales! Es preciso hacer entender a ese avaro empedernido, cuáles son los deberes de un hijo de Zaragoza en estas circunstancias. El Capitán General me ha dado autoridad para apoderarme de los abastecimientos que sean necesarios, pagando por ellos
30 la cantidad establecida.

—¿Pues sabe usted lo que dice, Sr. D. José de mis pecados?—indicó Busto.—Dice que el que quiera harina que la pague. Y que si la ciudad no se puede defender, que se rinda, y que él no tiene obligación de dar nada para la guerra, porque él no es quien la ha traído.

—Corramos allá—dijo Montoria lleno de enojo, que dejaba traducir en el gesto, en la alterada voz, en el semblante demudado y sombrío.—No es ésta la primera vez que le pongo la mano encima a ese canalla, lechuzo, chupador de sangre.

Yo iba detrás con Agustín, y observando a éste, le vi pálido y con la vista fija en el suelo. Quise hablarle; pero me hizo señas de que callara, y seguimos esperando a ver en qué pararía aquello. Pronto nos hallamos en la calle de Antón Trillo, y Montoria nos dijo:

—Muchachos, adelantaos: tocad a la puerta de ese insolente judío; echadla abajo si no os abren; entrad, y decidle que baje al punto y venga delante de mí: traedle de una oreja. Pero cuidado que no os muerda, que es perro con rabia y serpiente venenosa.

Cuando nos adelantamos, miré de nuevo a Agustín y le observé lívido y tembloroso.

—Gabriel—me dijo en voz baja,—yo quiero huir . . . yo quiero que se abra la tierra y me trague. Mi padre me matará; pero yo no puedo hacer lo que nos ha mandado.

—Ponte a mi lado, y haz como que se te ha torcido un pie y no puedes seguir,—le dije.

Y acto continuo los otros compañeros y yo empezamos a dar porrazos en la puerta. Asomóse al punto la vieja por la ventana, y nos dijo mil insolencias; transcurrió un breve rato, y después vimos que una mano muy hermosa levantaba la cortina, dejando ver momentáneamente una cara inmutada y pálida, cuyos grandes y vivos ojos negros dirigieron miradas de terror hacia la calle. En aquel momento, mis compañeros y los chiquillos que nos seguían gritaban en pavoroso concierto:

—¡Que baje el tío Candiola, que baje ese perro Caifás!

Contra lo que creímos, Candiola obedeció; mas lo hizo creyendo habérselas con el enjambre de muchachos vagabundos que solían darle tales serenatas, y sin sospechar que el presidente de la Junta de Abastos, con dos vocales de los más autorizados, estaban allí para hablar de un asunto de importancia. Pronto tuvo ocasión de dar en lo cierto, porque al abrir la puerta, y en el momento de salir, corriendo hacia nosotros con un palo en la mano, y centelleando de ira sus feos ojos, encaró con Montoria, y se detuvo amedrentado.

—¡Ah! es usted, Sr. de Montoria—dijo con muy mal talante.—Siendo usted, como es, individuo de la Junta de Seguridad, ya podría mandar retirar a esa canalla que viene a hacer ruido en la puerta de la casa de un vecino honrado.

—No soy de la Junta de Seguridad—declaró Montoria, —sino de la de Abastos, y por eso vengo en busca del Sr. Candiola y le hago bajar; que no entro yo en esa casa obscura, llena de telarañas y ratones.

—Los pobres—repuso Candiola con desabrimiento,— no podemos tener palacios como el Sr. D. José Montoria, administrador de bienes del Común, y por largo tiempo contratista de arbitrios.

—Debo mi fortuna al trabajo, no a la usura—afirmó Montoria.—Pero acabemos, señor D. Jerónimo: vengo por esa harina . . . ya le habrán enterado a usted estos dos buenos religiosos.

—Sí: la vendo, la vendo—contestó Candiola con taimada sonrisa;—pero yo no la puedo dar al precio que indicaron esos señores. Es demasiado barato. No la doy menos de ciento sesenta y dos reales costal de a cuatro arrobas.

—Yo no pido precio,—dijo D. José conteniendo la indignación.

—La Junta podrá disponer de lo suyo; pero en mi hacienda no manda nadie más que yo—contestó el avaro,—y está dicho todo ... Conque cada uno a su casa, que yo me meto en la mía.

—Ven acá, harto de sangre—exclamó Montoria asiéndole del brazo y obligándole a dar media vuelta con mucha presteza.—Ven acá, Candiola de mil demonios: he dicho que vengo por la harina, y no me iré sin ella. El ejército defensor de Zaragoza no se ha de morir de hambre, ¡reporra! y todos los vecinos han de contribuir a mantenerlo.

—¡A mantenerlo, a mantener soldados!—dijo el avariento rebosando veneno.—¿Acaso yo les he parido?

—¡Miserable tacaño! ¿No hay en tu alma negra y vacía ni tanto así de sentimiento patrio?

—Yo no mantengo vagabundos. Pues qué, ¿teníamos necesidad de que los franceses nos bombardearan, destruyendo la ciudad? ¡Maldita guerra! ¿Y quieren que yo les dé de comer? Veneno les daría.

—¡Canalla, sabandijo, polilla de Zaragoza, deshonra del pueblo español!—gritó mi protector amenazando con el puño la arrugada faz del avaro.—Más quisiera condenarme, ¡cuerno! quedándome por toda la eternidad en las llamas del Infierno, que ser lo que tú eres, que ser el tío Candiola por espacio de un minuto. Conciencia más negra que la noche, alma perversa, ¿no te avergüenzas de ser el único que en esta ciudad ha negado sus recursos al ejército libertador de la patria? El odio general que por esta vil conducta has merecido, ¿no pesa sobre ti más que si te hubieran echado encima todas las peñas del Moncayo?

—Basta de músicas y déjenme en paz,—repuso D. Jerónimo dirigiéndose hacia la puerta.

—Ven acá, reptil inmundo—gritó Montoria deteniéndole.—Te he dicho que no me voy sin la harina. Si no la das de grado, como todo buen español, la darás por fuerza, y te la pagaré a razón de cuarenta y ocho reales costal, que es el precio que tenía antes del sitio.

—¡Cuarenta y ocho reales!—exclamó Candiola con ex-
5 presión rencorosa.—Mi pellejo daría por ese precio antes que la harina. La compré yo más cara. ¡Maldita tropa! ¿Me mantienen ellos a mí, Sr. de Montoria?

—Dales gracias, execrable usurero, porque no han puesto fin a tu vida inútil. La generosidad de este pueblo,
10 ¿no te llama la atención? En el otro sitio, cuando pasábamos los mayores apuros por reunir dinero y efectos, tu corazón de piedra permaneció insensible, y no se te pudo arrancar ni una camisa vieja para cubrir la desnudez del pobre soldado, ni un pedazo de pan para matar su hambre.
15 Zaragoza no ha olvidado tus infamias. ¿Recuerdas que, después de la acción del 4 de Agosto, se repartieron los heridos por la ciudad, y a ti te tocaron dos, que no lograron traspasar el umbral de esa puerta de la miseria? Yo me acuerdo bien: en la noche del 4 llegaron a tu puerta
20 y con sus débiles manos tocaron para que les abrieras. Sus ayes lastimeros no conmovían tu corazón de corcho: saliste a la puerta, y golpeándoles con el pie les lanzaste en medio de la calle, diciendo que tu casa no era un hospital. Indigno hijo de Zaragoza, ¿dónde tienes el alma,
25 dónde tienes la conciencia? Pero tú no tienes alma ni eres hijo de Zaragoza, sino que naciste de un mallorquín con sangre de judío.

Los ojos de Candiola echaban chispas; temblábale la quijada, y con sus dedos convulsos apretaba en la mano
30 derecha el palo que le servía de bastón.

—Sí, tú tienes sangre de judío mallorquín; tú no eres hijo de esta noble ciudad. Los lamentos de aquellos dos pobres heridos, ¿no resuenan todavía en tus orejas de murciélago? Uno de ellos, desangrado rápidamente, murió en este mismo sitio en que estamos. El otro, arrastrándose, pudo llegar hasta el Mercado, donde nos contó lo ocurrido. ¡Infame espantajo! ¿No te asombraste de que el pueblo zaragozano no te despedazara en la mañana del 5? Candiola, Candiolilla, dame la harina y tengamos la fiesta en paz.

—Montoria, Montorilla—replicó el otro,—con mi hacienda y mi trabajo no engordarán los vagabundos holgazanes. ¡Ya! ¡Háblame a mí de caridad y de generosidad y de interés por los pobres soldados! Los que tanto hablan de esto son unos miserables gorrones que están comiendo a costa de la cosa pública. La Junta de Abastos no se reirá de mí. ¡Como si no supiéramos lo que significa toda esta música de los socorros para el ejército! Montoria, Montorilla, algo se queda en casa, ¿no es verdad? Buenas cochuras se harán en los hornos de algún patriota con la harina que dan los sandios bobalicones que la Junta conoce. ¡A cuarenta y ocho reales! ¡Lindo precio! ¡Luego, en las cuentas que se pasan al Capitán General se le pone como compradas a sesenta, diciendo que *la Virgen del Pilar no quiere ser francesa!*

D. José de Montoria, que ya estaba sofocado y nervioso, luego que oyó lo anterior, perdió los estribos, como vulgarmente se dice, y sin poder contener el primer impulso de su indignación, fuése derecho hacia el tío Candiola con apariencia de aporrearle la cara; mas éste, que sin duda con su perspicaz mirada preveía el movimiento y se había preparado a rechazarlo, tomó rápidamente la ofensiva, arrojándose con salto de gato sobre mi protector, y le echó ambas manos al cuello, clavándole en él sus dedos huesosos y fuertes, mientras apretaba los dientes con tanta violencia cual si tuviera entre ellos la persona entera de su enemigo. Hubo una brevísima lucha, en que Montoria trabajó por deshacerse de aquella zarpa felina que tan súbitamente le había hecho presa, y en un instante vióse que la fuerza nerviosa del avaro no podía nada contra la energía muscular del patriota aragonés. Sacudido con violencia por éste, Candiola cayó al suelo como un cuerpo muerto.

Oímos un grito de mujer en la ventana alta, y luego el chasquido de la celosía al cerrarse. En aquel momento de dramática ansiedad, busqué en torno mío a Agustín; pero había desaparecido.

D. José de Montoria, frenético de ira, pateaba con saña el cuerpo del caído, diciéndole al mismo tiempo con voz atropellada y balbuciente:

—Vil ladronzuelo, que te has enriquecido con la sangre de los pobres, ¿te atreves a llamarme ladrón, a llamar ladrones a los vocales de la Junta de Abastos? Con mil porras, yo te enseñaré a respetar a la gente honrada, y agradéceme que no te arranco esa miserable lenguaza para echarla a los perros.

Todos los circunstantes estábamos mudos de terror. Al fin sacamos al infeliz Candiola de debajo de los pies de su enemigo, y su primer movimiento fué saltar de nuevo sobre él; pero Montoria se había adelantado hacia la casa, gritando:

—Ea, muchachos, entrad en el almacén y sacad los sacos de harina. Pronto, despachemos pronto.

La mucha gente que se había reunido en la calle impidió al viejo Candiola entrar en su casa. Rodeándole al punto los chiquillos, que en gran número de las cercanías habían acudido, tomáronle por su cuenta. Unos le empujaban hacia adelante, otros hacia atrás; hacíanle trizas el vestido, y los más, tomando la ofensiva desde lejos, le arrojaban en grandes masas el lodo de la calle. En tanto, a los que penetramos en el piso bajo, que era el almacén, nos salió al encuentro una mujer, en quien al punto reconocí a la hermosa Mariquilla, toda demudada, temblorosa, vacilando a cada paso, sin poderse sostener ni hablar, porque el terror la paralizaba. Su miedo era inmenso, y a todos nos dió lástima cuando la vimos, incluso a Montoria.

—¿Es usted la hija del Sr. Candiola?—dijo éste sacando del bolsillo un puñado de monedas, y haciendo una breve cuenta en la pared con un pedazo de carbón que tomó del suelo.—Sesenta y ocho costales de harina a cuarenta y ocho reales, son tres mil doscientos sesenta y cuatro. No valen ni la mitad, y me dan mucho olor a húmedo. Tome usted, niña: aquí está la cantidad justa.

María Candiola no hizo movimiento alguno para tomar el dinero, y Montoria lo despositó sobre un cajón, diciendo:

—Ahí está.

Entonces la muchacha, con brusco y enérgico movimiento, que parecía, y lo era ciertamente, inspiración de su dignidad ofendida, tomó las monedas de oro, de plata y de cobre, y las arrojó a la cara de Montoria, como quien apedrea. Desparramóse el dinero por el suelo y en el quicial de la puerta, sin que se haya podido averiguar en lo sucesivo dónde fué a esconderse.

Inmediatamente después, la Candiola, sin decirnos nada, salió a la calle, buscando con los ojos a su padre entre el apiñado gentío, y al fin, ayudada de algunos mozos, que no sabían ver con indiferencia la desgracia de una mujer, rescató al anciano del cautiverio infame en que los muchachos le tenían.

Entraron padre e hija por el portalón de la huerta, cuando empezábamos a sacar la harina.

XIII

Concluída la conducción, busqué a Agustín; pero no le encontraba en ninguna parte, ni en casa de su padre, ni en el almacén de la Junta de Abastos, ni en el Coso, ni en Santa Engracia. Al fin halléle a la caída de la tarde en el Molino de pólvora, hacia San Juan de los Panetes. He olvidado decir que los zaragozanos, atentos a todo, habían improvisado un taller donde se elaboraban diariamente de nueve a diez quintales de pólvora. Ayudando a los operarios que ponían en sacos y en barriles la cantidad fabricada en el día, vi a Agustín Montoria trabajando con actividad febril.

—¿Ves este enorme montón de pólvora?—me dijo cuando me acerqué a él.—¿Ves aquellos sacos y aquellos barriles todos llenos de la misma materia? Pues aún me parece poco, Gabriel.

—No sé lo que quieres decir.

—Digo que si esta inmensa cantidad de pólvora fuera del tamaño de Zaragoza, me gustaría aún más. Sí: y en tal caso, quisiera yo ser el único habitante de esta gran ciudad. ¡Qué placer! Mira, Gabriel, si así fuera, yo mismo le pegaría fuego, volaría hasta las nubes escupido por la horrorosa erupción, como la piedrecilla que lanza el cráter del volcán a cien leguas de distancia. Subiría al quinto cielo; de mis miembros despedazados al caer, después de esparcidos en diferentes distancias, no quedaría memoria. La muerte, Gabriel, la muerte es lo que deseo. Pero yo quiero una muerte . . . No sé cómo explicártelo. Mi desesperación es tan grande, que morir de un balazo, morir de una estocada no me satisface. Quiero estallar y difundirme por los espacios en mil inflamadas partículas; quiero sentirme en el seno de una nube flamígera,

y que mi espíritu saboree, aunque sólo sea por un instante
de inconmensurable pequeñez, las delicias de ver reducida
a polvo de fuego la carne miserable. Gabriel, estoy desesperado. ¿Ves toda esa pólvora? Pues supón dentro de mi
pecho todas las llamas que puedan salir de aquí . . . ¿La 5
viste cuando salió a recoger a su padre? ¿Viste cuando
arrojó las monedas? . . . Yo estaba en la esquina obser-
vándolo. María no sabe que aquel hombre que maltrató a
su padre es el mío. ¿Viste cómo los chicos arrojaban lodo
al pobre Candiola? Yo reconozco que Candiola es un 10
miserable; pero ella, ¿qué culpa tiene? Ella y yo, ¿qué
culpa tenemos? Nada, Gabriel, mi corazón destrozado
anhela mil muertes: yo no puedo vivir; yo correré al sitio
de mayor peligro, y me arrojaré a buscar el fuego de los
franceses, porque después de lo que he visto hoy, yo y la 15
tierra en que habito somos incompatibles.

Le saqué de allí, llevándole a la muralla, y tomamos
parte en las obras de fortificación que se estaban haciendo
en las Tenerías, el punto más débil de la ciudad después
de la pérdida de San José y de Santa Engracia. Ya he 20
dicho que desde la embocadura de la Huerva hasta San
José había 50 bocas de fuego. Contra esta formidable
línea de ataque, ¿qué valía nuestro circuito fortificado?

[Description of Las Tenerías and of arrangements for its
defense.]

XIV

Agustín Montoria y yo hicimos la guardia con nuestro
batallón en el Molino de la ciudad, hasta después de ano- 25
checido, hora en que nos relevaron los voluntarios de
Huesca, y se nos concedió toda la noche para estar fuera
de las filas. Mas no se crea que en estas horas de descanso estábamos mano sobre mano, pues cuando concluía el

servicio militar, empezaba otro no menos penoso en el interior de la ciudad, ya conduciendo heridos a la Seo y al Pilar, ya desalojando casas incendiadas, o bien llevando material a los señores canónigos, frailes y magistrados de la Audiencia, que hacían cartuchos en San Juan de los Panetes.

Pasábamos Montoria y yo por la calle de Pabostre. Yo iba comiendo con mucha gana un mendrugo de pan. Mi amigo, taciturno y sombrío, regalaba el suyo a los perros que encontrábamos al paso, y aunque hice esfuerzos de imaginación para alegrar un poco su ánimo contristado, él, insensible a todo, contestaba con tétricas expresiones a mi festivo charlar. Al llegar al Coso me dijo:

—Dan las diez en el reloj de la Torre Nueva. Gabriel, ¿sabes que quiero ir allá esta noche?

—Esta noche no puede ser. Esconde entre ceniza la llama del amor mientras atraviesan el aire esos otros corazones inflamados que llaman bombas y que vienen a reventar dentro de las casas, matando medio pueblo.

En efecto: el bombardeo, que no había cesado durante todo el día, continuaba en la noche, aunque un poco menos recio; y de vez en cuando caían algunos proyectiles, aumentando las víctimas que ya en gran número poblaban la ciudad.

—Iré allá esta noche—me contestó.—¿Me vería Mariquilla entre el gentío que tocó a las puertas de su casa? ¿Me confundiría con los que maltrataron a su padre?

—No lo creo: esa niña sabrá distinguir a las personas formales. Ya averiguarás eso más adelante, que ahora no está el horno para bollos. ¿Ves? De aquella casa piden socorro, y por aquí van unas pobres mujeres. Mira, una de ellas no se puede arrastrar y se arroja en el suelo. Es posible que la señorita Doña Mariquilla Candiola ande también socorriendo heridos en San Pablo o en el Pilar.

—No lo creo.

—O quizá esté en la cartuchería.

—Tampoco lo creo. Estará en su casa, y allá quiero ir, Gabriel; ve tú al transporte de heridos, a la pólvora o a donde quieras, que yo voy allá.

[A brief meeting and conversation with Pirli follows.]

Sentimos detrás de nosotros pasos precipitados, y volviéndonos, vimos mucha gente, entre cuyas voces reconocimos la de D. José de Montoria, el cual, al vernos, muy encolerizado nos dijo:

—¿Qué hacéis, papanatas? Tres hombres sanos y rollizos se están aquí mano sobre mano, cuando hace tanta falta gente para el trabajo. Vamos, largo de aquí. Adelante, caballeritos. ¿Veis aquellos dos palos que hay junto a la subida del Trenque, con una viga cruzada encima, de la que penden seis dogales? ¿Veis la horca que se ha puesto esta tarde para los traidores? Pues es también para los holgazanes. A trabajar, o a puñetazos os enseñaré a mover el cuerpo.

Seguimos tras ellos, y pasamos junto a la horca, cuyos seis dogales se balanceaban majestuosamente a impulso del viento, esperando gargantas de traidores o cobardes.

Montoria, cogiendo a su hijo por un brazo, mostróle con enérgico ademán el horrible aparato, y le habló así:

—Aquí tienes lo que hemos puesto esta tarde: ¡mira qué buen regalo para los que no cumplen con su deber! Adelante: yo, que soy viejo, no me canso jamás, y vosotros, jóvenes llenos de salud, parecéis de manteca. Ya se acabó aquella gente invencible del primer sitio. Señores, nosotros los viejos demos ejemplo a estos pisaverdes, que desde que llevan siete días sin comer, se quejan y empiezan a pedir caldo. Caldo de pólvora os daría yo, y una

garbanzada de cañón de fusil, ¡cobardes! Ea, adelante,
que hace falta enterrar muertos y llevar cartuchos a las
murallas.

—Y asistir a los enfermos de esta condenada epidemia
5 que se está desarrollando,—dijo uno de los que acompaña-
ban a Montoria.

—Yo no sé qué pensar de esto que llaman epidemia los
facultativos, y que yo llamo miedo, señores, puro miedo—
añadió D. José,—porque eso de quedarse uno frío, y en-
10 trarle calambres y calentura, y ponerse verde y morirse,
¿qué es sino efecto del miedo? Ya se acabó la gente templada, sí, señores: ¡qué gente aquélla la del primer sitio!
Ahora, en cuanto hacen fuego nutrido y lo reciben por espacio de diez horas, ¡una friolera! ya se caen de fatiga y
15 dicen que no pueden más. Hay hombre que sólo por
perder pierna y media se acobarda, y empieza a llamar a
gritos a los Santos Mártires diciendo que lo lleven a la
cama. ¡Nada, cobardía y pura cobardía! Como que hoy
se retiraron de la batería de Palafox varios soldados, en-
20 tre los cuales había muchos que conservaban un brazo sano
y mondo. Y luego pedían caldo . . . ¡Que se chupen su
propia sangre, que es el mejor caldo del mundo! Cuando
digo que se acabó la gente de pecho, aquella gente, ¡porra,
mil porras!

25 —Mañana atacarán los franceses las Tenerías—dijo
otro.—Si resultan muchos heridos, no sé dónde les vamos
a colocar.

—¡Heridos!—exclamó Montoria.—Aquí no se quieren
los heridos. Los muertos no estorban, porque se hace con
30 ellos un montón, y . . . pero los heridos . . . Como la
gente no tiene ya aquel arrojo, pues . . . apuesto a que
defenderán las posiciones mientras no se vean reducidos
a la décima parte; pero las abandonarán desde que enci-

ma de cada uno se echen un par de docenas de franceses . . . ¡Qué debilidad! En fin, sea lo que Dios quiera, y pues hay heridos y enfermos, asistámoslos. ¿Qué tal? ¿Se ha recogido hoy mucha gallina?

—Como unas doscientas, de las cuales más de la mitad son de donativo, y las demás se han pagado a seis reales y medio. Algunos no las quieren dar.

—Bueno. ¡Que un hombre como yo se ocupe de gallinas en estos días! Han dicho ustedes que algunos no las querían dar, ¿eh? El señor Capitán General me ha autorizado para imponer multas a los que no contribuyan a la defensa, y sin ruido ni violencia arreglaremos a los tibios y a los traidores . . . Alto, señores. Una bomba cae por las inmediaciones de la Torre Nueva. ¿Veis? ¿Oís? ¡Qué horroroso estrépito! Apuesto a que la Divina Providencia, más que los morteros franceses, la ha dirigido contra el hogar de ese judío empedernido y sin alma que ve con indiferencia y hasta con desprecio las desgracias de sus convecinos. Corre la gente hacia allá; parece que arde una casa, o que se ha desplomado . . . No, no corráis, infelices: dejadla que arda; dejadla que caiga al suelo en mil pedazos. Es la casa del tío Candiola, que no daría una peseta por salvar al género humano de un nuevo diluvio . . . Eh, Agustín, ¿a dónde vas? ¿Tú también corres hacia allá? Ven acá y sígueme, que hacemos más falta en otra parte.

Íbamos por junto a la Escuela Pía. Agustín, impulsado sin duda por un movimiento de su corazón, tomó a toda prisa la dirección de la plazuela de San Felipe siguiendo a la mucha gente que hacia este sitio corría; pero detenido enérgicamente por su padre, continuó, mal de su grado, en nuestra compañía. Algo ardía indudablemente cerca de la Torre Nueva, y en ésta los preciosos arabescos y las face-

tas de los ladrillos brillaron enrojecidos por la cercana llama. Aquel monumento elegante, aunque cojo, descollaba
en la negra noche, vestido de púrpura, y al mismo tiempo
su colosal campana lanzaba al aire prolongados lamentos.
5   Llegamos a San Pablo.

—Ea, muchachos, haraganes—nos dijo Don José,—ayu-
dad a los que abren esta zanja. Que sea holgadita, crece-
derita: es un traje con que van a vestirse cuarenta cuerpos.

Y emprendimos el trabajo, sacando tierra de la zanja
10   que se abría en el patio de la iglesia. Agustín cavaba
como yo, y a cada instante volvía sus ojos a la Torre
Nueva.

—Es un incendio terrible—me dijo.—Mira, parece que
se extingue un poco, Gabriel: yo me quiero arrojar en esta
15   gran fosa que estamos abriendo.

—No haya prisa—le respondí,—que tal vez mañana nos
echen en ella sin que lo pidamos. Conque dejarse de ton-
terías, y a trabajar.

—¿No ves? Creo que se extingue el fuego.

20   —Sí: se habrá quemado toda la casa. El tío Candiola
habráse encerrado en el sótano con su dinero, y allí no llegará el fuego.

—Gabriel, voy un momento allá: quiero ver si ha sido
su casa. Si sale mi padre de la iglesia, le dirás que . . .
25   vuelvo en seguida.

La repentina salida de D. José Montoria impidió a
Agustín la fuga que proyectaba, y los dos continuamos
cavando la gran sepultura.

[A few details of the excavation.]

Concluída nuestra operación, todos nos pusimos de ro-
30   dillas y rezamos en voz baja. Agustín Montoria me decía
al oído:

—Iremos ahora . . . Mi padre se marchará: le dices que hemos quedado en relevar a dos compañeros que tienen un enfermo en su familia, y quieren pasar a verle. Díselo, por Dios: yo no me atrevo . . . y en seguida nos iremos allá.

XV

Y engañamos al viejo y fuimos, ya muy avanzada la noche, porque la inhumación que acabo de mencionar duró más de tres horas. La luz del incendio por aquella parte había dejado de verse; la masa de la torre perdíase en la obscuridad de la noche, y su gran campana no sonaba sino de tarde en tarde para anunciar la salida de una bomba. Pronto llegamos a la plazuela de San Felipe, y al observar que humeaba el techo de una casa cercana en la calle del Temple, comprendimos que no fué la del tío Candiola, sino aquélla, la que tres horas antes habían invadido las llamas.

—Dios la ha preservado—dijo Agustín con mucha alegría,—y si la ruindad del padre trae sobre aquel techo la cólera divina, las virtudes y la inocencia de Mariquilla la detienen. Vamos allá.

En la plazuela de San Felipe había alguna gente; pero la calle de Antón Trillo estaba desierta. Nos detuvimos junto a la tapia de la huerta y pusimos atento el oído. Todo estaba tan en silencio, que parecía abandonada la casa. ¿Lo estaría realmente? Aunque aquel barrio era de los menos castigados por el bombardeo, muchas familias lo habían desalojado, o vivían refugiadas en los sótanos.

—Si entro—me dijo Agustín,—tú entrarás conmigo. Después de la escena de hoy, temo que D. Jerónimo, suspicaz y medroso como buen avaro, esté alerta toda la noche y ronde la huerta, creyendo que vuelven a quitarle su hacienda.

—En ese caso—le respondí,—más vale no entrar, porque además del peligro que trae el caer en manos de ese
vestiglo, habrá gran escándalo, y mañana todos los habitantes de Zaragoza sabrían que el hijo de D. José Monto-
5 ria, el joven destinado a encajarse una mitra en la cabeza,
anda en malos pasos con la hija del tío Candiola.

Pero esto y algo más que le dije era predicar en desierto,
y así, sin atender razones, insistiendo en que yo le siguiera,
hizo la señal amorosa, aguardando con la mayor ansiedad
10 que fuera contestada. Transcurrió algún tiempo, y al cabo, después de mucho mirar y remirar desde la acera de enfrente, percibimos luz en la ventana alta. Sentimos luego
descorrer muy quedamente el cerrojo del portalón, y éste
se abrió sin rechinar, pues sin duda el amor había tenido la
15 precaución de engrasar sus viejos goznes. Los dos entramos, topando de manos a boca, no con la deslumbradora
hermosura de una perfumada y voluptuosa doncella, sino
con una avinagrada cara, en la que al punto reconocí a
Doña Guedita.

20 —¡Vaya unas horas de venir!—dijo gruñendo;—y viene
con otro. Caballeritos, hagan el favor de no meter ruido.
Anden sobre las puntas de los pies, y cuiden de no tropezar
ni con una hoja seca, que el señor me parece que está
despierto.

25 Esto nos lo dijo en voz tan baja, que apenas lo entendi-
mos; y luego marchó adelante haciendo señas de que la
siguiéramos, y poniendo el dedo en los labios para intimar-
nos un silencio absoluto. La huerta era pequeña: pronto
le dimos fin, tropezando con una escalerilla de piedra que
30 conducía a la entrada de la casa, y no habíamos subido seis
escalones cuando nos salió al encuentro una esbelta figura,
arrebujada en una manta, capa o cabriolé. Era Mariquilla. Su primer ademán fué imponernos silencio, y luego

miró con inquietud una ventana lateral que también a la
huerta caía. Después mostró sorpresa al ver que Agustín
iba acompañado; pero éste supo tranquilizarla diciendo:

—Es Gabriel, mi amigo, mi mejor, mi único amigo, de
quien me has oído hablar tantas veces.

—Habla más bajo—dijo María.—Mi padre salió hace
poco de su cuarto con una linterna y rondó toda la casa y
la huerta. Me parece que no duerme aún. La noche está
obscura. Ocultémonos en la sombra del ciprés, y hable-
mos en voz muy baja.

La escalera de piedra conducía a una especie de corredor
o balcón con antepecho de madera. En el extremo de este
corredor, un ciprés corpulento plantado en la huerta, proyectaba gran masa de sombra, formando allí una especie
de refugio contra la claridad de la luna. Las ramas desnu-
das del olmo se extendían sin sombrear por otro lado, y
garabateaban con mil rayas el piso del corredor, la pared
de la casa y nuestros cuerpos. Al amparo de la sombra
del ciprés sentóse Mariquilla en la única silla que allí había; púsose Montoria en el suelo y junto a ella, apoyando
las manos en sus rodillas, y yo sentéme también sobre el
piso no lejos de la hermosa pareja. Era la noche, como de
Enero, serena, seca y fría; quizás los dos amantes, caldea-
dos en el amoroso rescoldo de sus corazones, no sentían la
baja temperatura; pero yo, criatura ajena a sus incendios,
me envolví en mi capote, para resguardarme de la frialdad
de los ladrillos. La tía Guedita había desaparecido. Mariquilla entabló la conversación abordando desde luego el
punto difícil.

—Esta mañana te vi en la calle. Cuando sentimos Guedita y yo el ruido de mucha gente que se agolpaba en nuestra puerta, me asomé a la ventana, y te vi en la acera de
enfrente.

—Es verdad—respondió Montoria con turbación.—
Allá fuí; pero tuve que marcharme al instante, porque se
me acababa la licencia.

—¿No viste cómo aquellos bárbaros atropellaron a mi
5 padre?—dijo Mariquilla conmovida.—Cuando aquel hombre cruel le castigó, miré a todos lados, esperando que tú
saldrías en su defensa; pero ya no te vi por ninguna parte.

—Lo que te digo, Mariquilla de mi corazón—repuso
Agustín,—es que tuve que marcharme antes . . . Des-
10 pués me dijeron que tu padre había sido maltratado, ¡y me
dió un coraje! . . . Quise venir.

—¡A buenas horas! Entre tantas, entre tantas personas—añadió la Candiola llorando,—ni una, ni una sola
hizo un gesto para defenderle. Yo me moría de miedo
15 aquí arriba, viéndole en peligro. Miramos con ansiedad a
la calle. Nada: no había más que enemigos . . . Ni una
mano generosa, ni una voz caritativa. Entre todos aquellos hombres, uno más cruel que todos arrojó a mi padre
en el suelo . . . ¡Oh! Recordando esto, no sé lo que me
20 pasa. Cuando lo presencié, un gran terror me tuvo por
momentos paralizada. Hasta entonces no conocí yo la
verdadera cólera, aquel fuego interior, aquel impulso repentino, que me hizo correr de aposento en aposento buscando . . . Mi pobre padre yacía en el suelo, y el miserable
25 le pisoteaba como si fuera un reptil venenoso. Viendo
esto, yo sentía la sangre hirviendo en mi cuerpo. Como
te he dicho, corrí por la habitación buscando un arma, un
cuchillo, un hacha, cualquier cosa. No encontré nada . . .
Desde lo interior, oí lamentos de mi padre, y sin esperar
30 más bajé a la calle. Al verme en el almacén entre tantos
hombres, sentí de nuevo invencible terror, y no podía dar
un paso. El mismo que le había maltratado, me alargó
un puñado de monedas de oro. No las quise tomar; pero

luego se las arrojé a la cara con fuerza. Me parecía tener en la mano un puñado de rayos, y que vengaba a mi padre lanzándolos contra aquellos viles. Salí después, miré otra vez a todos lados buscándote; pero nada vi. Sólo entre la turba inhumana, mi padre se encontraba sobre el cieno pidiendo misericordia.

—¡Oh! María, Mariquilla de mi corazón—exclamó Agustín con dolor, besando las manos de la desgraciada hija del avaro,—no hables más de ese asunto, que me destrozas el alma. Yo no podía defenderle . . . tuve que marcharme . . . no sabía nada . . . creí que aquella gente se reunía con otro objeto. Es verdad que tienes razón; pero deja ese asunto que me lastima, me ofende y me causa inmensa pena.

—Si hubieras salido a la defensa de mi padre, éste te hubiera mostrado gratitud. De la gratitud se pasa al cariño. Habrías entrado en casa . . .

—Tu padre es incapaz de amar a nadie—respondió Montoria.—No esperes que consigamos nada por ese camino. Confiemos en llegar al cumplimiento de nuestro deseo por caminos desconocidos, con la ayuda de Dios y cuando menos lo parezca. No pensemos en lo ordinario ni en lo que tenemos delante, porque todo lo que nos rodea está lleno de peligros, de obstáculos, de imposibilidades; pensemos en algo imprevisto, en algún medio superior y divino, y llenos de fe en Dios y en el poder de nuestro amor, aguardemos el milagro que nos ha de unir, porque será un milagro, María, un prodigio como los que cuentan de otros tiempos y nos resistimos a creer.

—¡Un milagro!—exclamó María con melancólica estupefacción.—Es verdad. Tú eres un caballero principal, hijo de personas que jamás consentirían verte casado con la hija del Sr. Candiola. Mi padre es aborrecido en toda

la ciudad. Todos huyen de nosotros, nadie nos visita; si
salgo, me señalan, me miran con insolencia y desprecio.
Las muchachas de mi edad no gustan de alternar conmigo,
y los jóvenes del pueblo que recorren de noche la ciudad
5 cantando músicas amorosas al pie de las rejas de sus no-
vias, vienen junto a las mías a decir insultos contra mi
padre, llamándome a mí misma con los nombres más feos.
¡Oh! ¡Dios mío! Comprendo que ha de ser preciso un
milagro para que yo sea feliz . . . Agustín, nos conocemos
10 hace cuatro meses y aún no has querido decirme el nombre
de tus padres. Sin duda no serán tan odiados como el mío.
¿Por qué lo ocultas? Si fuera preciso que nuestro amor
se hiciera público, te apartarías de las miradas de tus amigos, huyendo con horror de la hija del tío Candiola.
15 —¡Oh! No, no digas eso—exclamó Agustín abrazando
las rodillas de Mariquilla y ocultando el rostro en su regazo.—No digas que me avergüenzo de quererte, porque al
decirlo insultas a Dios.

[A few further remarks of the same nature are made by
Agustín.]

Callaron ambos un momento, y luego los dos, mejor
20 dicho, los tres proferimos una exclamación y miramos a la
torre, cuya campana había lanzado al viento dos toques de
alarma. En el mismo instante un globo de fuego surcó el
negro espacio, describiendo rápidas oscilaciones.
—¡Una bomba! ¡Es una bomba!—exclamó María con
25 pavor, arrojándose en brazos de su amigo.
La espantosa luz pasó velozmente por encima de nuestras cabezas, por encima de la huerta y de la casa, ilumi-
nando a su paso la torre, los techos vecinos, hasta el rincón
donde nos escondíamos. Luego sintióse el estallido. La
30 campana empezó a clamar, uniéndose a su grito el de otras

más o menos lejanas, agudas, graves, chillonas, cascadas, y oímos el tropel de la gente que corría por las inmediatas calles.

—Esa bomba no nos matará—dijo Agustín tranquilizando a su novia.—¿Tienes miedo?

—¡Mucho, muchísimo miedo!—respondió ésta,—aunque a veces me parece que tengo mucho, muchísimo valor. Paso las noches rezando y pidiéndole a Dios que aparte de mi casa el fuego. Hasta ahora ninguna desgracia nos ha ocurrido, ni en éste ni en el otro sitio. Pero ¡cuántos infelices han perecido, cuántas casas de personas honradas y que nunca hicieron mal a nadie han sido destruídas por las llamas! Yo deseo ardientemente ir como los demás a socorrer a los heridos; pero mi padre me lo prohibe, y se enfada conmigo siempre que se lo propongo.

Esto decía, cuando en el interior de la casa sentimos ruido vago y lejano en que se confundía con la voz de la señora Guedita la desapacible del tío Candiola. Los tres, obedeciendo a un mismo pensamiento, nos estrechamos en el rincón y contuvimos el aliento, temiendo ser sorprendidos. Luego sentimos más cerca la voz del avaro que decía:

—¿Qué hace usted levantada a estas horas, señora Guedita?

—Señor—contestó la vieja asomándose por una ventana que daba al corredor,—¿quién puede dormir con ese horroroso bombardeo? Si a lo mejor se nos mete aquí una señora bomba y nos coge en la cama y en paños menores, y vienen los vecinos a sacar los trastos y apagar el fuego . . . ¡Oh, qué falta de pudor! No pienso desnudarme mientras dure este endemoniado bombardeo.

—Y mi hija, ¿duerme?—preguntó Candiola, que al decir esto se asomaba por un ventanillo al otro extremo de la huerta.

—Arriba está durmiendo como una marmota—repuso la
dueña.—Bien dicen que para la inocencia no hay peligros.
A la niña no le asusta una bomba más que un cohete.

—¡Si desde aquí se divisara el punto donde ha caído ese
5 proyectil!—dijo Candiola alargando su cuerpo fuera de la
ventana para poder extender la vista por sobre los tejados
vecinos, más bajos que el de su casa.—Se ve claridad
como de incendio; pero no puedo decir si es cerca o
lejos.

10 —O yo no entiendo nada de bombas—dijo Guedita desde el corredor,—o ésta ha caído allá por el Mercado.

—Así parece. Si cayeran todas en las casas de los que
sostienen la defensa, y se empeñan en no acabar de una vez
tantos desastres . . . Si no me engaño, señora Guedita,
15 el fuego luce hacia la calle de la Tripería. ¿No están por
allá los almacenes de la Junta de Abastos? ¡Ah! ¡Bendita bomba, que no cayera en la calle de la Hilarza y en
la casa del malvado y miserable ladrón! . . . Señora Guedita, estoy por salir a la calle a ver si el regalo ha caído en
20 la calle de la Hilarza, en la casa del orgulloso, del entrometido, del canalla, del asesino D. José de Montoria. Se
lo he pedido con tanto fervor esta noche a la Virgen del
Pilar, a las Santas Masas y a Santo Domingo del Val, que
al fin creo que me han oído.

25 —Sr. D. Jerónimo—dijo la vieja,—déjese de correrías,
que el frío de la noche traspasa, y no vale la pena de coger
una pulmonía por ver dónde paró la bomba, que harto
tenemos ya con saber que no se nos ha metido en casa.
Si la que pasó no ha caído en casa de ese bárbaro sayón,
30 otra caerá mañana, pues los franceses tienen buena mano.
Conque acuéstese su merced, que yo me quedo rondando
la casa, por si ocurriese algo.

Candiola, respecto a la salida, varió sin duda de parecer,

en vista de los buenos consejos de la criada, porque cerrando la ventanilla, metióse dentro y no se le sintió más en el resto de la noche. Mas no porque desapareciera rompieron los amantes el silencio, temerosos de ser escuchados o sorprendidos; y hasta que la vieja no vino a participarnos que el señor roncaba como un labriego, no se reanudó el diálogo interrumpido.

—Mi padre desea que las bombas caigan sobre la casa de su enemigo—dijo María.—Yo no quisiera verlas en ninguna parte; pero si alguna vez se puede desear mal al prójimo, es en esta ocasión, ¿no es verdad?

Agustín no contestó nada.

—Tú te marchaste—continuó la joven;—tú no viste cómo aquel hombre, el más cruel, el más malvado y cobarde de todos los que vinieron, le arrojó al suelo, ciego de cólera, y le pisoteó. Así patearán su alma los demonios en el infierno, ¿no es verdad?

—Sí,—contestó lacónicamente el mozo.

—Esta tarde, después que todo aquello pasó, Guedita y yo curábamos las contusiones de mi padre. Estaba tendido sobre la cama, y loco de desesperación se retorcía mordiéndose los puños y lamentándose de no haber tenido más fuerza que el otro. Nosotras procurábamos consolarle; pero él nos decía que calláramos. Después me echó en cara, ¡tal era su rabia! que hubiese yo arrojado a la calle el dinero de la harina; enfadóse mucho conmigo, y me dijo que pues no se pudo sacar otra cosa, los tres mil reales y pico no debían despreciarse; y que yo era una loca despilfarradora, que le estaba arruinando. De ningún modo podíamos calmarle. Cerca del anochecer, sentimos otra vez ruido en la calle. Creímos que volvían los mismos y el mismo del mediodía. Mi padre quiso arrojarse del lecho lleno de furia. Yo tuve al principio mucho

miedo; después me reanimé, considerando que era necesario mostrar valor. Pensando en ti, dije: «Si él estuviera
en casa, nadie nos insultaría.» Como el rumor de la
calle aumentara, llenéme de valor, cerré bien todas las
5 puertas, y rogando a mi padre que continuase quieto en su
cama, resolví esperar. Mientras Guedita rezaba de rodillas a todos los santos del cielo, yo registré la casa buscando un arma, y al fin pude hallar un cuchillo. La vista de
este arma siempre me ha causado horror; pero hoy la em-
10 puñé con decisión. ¡Oh! estaba fuera de mí, y aun ahora
mismo me causa espanto el pensar en aquello. Frecuentemente me desmayo al mirar un herido; me asusto y
tiemblo sólo de ver una gota de sangre; casi lloro si cas-
tigan a un perro delante de mí, y jamás he tenido fuerzas
15 para matar una mosca; pero esta tarde, Agustín, esta tarde, cuando sentí ruido en la calle, cuando creí oír de nuevo
los golpes en la puerta, cuando esperaba por momentos ver
delante de mí a aquellos hombres . . . Te juro que si
llega a salir verdad lo que temí; si cuando yo estaba en el
20 cuarto de mi padre, junto a su cama, llega a entrar el mismo hombre que le maltrató algunas horas antes, te juro
que allí mismo . . . sin vacilar . . . cierro los ojos y le
parto el corazón.

—Calla por Dios—dijo Montoria con horror.—Me cau-
25 sas miedo, María, y al oírte me parece que tus propias
manos, estas divinas manos clavan en mi pecho la hoja
fría. No maltratarán otra vez a tu padre. Ya ves cómo
lo de esta noche fué puro miedo. No, no hubieras sido
capaz de lo que dices: tú eres una mujer, y una mujer dé-
30 bil, sensible, tímida, incapaz de matar a un hombre, como
no lo mates de amor. El cuchillo se te hubiera caído de
las manos, y no habrías manchado tu pureza con la sangre
de un semejante. Esos horrores se quedan para nosotros

los hombres, que nacemos destinados a la lucha, y que a veces nos vemos en el triste caso de gozar arrancando hombres a la vida. María, no hables más de ese asunto; no recuerdes a los que te ofendieron: perdónales, y sobre todo no mates a nadie, ni aun con el pensamiento. 5

XVI

Mientras esto decían observé el rostro de la Candiola, que en la obscuridad parecía modelado en pálida cera, y tenía el tono pastoso y mate del marfil. De sus negros ojos, siempre que los alzaba al cielo, partía un ligero rayo. Sus negras pupilas, sirviendo de espejo a la claridad del 10 cielo, producían en el fondo donde nos encontrábamos dos rápidos puntos de luz, que aparecían y se borraban, según la movilidad de su mirada. Y era curioso observar en aquella criatura, toda ella pasión, la borrascosa crisis que removía y exaltaba su sensibilidad hasta ponerla en pun- 15 to de bravura. Aquel abandono voluptuoso, aquel arrullo (pues no hallo nombre más propio para pintarla), aquel tibio agasajo que había en la atmósfera junto a ella, no se avenían bien aparentemente con los alardes de heroísmo en defensa del ultrajado padre; pero una observación 20 atenta podía descubrir que ambas corrientes afluían de un mismo manantial.

—Yo admiro tu exaltado cariño filial—prosiguió Agustín.—Ahora, oye otra cosa. No disculpo a los que maltrataron a tu padre; pero no debes olvidar que tu padre 25 es el único que no ha dado nada para la guerra. D. Jerónimo es persona excelente; pero no tiene en su alma ni chispa de patriotismo. Le son indiferentes las desgracias de la ciudad, y hasta parece alegrarse cuando no salimos victoriosos. 30

La Candiola exhaló algunos suspiros, elevando sus ojos al Cielo.

—Es verdad—dijo después.—Todos los días y a todas horas le estoy suplicando que dé algo para la guerra. Na-
5 da puedo conseguir, aunque le pondero la necesidad de los pobres soldados y el mal papel que estamos haciendo en Zaragoza. Él se enfada cuando me oye, y dice que el que ha traído la guerra que la pague. En el otro sitio me alegraba en extremo cuando tenía noticia de una victo-
10 ria, y el 4 de Agosto salí yo misma sola a la calle no pudiendo resistir la curiosidad. Una noche estaba en casa de las de Urries, y como celebraban la acción de aquella tarde, que había sido muy brillante, alabé yo también lo ocurrido, mostrándome muy entusiasmada. Entonces una
15 vieja que estaba presente, me dijo en alta voz y con muy mal tono: «Niña loca, en vez de hacer esos aspavientos, ¿por qué no llevas al hospital de sangre siquiera una sá-bana vieja? En casa del Sr. Candiola, que tiene los sóta-nos llenos de dinero, ¿no hay un mal pingajo que dar a los
20 heridos? Tu papaíto es el único, el único de todos los vecinos de Zaragoza que no ha dado nada para la guerra.» Rieron todos al oír esto, y yo me quedé corrida, muerta de vergüenza, sin atreverme a hablar. En un rincón de la sala estuve hasta el fin de la tertulia, sin que nadie me
25 dirigiera la palabra. Mis pocas amigas, que tanto me que-rían, no se acercaban a mí; entre el tumulto de la reunión, oí a menudo el nombre de mi padre con comentarios y apodos muy denigrantes. ¡Oh! Se me partía con esto el corazón. Cuando me retiré para venir a casa, apenas me
30 saludaron fríamente, y los amos de la casa me despidieron con desabrimiento. Vine aquí, era ya de noche, me acosté y no pude dormir, ni cesé de llorar hasta por la mañana. La vergüenza me requemaba la sangre.

—Mariquilla—declaró Agustín con amor,—la bondad de tus sentimientos es tan grande, que por ella olvidará Dios las crueldades de tu padre.

—Después—prosiguió la Candiola,—a los pocos días, el 4 de Agosto, vinieron los dos heridos que nombró hoy en la reyerta el enemigo de mi padre. Cuando nos dijeron que la Junta destinaba a casa dos heridos para que les asistiéramos, Guedita y yo nos alegramos mucho, y locas de contento empezamos a preparar vendas, hilas y camas. Les esperábamos con tanta ansiedad, que a cada instante nos poníamos a la ventana por ver si venían. Por fin vinieron: mi padre, que había llegado, momentos antes, de la calle con muy negro humor, quejándose de que habían muerto muchos de sus deudores, y que no tenía esperanzas de cobrar, recibió muy mal a los heridos. Yo le abracé llorando, y le pedí que los diera alojamiento; pero no me hizo caso, y ciego de cólera les arrojó en medio del arroyo, atrancó la puerta y subió diciendo: «Que los asista quien los ha parido.» Era ya de noche. Guedita y yo estábamos muertas de desolación. No sabíamos qué hacer, y desde aquí sentíamos los lamentos de aquellos dos infelices que se arrastraban en la calle pidiendo socorro. Mi padre, encerrándose en su cuarto para hacer cuentas, no se cuidaba ya ni de ellos ni de nosotras. Pasito a pasito para que no nos sintiera, fuimos a la habitación que da a la calle, y por la ventana les echamos trapos para que se vendasen; pero no los podían coger. Les llamamos, nos vieron, y alargaban sus manos hacia nosotras. Atamos un cestillo a la punta de una caña, y les dimos algo de comida; pero uno de ellos estaba exánime, y al otro sus dolores no le permitían comer nada. Les animábamos con palabras tiernas, y pedíamos a Dios por ellos. Por último, resolvimos bajar por aquí y salir afuera para asistirles, aunque sólo un momento; pero mi padre nos sorprendió y se puso furioso. ¡Qué noche, Santa Virgen! Uno de ellos murió en medio de la calle, y el otro se fué arrastrando a buscar misericordia no sé dónde.

5   Agustín y yo callamos, meditando en las monstruosas contradicciones de aquella casa.

—Mariquilla—exclamó al fin mi amigo,—¡qué orgulloso estoy de quererte! La ciudad no conoce tu corazón de oro, y es preciso que lo conozca. Yo quiero decir a
10 todo el mundo que te amo, y probar a mis padres, cuando lo sepan, que he hecho una elección acertada.

—Yo soy como otra cualquiera—dijo con humildad la Candiola,—y tus padres no verán en mí sino la hija del que llaman el *judío mallorquín*. ¡Oh, me mata la vergüenza!
15 Quiero salir de Zaragoza y no volver más a este pueblo. Mi padre es de Palma, cierto; pero no desciende de judíos, sino de cristianos viejos, y mi madre era aragonesa y de la familia de Rincón. ¿Por qué somos despreciados? ¿Qué hemos hecho?

20 Diciendo esto, los labios de Mariquilla se contrajeron con una sonrisa entre incrédula y desdeñosa. Atormentado sin duda por dolorosos pensamientos, Agustín permaneció mudo, la frente apoyada sobre las manos de su novia. Terribles fantasmas se alzaban con amenazador ademán
25 entre uno y otro. Con los ojos del alma, él y ella les miraban llenos de espanto.

Después de un largo rato, Augustín alzó el rostro.

—María, ¿por qué callas? Di algo.

—¿Por qué callas tú, Agustín?

30 —¿En qué piensas?

—¿En qué piensas tú?

—Pienso—dijo el mancebo,—en que Dios nos protegerá. Cuando concluya el sitio nos casaremos. Si tú te

vas de Zaragoza, yo iré contigo a donde tú te vayas. ¿Tu
padre te ha hablado alguna vez de casarte con alguien?

—Nunca.

—No impedirá que te cases conmigo. Yo sé que los
míos se opondrán; pero mi voluntad es irrevocable. No
comprendo la vida sin ti y perdiéndote no existiría. Eres
la suprema necesidad de mi alma, que sin ti sería como el
universo sin luz. Ninguna fuerza humana nos apartará
mientras tú me ames. Esta convicción está tan arraigada
dentro de mí, que si alguna vez pienso que nos hemos de
separar en vida para siempre, se me representa esto como
un trastorno en la naturaleza. ¡Yo sin ti! Esto me parece
la mayor de las aberraciones. ¡Yo sin ti! ¡Qué delirio
y qué absurdo! Es como el mar en la cumbre de las montañas, y la nieve en las profundidades del Océano vacío;
como los ríos corriendo por el cielo, y los astros hechos
polvo de fuego en las llanuras de la tierra; como si los
árboles hablaran, y el hombre viviera entre los metales y
las piedras preciosas en las entrañas de la tierra. Yo me
acobardo a veces, y tiemblo pensando en las contrarieda-
des que nos abruman; pero la confianza que ilumina mi
espíritu, como la fe de las cosas santas, me reanima. Si
por momentos temo la muerte, después una voz secreta me
dice que no moriré mientras tú vivas. ¿Ves todo este estrago del sitio que soportamos? ¿Ves cómo llueven bombas, granadas y balas, y cómo caen para no levantarse más
infinitos compañeros míos? Pues pasada la primera impresión de miedo, nada de esto me hace estremecer, y creo
que la Virgen del Pilar aparta de mí la muerte. Tu sensibilidad te tiene en comunicación constante con los ángeles del Cielo: tú eres un ángel del Cielo, y el amarte,
el ser amado por ti, me da un poder divino contra el cual
nada pueden las fuerzas del hombre.

Así habló largo rato Agustín, desbordándose de su llena fantasía los pensamientos de la amorosa superstición que le dominaba.

—Pues yo—dijo Mariquilla,—también tengo cierta confianza en lo mismo que has dicho. Temo mucho que te maten; pero no sé qué voces me suenan en el fondo de mi alma, diciéndome que no te matarán. ¿Será porque he rezado mucho pidiendo a Dios conserve tu vida en medio de este horroroso fuego? No lo sé. Por las noches, como me acuesto pensando en las bombas que han caído, en las que caen y en las que caerán, sueño con las batallas y no ceso de oír el zumbido de los cañones. Deliro mucho, y Guedita, que duerme junto a mí, asegura que hablo en sueños, diciendo mil desatinos. Seguramente diré alguna cosa, porque no ceso de soñar, y te veo en la muralla y hablo contigo y me respondes. Las balas no te tocan, y me parece que es por el Padrenuestro que rezo despierta y dormida. Hace pocas noches, soñé que iba a curar a los heridos con otras muchachas, y que les poníamos buenos en el acto, casi resucitándoles con nuestras hilas. También soñé que de vuelta a casa te encontré aquí: estabas con tu padre, que era un viejecito muy amable y risueño, y hablaba con el mío, sentados ambos en el sofá de la sala, y los dos parecían muy amigos. Después soñé que tu padre me miraba sonriendo, y empezó a hacerme preguntas.

Otras veces sueño cosas tristes. Cuando despierto, pongo atención, y si no siento el ruido del bombardeo, digo: «Puede que los franceses hayan levantado el sitio.» Si oigo cañonazos, miro a la imagen de la Virgen del Pilar, que está en mi cuarto; le pregunto con el pensamiento, me contesta que no has muerto, sin que yo pueda decir qué signo emplea para responderme. Paso el día pensando en las murallas, y me pongo en la ventana para oír lo que dicen los mozos al pasar por la calle. Algunas veces siento tentaciones de preguntarles si te han visto . . . Llega la noche, te veo y me quedo tan contenta. Al día siguiente, Guedita y yo nos ocupamos en preparar alguna cosa de comer a escondidas de mi padre: si vale la pena, te la guardamos a ti, y si no, se la lleva para los heridos y enfermos ese frailito que llaman el Padre Busto, el cual viene por las tardes con pretexto de visitar a Doña Guedita, de quien es pariente. Nosotros le preguntamos que cómo va la cosa, y él nos dice: «Perfectamente. Las tropas están haciendo grandes proezas, y los franceses tendrán que retirarse como la otra vez.» Estas noticias de que todo va bien nos vuelven locas de gozo. El ruido de las bombas nos entristece después; pero rezando recobramos la tranquilidad. A solas en nuestro cuarto, de noche, hacemos hilas y vendas, que se lleva también a escondidas el Padre Busto, como si fueran objetos robados; y al sentir los pasos de mi padre, lo guardamos todo con precipitación y apagamos la luz, porque si descubre lo que estamos haciendo se pone furioso.

Contando sus sustos y sus alegrías con divina sencillez, Mariquilla estaba risueña y algo festiva. El encanto especial de su voz no es descriptible, y sus palabras, semejantes a una vibración de notas cristalinas, dejaban eco armonioso en el alma. Cuando concluyó, el primer resplandor de la aurora empezaba a alumbrar su semblante.

—Despunta el día, Mariquilla—dijo Agustín,—y tenemos que marcharnos. Hoy vamos a defender las Tenerías; hoy habrá un fuego horroroso, y morirán muchos; pero la Virgen del Pilar nos amparará y podremos gozar de la victoria. María, Mariquilla, no me tocarán las balas.

—No te vayas todavía—repuso la hija de Candiola.— Despunta el día; pero aún no hacéis falta en la muralla.

Sonó la campana de la torre.

—Mira qué pájaros cruzan el espacio anunciando la aurora,—dijo Agustín con amarga ironía.

Una, dos, tres bombas atravesaron el cielo, débilmente aclarado todavía.

—¡Qué miedo!—exclamó María dejándose abrazar por Montoria.—¿Nos preservará Dios hoy como nos ha preservado ayer?

—¡A la muralla!—exclamé yo levantándome a toda prisa.—¿No oyes que tocan a llamada las campanas y tambores? ¡A la muralla!

Mariquilla, poseída de un pánico imposible de pintar, lloraba queriendo detener a Montoria. Yo, resuelto a partir, pugnaba por llevármele.

Estruendo de tambores y campanas sonaba en la ciudad convocando a las armas, y si en el instante mismo no acudíamos a las filas, corríamos riesgo de ser arcabuceados o tenidos por cobardes.

—Me voy, me voy, María—dijo mi amigo con profunda emoción.—¿Temes al fuego? No: esta casa sagrada, porque tú la habitas, será respetada por el fuego enemigo, y la crueldad de tu padre no la castigará Dios en tu santa cabeza. Adiós.

Apareció bruscamente Doña Guedita, diciendo que su amo se estaba levantando a toda prisa. Entonces la misma María nos empujó hacia lo bajo de la huerta, ordenándonos que saliéramos al instante. Agustín estaba traspasado de pena, y en la puerta hizo movimientos de perplejidad, y dió algunos pasos para volver al lado de la infeliz Candiolilla, que muerta de miedo, derramando lágrimas y con las manos cruzadas en disposición de orar, nos miraba partir, aún envuelta en la sombra del ciprés que nos había dado abrigo.

En el momento en que abríamos la puerta, oyóse un grito en la parte superior de la casa, y vimos al tío Candiola que, saliendo a medio vestir, se dirigía hacia nosotros en actitud amenazadora. Quiso Agustín volver atrás; pero le empujé hacia afuera y salimos.

—¡Al momento a las filas! ¡A las filas!—exclamé.— Nos echarán de menos, Agustín. Deja por ahora a tu futuro suegro que se entienda con tu futura esposa.

Y velozmente corrimos hasta dar en el Coso, donde observamos el sinnúmero de bombas arrojadas sobre la infeliz ciudad. Todos acudían con presteza a distintos sitios, cuál a las Tenerías, cuál al Portillo, cuál a Santa Engracia o a Trinitarios. Al llegar al arco de Cineja, tropezamos con D. José Montoria, que, seguido de sus amigos, corría hacia el Almudí. En el mismo instante, un terrible estampido, resonando a nuestra espalda, nos anunció que un proyectil enemigo había caído en paraje cercano. Agustín, al oír esto, volvió hacia atrás, disponiéndose a tornar al punto de donde veníamos.

—¿A dónde vas? ¡porra!—le dijo su padre deteniéndole.—A las Tenerías, pronto, a las Tenerías.

La gente que iba y venía supo al instante el lugar del desastre, y oímos decir:

—Tres bombas han caído juntas en casa del tío Candiola.

—Los ángeles del cielo apuntaron sin duda los morteros —exclamó D. José de Montoria con estrepitosa carcajada. —Veremos cómo se las compone ese judío mallorquín, si es que ha quedado vivo, para poner en lugar seguro su dinero.

—Corramos a salvar a esos desgraciados,—dijo Agustín con vehemencia.

—¡A las filas, cobardes!—exclamó el padre, sujetándole con férrea mano.—Ésa es obra de mujeres. Los hombres a morir en la brecha.

Era preciso acudir a nuestros puestos, y fuimos, mejor
5 dicho, nos llevaron, nos arrastró la impetuosa oleada de gente que corría a defender el barrio de las Tenerías.

XVII

[The French attack Las Tenerías, and desperate fighting ensues.]

Por nuestra parte, el número de bajas era enorme: los hombres quedaban por docenas estrellados contra el suelo en aquella línea que había sido muralla, y ya no era sino
10 una aglomeración informe de tierra, ladrillos y cadáveres. Lo natural, lo humano habría sido abandonar unas posiciones defendidas contra todos los elementos de la fuerza y de la ciencia militar reunidos; pero allí no se trataba de nada que fuese humano y natural, sino de extender la po-
15 tencia defensiva hasta límites infinitos, desconocidos para el cálculo científico y para el valor ordinario, desarrollando en sus inconmensurables dimensiones el genio aragonés, que nunca se sabe a dónde llega.

Siguió, pues, la resistencia, sustituyendo los vivos a los
20 muertos con entereza sublime. Morir era un accidente, un detalle trivial, un tropiezo del cual no debía hacerse caso.

Mientras esto pasaba, otras columnas igualmente poderosas trataban de apoderarse de la casa de González, que he mencionado arriba; pero desde las casas inmediatas y
25 desde los cubos de la muralla se les hizo fuego tan terrible de fusilería y cañón, que desistieron de su intento. Iguales ataques tenían lugar, con mejor éxito de parte suya, por nuestra derecha hacia la huerta de Campo-Real y baterías de los Mártires, y la inmensa fuerza desplegada por los

sitiadores a una misma hora y en una línea de poca extensión, no podía menos de producir resultados.

Desde la casa de la calle de Pabostre, inmediata al Molino de la Ciudad, hacíamos fuego, como he dicho, contra los que daban el asalto, cuando he aquí que las baterías de San José, antes ocupadas en demoler la muralla, enfilaron sus cañones contra aquel viejo edificio, y sentimos que las paredes retemblaban; que las vigas crujían como cuadernas de un buque conmovido por las tempestades; que las maderas de los tapiales estallaban, destrozándose en mil astillas; en suma, que la casa se venía abajo.

—¡Cuerno, recuerno!—exclamó el tío Garcés.—¡Que se nos viene la casa encima!

El humo y el polvo no nos permitían ver lo que pasaba fuera, ni tampoco lo que dentro ocurría.

—¡A la calle, a la calle!—gritó Pirli, arrojándose por una ventana.

—Agustín, Agustín, ¿dónde estás?—grité yo llamando a mi amigo.

Pero Agustín no parecía. En aquel momento de angustia, y no encontrando en medio de tal confusión ni puerta para salir ni escalera para bajar, corrí a la ventana para arrojarme fuera, y el espectáculo que se ofreció a mis ojos obligóme a retroceder sin aliento ni fuerzas. Mientras los cañones de la batería de San José intentaban por la derecha sepultarnos entre los escombros de la casa y parecían conseguirlo sin esfuerzo, por delante, y hacia la era de San Agustín, la infantería francesa había logrado penetrar por las brechas, rematando a los infelices que ya apenas eran hombres, y acabándoles de matar, pues su agonía desesperada no puede llamarse vida. De los callejones cercanos se les hacía un fuego horroroso, y los cañones de la calle de la Diezma sustituían a los de la batería vencida. Pero asaltada la brecha, se aseguraban en la muralla. Era imposible conservar en el ánimo una chispa de energía ante tamaño desastre.

Huí de la ventana hacia adentro, despavorido, fuera de
5 mí. Un trozo de pared estalló, reventó, desgajándose en enormes trozos, y una ventana cuadrada tomó la figura de un triángulo isósceles: el techo dejó ver por una esquina la luz del cielo; los trozos de yeso y las agudas astillas salpicaron mi cara. Corrí hacia el interior siguiendo a otros
10 que decían: «¡por aquí, por aquí!»

—Agustín, Agustín,—grité de nuevo llamando a mi amigo.

Por fin le vi entre los que corríamos pasando de una habitación a otra, y subiendo la escalerilla que conducía
15 a un desván.

—¿Estás vivo?—le pregunté.

—No lo sé—me dijo,—ni me importa saberlo.

En el desván rompimos fácilmente un tabique, y pasando a otra estancia, hallamos una empinada escalera; la
20 bajamos, y nos vimos en una habitación chica. Unos siguieron adelante, buscando salida a la calle, y otros detuviéronse allí.

Se ha quedado fijo en mi imaginación, con líneas y colores indelebles, el interior de aquella mezquina pieza,
25 bañada por la copiosa luz que entraba por una ventana abierta a la calle. Cubrían las paredes desiguales estampas de vírgenes y santos. Dos o tres cofres viejos y forrados de piel de cabra ocupaban un testero. Veíase en otro ropa de mujer colgada de clavos y alcayatas, y una cama altísima
30 de humilde aspecto, aún con las sábanas revueltas. En la ventana había tres grandes tiestos con yerbas; y parapetadas tras ellos, dirigiendo por los huecos la rencorosa visual

de su puntería dos mujeres hacían fuego sobre los franceses que ya ocupaban la brecha. Tenían dos fusiles. Una cargaba y otra disparaba; agachábase la fusilera para enfilar el cañón entre los tiestos, y suelto el tiro, alzaba la cabeza por sobre las matas para mirar al campo de 5 batalla.

—¡Manuela Sancho—exclamé poniendo la mano sobre el hombro de la heroica muchacha,—toda resistencia es inútil! Retirémonos. La casa inmediata es destruída por las baterías de San José, y en el techo de ésta empiezan a 10 caer las balas. Vámonos.

Pero no hacía caso, y seguía disparando. Al fin la casa, que era débil como la vecina, y aún menos que ésta podía resistir al choque de los proyectiles, experimentó una fuerte sacudida, cual si temblara la tierra en que arraigaban 15 sus cimientos. Manuela Sancho arrojó el fusil. Ella y la mujer que le acompañaba penetraron precipitadamente en una inmediata alcoba, de cuyo obscuro recinto sentí salir angustiosas lamentaciones. Al entrar, vimos que las dos muchachas abrazaban a una anciana tullida que, en su 20 pavor, quería arrojarse del lecho.

—Madre, esto no es nada—le dijo Manuela cubriéndola con lo primero que encontró a mano.—Vámonos a la calle, que la casa parece que se quiere caer.

La anciana no hablaba, no podía hablar. Tomáronla en 25 brazos las dos mozas; mas nosotros la recogimos en los nuestros, encargando a ellas que llevaran nuestros fusiles y la ropa que pudieran salvar. De este modo pasamos a un patio, que nos dió salida a otra calle, donde aún no había llegado el fuego.

30

XVIII

Los franceses habíanse apoderado también de la batería de los Mártires, y en aquella misma tarde fueron dueños de las ruinas de Santa Engracia y del Convento de Trinitarios. ¿Se concibe que continúe la resistencia de 5 una plaza después de perdido lo más importante de su circuito? No: no se concibe, ni en las previsiones del arte militar ha entrado nunca que, apoderado el enemigo de la muralla por la superioridad incontrastable de su fuerza material, ofrezcan las casas nuevas líneas de fortifica-10 ciones, improvisadas por la iniciativa de cada vecino; no se concibe que tomada una casa sea preciso organizar un verdadero plan de sitio para tomar la inmediata, empleando la zapa, la mina y ataques parciales a la bayoneta, desarrollando contra un tabique ingeniosa estratagema; 15 no se concibe que tomada una acera sea preciso, para pasar a la de enfrente, poner en ejecución las teorías de Vauban, y que para saltar un arroyo sea preciso hacer paralelas, zigs-zags y caminos cubiertos.

Los Generales franceses se llevaban las manos a la ca-20 beza, diciendo: «Esto no se parece a nada de lo que hemos visto.» En los gloriosos anales del Imperio se encuentran muchos partes como éste: «Hemos entrado en Spandau; mañana estaremos en Berlín.» Lo que aún no se había escrito era lo siguiente: «Después de dos días y dos noches 25 de combate, hemos tomado la casa núm. 1 de la calle de Pabostre. Ignoramos cuándo se podrá tomar el núm. 2.»

[House-to-house fighting continues; the French attack Santa Mónica without success.]

A eso de las diez de la noche nos hallábamos en una que debía de ser muy inmediata a la de Manuela Sancho, cuando sentimos que por conductos desconocidos, por sótanos, pasillos o subterráneas comunicaciones, llegaba a nuestros oídos el rumor de las voces del enemigo. Una mujer subió azorada por una escalerilla, diciéndonos que los franceses estaban abriendo un boquete en la pared de la cuadra, y bajamos al instante; pero aún no estábamos todos en el patio frío, estrecho y obscuro de la casa, cuando a boca de jarro se nos disparó un tiro, y un compañero fué levemente herido en el hombro.

A la escasa claridad percibimos varios bultos que sucesivamente se internaron en la cuadra, e hicimos fuego, avanzando después con brío tras ellos.

Al ruido de los tiros acudieron otros compañeros nuestros que habían quedado arriba, y penetramos denodadamente en la lóbrega pieza. Los enemigos no se detuvieron en ella, y a todo escape repasaron el agujero abierto en la pared medianera buscando refugio en su primitiva morada, desde la cual nos enviaron algunas balas. No estábamos completamente a obscuras, porque ellos tenían una hoguera, de cuyas llamas débiles rayos penetraban por la abertura, difundiendo rojiza claridad sobre el teatro de aquella lucha.

Yo no había visto nunca lucha semejante, ni jamás presencié combate alguno entre cuatro negras paredes, a la luz indecisa de una llama lejana, cuya oscilación proyectaba móviles sombras y espantajos en nuestro derredor.

Adviértase que la claridad era perjudicial a los franceses, porque a pesar de guarecerse tras el hueco, nos ofrecían blanco seguro. Nos tiroteamos breve rato, y dos compañeros cayeron muertos o mal heridos sobre el húmedo suelo. A pesar de este desastre, hubo otros que quisieron llevar adelante aquella aventura, asaltando el agujero e internándose en la guarida del enemigo; pero aunque

éste había cesado de ofendernos, parecía prepararse para atacar mejor. De repente se apagó la hoguera y quedamos en completa obscuridad. Dimos repetidas vueltas buscando la salida, y chocábamos unos con otros. Esta situa-
5 ción, junto con el temor de ser atacados con elementos superiores, o de que arrojaran en medio de aquel sepulcro granadas de mano, nos obligó a retirarnos al patio confusamente y en tropel.

[A brief description of scenes on the street.]

Por todas partes, especialmente en el extremo de las
10 calles que remataban en la muralla de Tenerías, se veían hacinados los cuerpos, y el herido se confundía con el cadáver, no pudiendo determinarse de qué bocas salían aquellas voces lastimeras que imploraban socorro. Yo no había visto jamás desolación tan espantosa; y más que el
15 espectáculo de los desastres causados por el hierro, me impresionó ver en los dinteles de las casas, o arrastrándose por el arroyo en busca de lugar seguro, a muchos atacados de la epidemia, que se morían por momentos sin tener en las carnes la más ligera herida. El horroroso frío les hacía
20 dar diente con diente, e imploraban auxilio con ademanes de desesperación, porque no podían hablar.

A todas éstas, el hambre nos había quitado por completo las fuerzas, y apenas nos podíamos detener.

¿—Dónde encontraremos algo de comida?—me dijo
25 Agustín.—¿Quién se va a ocupar de semejante cosa?

—Esto tiene que acabarse pronto de una manera o de otra—respondí.—O se rinde la ciudad, o perecemos todos.

Al fin, hacia las piedras del Coso encontramos una cuadrilla de administración que estaba repartiendo raciones,
30 y ávidamente tomamos las nuestras, llevando a los compañeros todo lo que podíamos cargar. Ellos lo recibieron

con gran algarabía y cierta jovialidad impropia de las circunstancias; pero el soldado español es y ha sido siempre así. Mientras comían aquellos mendrugos tan duros como el guijarro, cundió por el batallón la opinión unánime de que Zaragoza no podía ni debía rendirse *nunca*. 5

Era la media noche, cuando empezó a disminuir el fuego. Los franceses no conquistaban un palmo de terreno fuera de las casas que ocuparon por la tarde, aunque tampoco se les pudo echar de sus alojamientos. Esta epopeya se dejaba para los días sucesivos; y cuando los hombres 10 influyentes de la ciudad, los Montoria, los Cereso, los Sas, los Salamero y los San Clemente, volvían de las Mónicas, teatro aquella noche de grandes prodigios, manifestaban una confianza enfática y un desprecio del enemigo, que enardecían el ánimo de cuantos les oían. 15

—Esta noche se ha hecho poco—decía Montoria.—La gente ha estado algo floja. Verdad que no había para qué echar el resto, ni debemos salir de nuestro ten con ten, mientras los franceses nos ataquen con tan poco brío . . . Veo que hay algunas desgracias . . . poca cosa. Las mon- 20 jas han batido bastante aceite con vino, y todo es cuestión de aplicar unos cuantos parches . . . Si hubiera tiempo, bueno sería enterrar los muertos de ese montón; pero ya se hará más adelante. La epidemia crece . . . es preciso dar muchas friegas . . . friegas y más friegas: es mi sis- 25 tema. Por ahora, bien pueden pasarse sin caldo: el caldo es un brebaje repugnante. Yo les daría un trago de aguardiente, y en poco tiempo podrían tomar el fusil. Conque, señores, la fiesta parece acabarse por esta noche; descabezaremos un sueño de media hora, y mañana . . . mañana 30 se me figura que los franceses nos atacarán formalmente.

Luego encaró con su hijo, que en mi compañía se le acercaba, y continuó así:

—¡Oh, Agustinillo! Ya había preguntado por ti. Pues estaba con cuidado, porque en acciones como la de hoy, suele suceder que muere alguna gente. ¿Estás herido? No: no tienes nada; a ver . . . un simple rasguño . . . ¡Ah! ¡chico! se me figura que no te has portado como un Montoria. Y usted, Araceli, ¿ha perdido alguna pierna? Tampoco: parece que los dos acaban de salir de la fábrica; no les falta ni un pelo. Malo, malo. Me parece que tenemos aquí un par de gallinas . . . Ea, a descansar un rato, nada más que un rato. Si se sienten ustedes atacados de la epidemia, friegas y más friegas . . . es el mejor sistema . . . Conque, señores, quedamos en que mañana se defenderán estas casas tabique por tabique. Lo mismo pasa en todo el contorno de la ciudad; pero en cada alcoba habrá una batalla. Vamos a la Capitanía general, y veremos si Palafox ha acordado lo que pensamos. No hay otro camino: o entregarles la ciudad, o disputarles cada ladrillo como si fuera un tesoro. Se aburrirán. Hoy han perdido seis u ocho mil hombres. Pero vamos a ver al excelentísimo señor D. José . . . Buenas noches, muchachos, y mañana tratad de sacudir esa cobardía . . .

—Durmamos un poquito—dije a mi amigo cuando nos quedamos solos.—Vamos a la casa que estamos guarneciendo, donde me parece que he visto algunos colchones.

—Yo no duermo,—me contestó Montoria, siguiendo por el Coso adelante.

—Ya sé a dónde vas. No se nos permitirá alejarnos tanto, Agustín.

Mucha gente, hombres y mujeres, en diversas direcciones, discurrían por aquella gran vía. De improviso, una mujer corrió velozmente hacia nosotros y abrazó a Agustín sin decirle nada. Profunda emoción ahogaba la voz en su garganta.

—¡Mariquilla, Mariquilla de mi corazón!—exclamó Montoria abrazándola con júbilo.—¿Cómo estás aquí? Iba ahora en busca tuya.

Mariquilla no podía hablar, y sin el sostén de los brazos del amante, su cuerpo desmadejado y flojo hubiera caído al suelo.

—¿Estás enferma? ¿Qué tienes? ¿Por qué lloras? ¿Es cierto que las bombas han derribado tu casa?

Cierto debía de ser, pues la desgraciada joven mostraba en su desaliñado aspecto una gran desolación. Su vestido era el que le vimos la noche anterior. Tenía suelto el cabello, y en sus brazos magullados observamos algunas quemaduras.

—Sí—dijo al fin con apagada voz.—Nuestra casa no existe; no tenemos nada; lo hemos perdido todo. Esta mañana, cuando saliste de allá, una bomba deshizo el techo. Luego cayeron otras dos . . .

—¿Y tu padre?

—Mi padre está allá y no quiere abandonar las ruinas de la casa. Yo he estado todo el día buscándote para que nos dieras algún socorro. Me he metido entre el fuego; he estado en todas las calles del arrabal; he subido a algunas casas. Creí que habías muerto.

Agustín se sentó en el hueco de una puerta, y abrigando a Mariquilla con su capote, la sostuvo en sus brazos como se sostiene a un niño. Repuesta de su desmayo pudo seguir hablando, y entonces nos dijo que no habían podido salvar ningún objeto, y que apenas tuvieron tiempo para huir. La infeliz temblaba de frío: poniéndole mi capote sobre el que ya tenía, tratamos de llevarla a la casa que guarnecíamos.

—No—dijo.—Quiero volver al lado de mi padre. Está loco de desesperación, y dice mil blasfemias, injuriando a

Dios y a los santos. No he podido arrancarle de aquello
que fué nuestra casa. Carecemos de alimento. Los vecinos no han querido darle nada. Si ustedes no quieren
llevarme allá, me iré yo sola.

5 —No, Mariquilla, no: no irás allá—dijo Montoria;—
te pondremos en una de estas casas, donde, al menos por
esta noche, estarás segura, y entre tanto Gabriel irá en
busca de tu padre, y llevándole algo de comer, de grado o
por fuerza le sacará de allí.

10 Insistió la Candiola en volver a la calle de Antón Trillo;
pero como apenas tenía fuerzas para moverse, la llevamos
en brazos a una casa de la calle de los Clavos, donde estaba
Manuela Sancho.

XIX

[Gabriel finds Candiola's house in ruins, and he sees in the
garden a group of people.]

Acerquéme al grupo, creyendo encontrar a Candiola, y,
15 en efecto, allí estaba sentado junto a la reja, con las manos
en cruz, inclinada la cabeza sobre el pecho, y lleno el vestido de girones y quemaduras. Rodeábale una pequeña turba de mujeres y chiquillos, que cual abejorros zumbaban
a su alrededor, prodigándole toda clase de insultos y vejá-
20 menes. No me costó gran trabajo ahuyentar tan molesto
enjambre, y aunque no se fueron todos y persistían en
husmear por allí, creyendo encontrar entre las ruinas el
oro del rico Candiola, éste se vió al fin libre de los tirones,
pedradas y de las crueles agudezas con que era mortificado.

25 —Señor militar—me dijo,—le agradezco a usted que
ponga en fuga a esa vil canalla. Aquí se le quema a uno
la casa y nadie le da auxilio. Ya no hay autoridades en
Zaragoza. ¡Qué pueblo, señor, qué pueblo! No será porque dejemos de pagar gabelas, diezmos y contribuciones.

—Las autoridades no se ocupan más que de las operaciones militares—advertí,—y son tantas las casas destruidas, que es imposible acudir a todas.

—¡Maldito sea mil veces—exclamó llevándose la mano a la cabeza desnuda,—quien nos ha traído estos desastres! Atormentado en el infierno por mil eternidades no pagaría su culpa. Pero ¿qué demonios busca usted aquí, señor militar? ¿Quiere usted dejarme en paz?

—Vengo en busca del Sr. Candiola—le respondí,—para llevarle a donde se le pueda socorrer, curando sus quemaduras y dándole un poco de alimento.

—¡A mí!... yo no salgo de mi casa—exclamó con voz lúgubre.—La Junta tendrá que reedificármela. ¿Y a dónde me quiere llevar usted? Ya... ya... ya estoy en el caso de que me den una limosna. Mis enemigos han conseguido su objeto, que era ponerme en el caso de pedir limosna; pero no la pediré, no. Antes me comeré mi propia carne y beberé mi sangre, que humillarme ante los que me han traído a semejante estado. ¡Ah, miserables: le quitan a uno su harina para ponerla después en las cuentas como adquirida a noventa o cien reales! Como que están vendidos a los franceses, y prolongan la resistencia para redondear sus negocios... Luego les entregan la ciudad y se quedan tan frescos.

—Deje usted todas esas consideraciones para otro momento—le dije,—y sígame ahora, que no está el tiempo para pensar en eso. Su niña de usted ha encontrado donde guarecerse, y a usted le daremos asilo en el mismo lugar.

—Yo no me muevo de aquí. ¿En dónde está mi hija?—preguntó con pena.—¡Ah! Esa loca no sabe permanecer al lado de su padre en desgracia. La vergüenza la hace huir de mí. ¡Maldita sea su liviandad y el momento en

que la descubrí! Señor, Jesús Nazareno, y tú, mi patrono
Santo Dominguito del Val, decidme: ¿qué he hecho yo
para merecer tantas desgracias en un mismo día? ¿No
soy bueno, no hago todo el bien pue puedo, no favorezco a
5 mis semejantes prestándoles dinero con un interés módico,
pongo por caso, la miseria de tres o cuatro reales por peso
fuerte al mes? Pues si soy un hombre bueno a carta cabal,
¿a qué llueven sobre mí tantas desventuras? Y gracias
que no pierdo lo poco que a fuerza de trabajos he reunido,
10 porque está en paraje a donde no pueden llegar las bombas; pero ¿y la casa, los muebles, los recibos, y lo que aún
queda en el almacén? Maldito sea yo, y cómanme los
demonios, si cuando esto se acabe y cobre los piquillos que
por ahí tengo, no me marcho de Zaragoza para no volver
15 más.

—Nada de eso viene ahora al caso, señor de Candiola.
Sígame usted.

—Sí—dijo con furia,—sí viene al caso. Mi hija se ha en-
vilecido. No sé cómo no la maté esta mañana. Hasta aquí
20 yo había supuesto a María un modelo de virtudes, de honestidad; me deleitaba su compañía, y de todos los buenos negocios destinaba un real para comprarle regalitos. ¡Mal
empleado dinero! ¡Dios mío, tú me castigas por haber
despilfarrado un gran capital en cosas superfluas, cuando a
25 interés compuesto hubiérase ya triplicado! Yo tenía confianza en mi hija. Esta mañana levantéme al amanecer;
acababa de pedir con fervor a la Virgen del Pilar que me
librara del bombardeo, y tranquilamente abrí la ventana
para ver cómo estaba el día. Póngase usted en mi caso, se-
30 ñor militar, y comprenderá mi asombro y pena al ver dos
hombres allí ... allí, en aquel corredor, junto al ciprés ...
me parece que les estoy viendo. Uno de ellos abrazaba a
mi hija. Ambos vestían uniforme, no pude verles el rostro,

porque aún era escasa la claridad del día. Precipitadamente salí de mi habitación; pero cuando bajé a la huerta, ya los dos estaban en la calle. Quedóse muda mi hija
al ver descubierta su liviandad, y leyendo en mi cara la
indignación que tan vil conducta me producía, se arrodi- 5
lló delante de mí pidiéndome perdón.—«Infame—le dije
ciego de cólera,—tú no eres hija mía, tú no eres hija de
este hombre honrado que jamás ha hecho mal a nadie.
¡Muchacha loca y sin pudor, no te conozco; tú no eres mi
hija: vete de aquí! . . . ¡Dos hombres, dos hombres en 10
mi casa, de noche, contigo! ¿No has reparado en las canas de tu anciano padre; no consideras que esos hombres
pueden robarme; no has reparado que la casa está llena
de mil objetos de valor, que caben fácilmente en una faltriquera? . . . ¡Mereces la muerte! Si no me engaño, 15
aquellos dos hombres se llevaban alguna cosa. ¡Dos hombres! ¡Dos novios! ¡Y recibirles de noche, en mi casa,
deshonrando a tu padre y ofendiendo a Dios! ¡Y yo desde mi cuarto miraba la luz del tuyo, creyendo con esto
que velabas allí haciendo alguna labor! . . . De modo, 20
miserable chicuela; de modo, hembra despreciable, que
mientras tú estabas en la huerta, en tu cuarto se estaba
gastando inútilmente una vela.»

«¡Oh, señor militar! no pude contener mi indignación;
y luego que esto le dije, cogíla por un brazo y la arrastré 25
para echarla fuera. En mi cólera ignoraba lo que hacía.
La infeliz me pedía perdón, añadiendo: «Yo le amo, padre; yo no puedo negar que le quiero.» Se redobló mi
furor oyéndola, y exclamé así: «¡Maldito sea el pan que
te he dado en diez y nueve años! ¡Meter ladrones en mi 30
casa! ¡Maldita sea la hora en que naciste, y malditos
los lienzos en que te envolvimos en la noche del 3 de Febrero del año 91! Antes se hundirá el cielo, y antes me de-

jará de su mano la Señora Virgen del Pilar, que volver a
ser para ti tu padre, y tú para mí la Mariquilla a quien
tanto he querido.» Apenas dije esto, señor militar, cuando
pareció que todo el firmamento reventaba en pedazos ca-
5 yendo sobre mi casa. ¡Qué espantoso estruendo y qué
conmoción tan horrible! Una bomba cayó en el techo, y
en el espacio de cinco minutos cayeron otras dos. Corrimos adentro: el incendio se propagaba con voracidad, y el
hundimiento del techo amenazaba sepultarnos allí. Quisi-
10 mos salvar a toda prisa algunos objetos; pero no nos fué
posible. Mi casa, esta casa que compré el año 87, casi de
balde, porque fué embargada a un deudor que me debía
cinco mil reales, con trece mil y un pico de intereses, se
desmoronaba; como un bollo de mazapán se deshacía, y
15 por aquí cae una viga, por allí salta un vidrio, por acullá
se desplomaba una pared. El gato maullaba; Doña Guedita me arañó el rostro al salir del cuarto: yo me aventuré
a entrar en el mío para recoger un recibito que había dejado sobre la mesa, y estuve a punto de perecer.»

20 Así habló el tío Candiola. Su dolor, además de profunda afección moral, era como un desorden nervioso, y al
instante se comprendía que aquel organismo estaba completamente perturbado por el terror, el disgusto y el hambre. Su locuacidad, más que desahogo del alma, era un
25 desbordamiento impetuoso, y aunque aparentaba hablar
conmigo, en realidad dirigíase a entes invisibles, los cuales,
a juzgar por los gestos de él, también le devolvían alguna
palabra. Por esto, sin que yo le dijera nada, siguió hablando en tono de contestación, y respondiendo a preguntas
30 que sus ideales interlocutores le hacían.

—Yo he dicho que no me marcharé de aquí mientras no
recoja lo mucho que aún puede salvarse. Pues qué, ¿voy
a abandonar mi hacienda? Ya no hay autoridades en

Zaragoza. Si las hubiera, se dispondría que vinieran aquí cien o doscientos trabajadores a revolver los escombros para sacar alguna cosa. Pero, Señor, ¿no hay quien tenga caridad, no hay quien tenga compasión de este infeliz anciano que nunca ha hecho mal a nadie? ¿Ha de estar uno sacrificándose toda la vida por los demás, para que al llegar un caso como éste no encuentre un brazo amigo que le ayude? No, no vendrá nadie, y si vienen es por ver si entre las ruinas encuentran algún dinero . . . ¡Ja, ja, ja!—(decía esto riendo como un demente).—¡Buen chasco se llevan! Siempre he sido hombre precavido, y ahora, desde que empezó el sitio, puse mis ahorros en lugar tan seguro, que sólo yo puedo encontrarlos. No, ladrones; no, tramposos; no, egoístas: no encontraréis un real aunque levantéis todos los escombros y hagáis menudos pedazos lo que queda de esta casa, aunque piquéis la madera haciendo con ella palillos de dientes, aunque reduzcáis todo a polvo, pasándolo luego por un tamiz.

—Entonces, Sr. de Candiola—le dije tomándole resueltamente por un brazo para llevarle fuera,—si las peluconas están seguras, ¿a qué viene el estar aquí de centinela? Vámonos.

—¿Cómo se entiende, señor entrometido?—gritó desasiéndose con fuerza.—Vaya usted noramala, y déjeme en paz. ¿Cómo quiere usted que abandone mi casa, cuando las autoridades de Zaragoza no mandan un piquete de tropa a custodiarla? Pues qué, ¿cree usted que mi casa no está llena de objetos de valor? ¿Ni cómo quiere que me marche de aquí sin sacarlos? ¿No ve usted que el piso bajo está seguro? Pues quitando esta reja, se entrará fácilmente, y todo puede sacarse. Si me aparto de aquí un solo momento, vendrán los rateros, los granujas de la vecindad, y ¡ay de mi hacienda, ay del fruto de mi

trabajo, ay de los utensilios que representan cuarenta años
de laboriosidad incesante! Mire usted, señor militar, en
la mesa de mi cuarto hay una palmatoria de cobre, que
pesa lo menos tres libras. Es preciso salvarla a toda costa.
5 Si la Junta mandara aquí, como es su deber, una compañía
de ingenieros . . .

«Pues también hay una vajilla que está en el armario
del comedor, y que debe de permanecer intacta. Entrando
con cuidado y apuntalando el techo, se la puede salvar.
10 ¡Oh! sí: es preciso salvar esa desgraciada vajilla. No es
esto solo, señor militar, señores. En una caja de lata
tengo los recibos: espero salvarlos. También hay un
cofre donde guardo dos casacas antiguas, algunas medias y tres sombreros. Todo esto está aquí abajo y no ha
15 padecido deterioro. Lo que se pierde irremisiblemente es
el ajuar de mi hija. Sus trajes, sus alfileres, sus pañuelos,
sus frascos de agua de olor podrían valer un dineral si
se vendieran ahora. ¡Cómo se habrá destrozado todo!
¡Jesús, qué dolor! Verdad es que Dios quiso castigar el
20 pecado de mi hija, y las bombas se fueron a los frascos de
agua de olor. Pero en mi cuarto quedó sobre la cama mi
chupa, en cuyo bolsillo hay siete reales y diez cuartos.
¡Y no tener yo aquí veinte hombres con piquetas y aza-
das! . . . ¡Dios justo y misericordioso! ¿En qué están
25 pensando las autoridades de Zaragoza? . . . El candil de
dos mecheros estará intacto. ¡Oh, Dios! Es la mejor
pieza que ha llevado aceite en el mundo. Le encontraremos por ahí, levantando con cuidado los escombros del
cuarto de la esquina. Tráiganme una cuadrilla de traba-
30 jadores, y verán qué pronto despacho . . . ¿Cómo quieren
que me aparte de aquí? Si me aparto, si duermo un instante, vendrán los ladrones . . . sí . . . ¡vendrán y se
llevarán la palmatoria!»

La tenacidad del avaro era tal, que resolví marcharme sin él, dejándole entregado a su delirante inquietud. Llegó a toda prisa Doña Guedita, trayendo una piqueta y una azada, juntamente con un canastillo en que vi algunas provisiones.

—Señor—dijo sentándose fatigada y sin aliento.—Aquí está la piqueta y el azadón que me ha dado mi sobrino. Ya no hacen falta, porque no se trabajará más en fortificaciones . . . Aquí están estas pasas medio podridas, y algunos mendrugos de pan.

La dueña comía con avidez. No así Candiola, que, despreciando la comida, cogió la piqueta, y resueltamente empezó a desquiciar la reja. Trabajando con ardiente actividad, decía:

—Si las autoridades de Zaragoza no quieren favorecerme, Doña Guedita, entre usted y yo lo haremos todo. Coja usted la azada y prepárese a levantar el cascajo. Mucho cuidado con las vigas, que todavía humean. Mucho cuidado con los clavos.

Luego, volviéndose a mí, que fijaba la atención en las señas de inteligencia hechas por el ama de llaves, me dijo:

—¡Eh! Vaya usted noramala. ¿Qué tiene usted que hacer en mi casa? ¡Fuera de aquí! Ya sabemos que viene a ver si puede pescar alguna cosa. Aquí no hay nada. Todo se ha quemado.

No había, pues, esperanza de llevarle a las Tenerías para tranquilizar a la pobre Mariquilla, por lo cual, no pudiendo detenerme más, me retiré. Amo y criada proseguían con gran ardor su trabajo.

XX

Dormí desde las tres al amanecer, y por la mañana
oímos misa en el Coso. En el gran balcón de la casa llamada de las Monas, hacia la entrada de la calle de las Escuelas Pías, ponían todos los domingos un altar y allí se
5 celebraba el oficio divino, pudiéndose ver el sacerdote, por
la situación de aquel edificio, desde cualquier punto del
Coso. Semejante espectáculo era muy conmovedor, sobre
todo en el momento de alzar, y cuando, puestos todos de
rodillas, se oía un sordo murmullo de extremo a extremo.
10 Poco después de terminada la misa, advertí que venía
como del Mercado un gran grupo de gente alborotada y
gritona. Entre la multitud, algunos frailes pugnaban por
apaciguarla; pero ella, sorda a las voces de la razón, más
rugía a cada paso, y en su marcha arrastraba una víctima
15 sin que fuerza alguna pudiera arrancársela de las manos.
Detúvose el pueblo irritado junto a la subida del Trenque,
donde estaba la horca, y al poco rato uno de los dogales
de ésta suspendió el cuerpo convulso de un hombre, que se
sacudió en el aire hasta quedar exánime. Sobre el madero
20 apareció bien pronto un cartel que decía: *Por asesino del
género humano, a causa de haber ocultado veinte mil camas.*
Era aquel infeliz un D. Fernando Estallo, guarda-
almacén de la Casa-utensilios. Cuando los enfermos y los
heridos espiraban en el arroyo y sobre las frías baldosas
25 de las iglesias, encontróse un gran depósito de camas, cuya
ocultación no pudo justificar el citado Estallo. Desenca-
denóse impetuosamente sobre él la ira popular, y no fué
posible contenerla. Oí decir que aquel hombre era inocente. Muchos lamentaron su muerte; pero al comenzar
30 el fuego en las trincheras, nadie se acordó más de él.

[After a desperate defense Santa Mónica falls.]

Durante esta jornada, nos hallábamos en las casas inmediatas de la calle de Palomar, haciendo fuego sobre los franceses que se destacaban para asaltar el Convento. Antes de concluída la acción, comprendimos que en las Mónicas ya no había defensa posible, y el mismo D. José Montoria, que estaba con nosotros, lo confesó.

—Los voluntarios de Huesca no se han portado mal— dijo.—Se conoce que son buenos chicos. Ahora les emplearemos en defender estas casas de la derecha . . . pero se me figura que no ha quedado ninguno. Allí sale solo Villacampa. ¿Pues y Mendieta, y Paúl, y Benedicto, y Oliva? Vamos: veo que todos han quedado en el sitio.

De este modo el Convento de las Mónicas pasó a poder de Francia.

XXI

Al llegar a este punto de mi narración, ruego al lector que me dispense si no puedo consignar concretamente las fechas de lo que refiero. En aquel período de horrores, comprendido desde el 27 de Enero hasta la mitad del siguiente mes, los sucesos se confunden, se amalgaman, se eslabonan en mi mente de tal modo que no puedo distinguir días ni noches, y a veces ignoro si algunos lances de los que recuerdo ocurrieron a la luz del sol. Me parece que todo aquello pasó en un largo día, o en una noche sin fin, y que el tiempo no marchaba entonces con sus divisiones ordinarias. Los acontecimientos, los hombres, las diversas sensaciones se reúnen en mi memoria formando un cuadro inmenso donde no hay más líneas divisorias que las que ofrecen los mismos grupos, el mayor espanto de un momento, la furia inexplicable o el pánico de otro momento.

Por esta razón no puedo precisar el día en que ocurrió lo que voy a narrar ahora; pero fué, si no me engaño, al día

siguiente de la jornada de las Mónicas, y según mis con-
jeturas del 30 de Enero al 2 de Febrero. Ocupábamos una
casa de la calle de Pabostre. Los franceses eran dueños de
la inmediata, y trataban de avanzar por el interior de la
5 manzana hasta llegar a Puerta Quemada. Nada es comparable a la expedición laboriosa por dentro de las casas;
ninguna clase de guerra, ni las más sangrientas batallas en
campo abierto, ni el sitio de una plaza, ni la lucha en las
barricadas de una calle, pueden compararse a aquellos cho-
10 ques sucesivos entre el ejército de una alcoba y el ejército
de una sala, entre las tropas que ocupan un piso y las que
guarnecen el superior.

Sintiendo el sordo golpe de las piquetas por diversos
puntos, nos causaba espanto el no saber por qué parte
15 seríamos atacados. Subíamos a las buhardillas; bajába-
mos a los sótanos, y pegando el oído a los tabiques, procurábamos indagar el intento del enemigo según la dirección
de sus golpes. Por último, advertimos que se sacudía con
violencia el tabique de la misma pieza donde nos encon-
20 trábamos, y esperamos a pie firme en la puerta después
de amontonar los muebles formando una barricada. Los
franceses abrieron un agujero, y luego, a culatazos, hicieron saltar maderos y cascajo, presentándosenos en actitud de querer echarnos de allí. Éramos veinte. Ellos eran
25 menos, y como no esperaban ser recibidos de tal manera,
retrocedieron, volviendo al poco rato en número tan considerable, que nos hicieron gran daño, obligándonos a
retirarnos, después de dejar tras los muebles cinco compañeros, dos de los cuales estaban muertos. En el angosto
30 pasillo topamos con una escalera por donde subimos precipitadamente sin saber a dónde íbamos; pero luego nos
hallamos en un desván, posición admirable para la defensa. Era angosta la escalera, y el francés que intentaba

pasarla moría sin remedio. Así estuvimos un buen rato, prolongando la resistencia, y animándonos unos a otros con vivas y aclamaciones, cuando el tabique que teníamos a la espalda empezó a estremecerse con fuertes golpes, y al punto comprendimos que los franceses, abriendo una entrada por aquel sitio, nos cogerían irremisiblemente entre dos fuegos. Éramos trece, porque en el desván habían caído dos muy gravemente heridos.

El tío Garcés, que nos mandaba, exclamó furioso:

—¡Recuerno! No nos cogerán esos perros. En el techo hay un tragaluz. Salgamos por él al tejado. Que seis sigan haciendo fuego . . . Al que quiera subir, partirlo. Que los demás agranden el agujero: fuera miedo, y ¡viva la Virgen del Pilar!

Se hizo como él mandaba. Ello iba a ser una retirada en regla, y mientras parte de nuestro ejército contenía la marcha invasora del enemigo, los demás se ocupaban en facilitar el paso. Este hábil plan fué puesto en ejecución con febril prontitud, y bien pronto el hueco de escape tenía suficiente anchura para que pasaran tres hombres a la vez, sin que durante el tiempo empleado en esto ganaran los franceses un solo peldaño. Velozmente salimos al tejado. Éramos nueve. Tres habían quedado en el desván, y otro fué herido al querer salir, cayendo vivo en poder del enemigo.

Al encontrarnos arriba, saltamos de alegría. Esparcimos la vista por los techos del arrabal, y vimos a lo lejos las baterías francesas. A gatas avanzamos buen trecho, explorando el terreno, después de dejar dos centinelas en el boquete con orden de descerrajar un tiro al que quisiese escurrirse por él; y no habíamos andado veinte pasos, cuando oímos gran ruido de voces y risas, que al punto nos parecieron de franceses. Efectivamente: desde un

ancho buhardillón nos miraban riendo aquellos malditos. No tardaron en hacernos fuego; parapetados nosotros tras las chimeneas y tras los ángulos y recortaduras que allí ofrecían los tejados, les contestamos, a los tiros con tiros y
5 a los juramentos y exclamaciones con otras mil invectivas que nos inspiraba el fecundo ingenio del tío Garcés.

Al fin nos retiramos, saltando al tejado de la casa cercana. Creímosla en poder de los nuestros, y nos internamos por la ventana de un chiribitil, considerando fácil el bajar
10 desde allí a la calle, donde, unidos y reforzados con más gente, podíamos proseguir aquella aventura al través de pasillos, escaleras, tejados y desvanes. Pero aún no habíamos puesto el pie en firme, cuando sentimos en los aposentos que quedaban bajo nosotros el estruendo de
15 repetidas detonaciones.

—Abajo se están batiendo—dijo Garcés,—y de seguro los franceses que dejamos en la casa de al lado se han pasado a ésta, donde se habrán encontrado con los compañeros. ¡Cuerno, recuerno! Bajemos ahora mismo. ¡Aba-
20 jo todo el mundo!

Pasando de un desván a otro, vimos una escalera de mano que facilitaba la entrada a un gran aposento interior, desde cuya puerta se oía vivo rumor de voces, destacándose principalmente algunas de mujer. El estrépito de
25 la lucha era mucho más lejano, y, por consiguiente, procedía de punto más bajo. Franqueando, pues, la escalerilla, nos hallamos en una gran habitación, materialmente llena de gente, la mayor parte ancianos, mujeres y niños, que habían buscado refugio en aquel lugar. Muchos, arro-
30 jados sobre jergones, mostraban en su rostro las huellas de la terrible epidemia, y algún cuerpo inerte sobre el suelo tenía todas las trazas de haber exhalado el último suspiro muy pocos momentos antes.

Otros estaban heridos, y se lamentaban sin poder contener la crueldad de sus dolores; dos o tres viejas lloraban o rezaban. Algunas voces se oían de rato en rato diciendo con angustia: «agua, agua.» Desde que bajamos distinguí en un extremo de la sala al tío Candiola que ponía cuidadosamente en un rincón multitud de baratijas, ropas y objetos de cocina y de loza. Con gesto displicente apartaba a los chicos curiosos que querían poner sus manos en aquella despreciable quincalla, y lleno de inquietud, diligente en amontonar y resguardar su tesoro, sin que la última pieza se le escapase, decía:

—Ya me han quitado dos tazas. Y no me queda duda: alguien de los que están aquí las ha de tener. No hay seguridad en ninguna parte; no hay autoridades que garanticen a uno la posesión de su hacienda. Fuera de aquí, muchachos mal criados. ¡Oh! Estamos bien . . . ¡Malditas sean las bombas y quien las inventó! Señores militares, a buena hora llegan ustedes. ¿No podrían ponerme aquí un par de centinelas para que guardaran estos objetos preciosos que con gran trabajo logré salvar?

Como es de suponer, mis compañeros se rieron de tan graciosa pretensión. Ya íbamos a salir, cuando vi a Mariquilla. La infeliz estaba transfigurada por el insomnio, el llanto y el terror; pero tanta desolación en torno suyo y en ella misma, aumentaba la dulce expresión de su hermoso semblante. Ella me vió, y al punto fué hacia mí con viveza, mostrando deseo de hablarme.

—¿Y Agustín?—le pregunté.

—Está abajo—repuso con voz temblorosa.—Abajo están dando una batalla. Las personas que nos habíamos refugiado en esta casa, estábamos repartidas por los distintos aposentos. Mi padre llegó esta mañana con Doña

Guedita. Agustín nos trajo de comer, y nos puso en un cuarto donde había un colchón. De repente sentimos golpes en los tabiques . . . venían los franceses. Entró la tropa, nos hicieron salir, trajeron los heridos y los enfermos a esta sala alta . . . aquí nos han encerrado a todos, y luego, rotas las paredes, los franceses se han encontrado con los españoles y han empezado a pelear . . . ¡Ay! Agustín está abajo también . . .

Esto decía, cuando entró Manuela Sancho, trayendo dos cántaros de agua para los heridos. Aquellos desgraciados se arrojaron frenéticamente de sus lechos, disputándose a golpes un vaso de agua.

—No empujar, no atropellarse, señores—dijo Manuela riendo.—Hay agua para todos. Vamos ganando. Trabajillo ha costado echarles de la alcoba, y ahora están disputándose la mitad de la sala, porque la otra mitad está ya ganada. No nos quitarán tampoco la cocina ni la escalera. Todo el suelo está lleno de muertos.

Mariquilla se estremeció de horror.

—Tengo sed,—me dijo.

Al punto pedí agua a la Sancho; pero como el único vaso que trajera, ocupado en aplacar la sed de los demás, andaba de boca en boca, por no esperar tomé una de las tazas que en su montón tenía el tío Candiola.

—Eh, señor entrometido—dijo sujetándome la mano,— deje usted ahí esa taza.

—Es para que beba esta joven—contesté indignado.— ¿Tanto valen estas baratijas, señor Candiola?

El avaro no me contestó ni se opuso a que diera de beber a su hija; mas luego que ésta calmó su sed, un herido tomó ávidamente de sus manos la taza, y he aquí que ésta empezó a correr también, pasando de boca en boca. Cuando yo salí para unirme a mis compañeros, D. Jerónimo seguía con la vista, de muy mal talante, el extraviado objeto que tanto tardaba en volver a sus manos.

Tenía razón Manuela Sancho al decir que íbamos ganando. Desalojados del piso principal de la casa, los franceses habíanse retirado al de la contigua, donde continuaban defendiéndose. Cuando yo bajé, todo el interés de la batalla estaba en la cocina, disputada con mucho encarnizamiento; pero lo demás de la casa nos pertenecía. Muchos cadáveres de una y otra nación cubrían el ensangrentado suelo; algunos patriotas y soldados, rabiosos por no poder conquistar aquella cocina funesta, desde donde se les hacía tanto fuego, lanzáronse dentro de ella a la bayoneta, y aunque perecieron bastantes, este acto de arrojo decidió la cuestión, porque tras ellos fueron otros, y por fin todos los que cabían.

Aterrados los imperiales con tan ruda embestida, buscaron salida precipitadamente por el laberinto que de pieza en pieza habían abierto. Persiguiéndoles por pasillos y aposentos, cuya serie inextricable volvería loco al mejor topógrafo, les rematábamos donde podíamos alcanzarles, y algunos de ellos se arrojaban desesperadamente a los patios. De este modo, después de reconquistada aquella casa, reconquistamos la vecina, obligándoles a contenerse en sus antiguas posiciones, que eran por aquella parte las dos casas primeras de la calle de Pabostre.

Después retiramos los muertos y heridos, y tuve el sentimiento de encontrar entre éstos a Agustín Montoria, aunque no era de gravedad el balazo recibido en el brazo derecho. Mi batallón quedó aquel día reducido a la mitad.

Los infelices que se refugiaban en la habitación alta de la casa, quisieron acomodarse de nuevo en los distintos aposentos; pero esto no se juzgó conveniente, y fueron obligados a abandonarla buscando asilo en lugares más lejanos del peligro.

Cada día, cada hora, cada instante las dificultades crecientes de nuestra situación militar se agravaban con el obstáculo que ofrecía número tan considerable de víctimas, hechas por el fuego y la epidemia. ¡Dichosos mil veces los que eran sepultados en las ruinas de las casas minadas, como aconteció a los valientes defensores de la calle de Pomar, junto a Santa Engracia! Lo verdaderamente lamentable estaba allí donde se hacinaban unos sobre otros, sin poder recibir auxilio, multitud de hombres destrozados por horribles heridas. Había recursos médicos para la centésima parte de los pacientes. La caridad de las mujeres, la diligencia de los patriotas, la multiplicación de la actividad en los hospitales, nada bastaba.

Llegó un día que cierta impasibilidad, más bien espantosa y cruel indiferencia, se apoderó de los defensores, y nos acostumbramos a ver un montón de muertos, cual si fuera montón de sacas de lana; nos acostumbramos a ver sin lástima algunas largas filas de heridos arrimados a las casas, curándose cada cual como mejor podía. A fuerza de padecimientos, creyérase que las necesidades de la carne habían desaparecido, y que no teníamos más vida que la del espíritu. La familiaridad con el peligro había transfigurado nuestra naturaleza, infundiéndole al parecer un elemento nuevo, el desprecio absoluto de la materia y total indiferencia de la vida. Cada uno esperaba morir *dentro de un rato*, sin que esta idea le conturbara.

[Gabriel and others repair to the defense of San Agustín.]

COMBAT IN THE CHURCH OF SAN AGUSTÍN AT ZARAGOZA

From the painting by C. Álvarez Dumont

XXII

[A terrible struggle begins in San Agustín.]

Pues bien: los franceses se posesionaron rápidamente
del camarín de la Virgen, de los estrechos tránsitos que he
mencionado; y cuando llegamos nosotros, en cada nicho,
detrás de cada santo, y en innumerables agujeros abiertos
a toda prisa, brillaba el cañón de los fusiles. Igualmente 5
establecidos detrás del ara santa, que a empujones adelan-
taron un poco, se preparaban a defender en toda regla la
cabecera de la iglesia.

No nos hallábamos enteramente a descubierto, y para
resguardarnos del gran retablo, teníamos los confesona- 10
rios, los altares de las capillas y las tribunas. Los más
expuestos éramos los que entramos por la nave principal;
y mientras los más osados avanzaron resueltamente hacia
el fondo, otros tomamos posiciones en el coro bajo, tras el
facistol, tras las sillas y bancos amontonados contra la re- 15
ja, molestando desde allí con certera puntería a la nación
francesa, posesionada del altar mayor.

El tío Garcés, con nueve de igual empuje, corrió a posesionarse del púlpito, otra pesada fábrica churrigueresca,
cuyo guarda-polvo, coronado por una estatua de la Fe, 20
casi llegaba al techo. Subieron, ocupando la cátedra y
la escalera, y desde allí, con singular acierto, dejaban seco
a todo francés que, abandonando el presbiterio, se adelan-
taba a lo bajo de la iglesia. También sufrían ellos bastante, porque les abrasaban los del altar mayor, deseosos 25
de quitar de en medio aquel obstáculo. Al fin se desta-
caron unos veinte hombres, resueltos a tomar a todo trance
aquel reducto de madera, sin cuya posesión era locura intentar el paso de la nave. No he visto nada más parecido
a una gran batalla, y así como en ésta la atención de uno 30

y otro ejército se reconcentra a veces en un punto, el más disputado y apetecido de todos, y cuya pérdida o conquista decide el éxito de la lucha, así la atención de todos se dirigió al púlpito, tan bien defendido como bien atacado.

5 Los veinte tuvieron que resistir el vivísimo fuego que se les hacía desde el coro, y la explosión de las granadas de mano que los de las tribunas les arrojaban; pero a pesar de sus grandes pérdidas, avanzaron resueltamente a la bayoneta sobre la escalera. No se acobardaron los diez defenso-
10 res del fuerte, y defendiéronse a arma blanca con aquella superioridad infalible que siempre tuvieron en este género de lucha. Muchos de los nuestros, que antes hacían fuego parapetados tras los altares y los confesonarios, corrieron a atacar a los franceses por la espalda, representando de este
15 modo en miniatura la peripecia de una vasta acción campal; y trabóse la contienda cuerpo a cuerpo a bayonetazos, a tiros y a golpes, según como cada cual cogía a su contrario.

De la sacristía salieron mayores fuerzas enemigas, y nuestra retaguardia, que se había mantenido en el coro,
20 salió también. Algunos que se hallaban en las tribunas de la derecha, saltaron fácilmente al cornisamento de un gran retablo lateral, y no satisfechos con hacer fuego desde allí, desplomaron sobre los franceses tres estatuas de santos que coronaban los ángulos del ático. En tanto el púlpito
25 se sostenía con firmeza, y en medio de aquel infierno, vi al tío Garcés ponerse en pie, desafiando el fuego, y accionar como un predicador, gritando desaforadamente con voz ronca. Si alguna vez viera al demonio predicando el pecado en la cátedra de una iglesia, invadida por todas las potencias
30 infernales en espantosa bacanal, no me llamaría la atención.

Aquello no podía prolongarse mucho tiempo, y Garcés, atravesado por cien balazos, cayó de improviso, lanzando un ronco aullido. Los franceses, que en gran número llenaban la sacristía, vinieron en columna cerrada, y en los tres escalones que separan el presbiterio del resto de la iglesia, nos presentaron un muro infranqueable. La descarga de esta columna decidió la cuestión del púlpito, y quintados en un instante, dejando sobre las baldosas gran número de 5 muertos, nos retiramos a las capillas. Perecieron los primitivos defensores del púlpito, así como los que luego acudieron a reforzarlos, y al tío Garces, acribillado a bayonetazos después de muerto, le arrojaron en su furor los vencedores por encima del antepecho. Así concluyó aquel gran pa- 10 triota que no nombra la historia.

[San Agustín is finally evacuated.]

Salimos, pues, de San Agustín. Cuando pasábamos por la calle del mismo nombre, paralela a la de Palomar, vimos que desde la torre de la iglesia arrojaban granadas de mano sobre los franceses, establecidos en la plazoleta inmediata 15 a la última de aquellas dos vías. ¿Quién lanzaba aquellos proyectiles desde la torre? Para decirlo más brevemente y con más elocuencia, abramos la historia y leamos: «En la torre se habían situado y pertrechado siete u ocho paisanos con víveres y municiones para hostigar al enemigo, y sub- 20 sistieron verificándolo por unos días sin querer rendirse.»

Allí estaba el insigne Pirli. ¡Oh, Pirli! Más feliz que el tío Garcés, tú ocupas un lugar en la historia.

XXIII

[Street fighting is accompanied by mining operations.]

Día horrendo, cuyo rumor pavoroso retumba sin cesar en los oídos del que lo presenció, cuyo recuerdo le persigue, 25 pesadilla indeleble de toda la vida. Quien no vió sus excesos, no oyó su vocerío y estruendo, ignora con qué aparato externo se presenta a los sentidos humanos el ideal del horror. Y no me digáis que habéis visto el cráter de un volcán en lo más recio de sus erupciones, o una furiosa tempestad en medio del Océano, cuando la embarcación,

5 lanzada al cielo por una cordillera de agua, cae después al abismo vertiginoso; no me digáis que habéis visto eso, pues nada de eso se parece a los volcanes y a las tempestades que hacen estallar los hombres, cuando sus pasiones les llevan a eclipsar los desórdenes de la Naturaleza.

[The Spaniards begin to falter, and are encouraged by the priests.]

10 Con esto nos contuvimos un poco. Reventó otra casa a la derecha, y entonces Palafox se internó en la calle. Sin saber cómo ni por qué, nos llevaba tras sí. Y ahora es ocasión de hablar de este personaje eminente, cuyo nombre va unido al de las célebres proezas de Zaragoza. Debía

15 en gran parte su prestigio a su gran valor; pero también a la nobleza de su origen, al respeto con que siempre fué mirada allí la familia de Lazán, y a su hermosa y arrogante presencia. Era joven. Había pertenecido al cuerpo de Guardias, y se le elogiaba mucho por haber despreciado

20 los favores de una muy alta señora, tan famosa por su posición como por sus escándalos. Lo que más que nada hacía simpático al caudillo zaragozano era su indomable y serena valentía, aquel ardor juvenil con que acometía lo más peligroso y difícil, por simple afán de tocar un ideal de

25 gloria.

Si carecía de dotes intelectuales para dirigir obra tan ardua como aquélla, tuvo el acierto de reconocer su incompetencia y rodeóse de hombres insignes por distintos conceptos. Éstos lo hacían todo, y Palafox quedábase tan

30 sólo con lo teatral. Sobre un pueblo en que tanto pre-

valece la imaginación, no podía menos de ejercer subyugador dominio aquel General joven, de ilustre familia y
simpática figura, que se presentaba en todas partes, reani-
mando a los débiles y distribuyendo recompensas a los
animosos.

Los zaragozanos habían simbolizado en él sus virtudes,
su constancia, su patriotismo ideal con ribetes de místico,
y su fervor guerrero. Lo que él disponía todos lo encon-
traban bueno y justo. Como aquellos Monarcas a quienes
las tradicionales leyes han hecho representación personal
de los principios fundamentales del Gobierno, Palafox
no podía hacer nada malo: lo malo era obra de sus con-
sejeros. Y en realidad, el ilustre caudillo reinaba y no
gobernaba. Gobernaba el Padre Basilio, O'Neilly, Saint-
March y Butrón, clérigo escolapio el primero, Generales
insignes los otros tres.

En los puntos de peligro aparecía siempre Palafox como
la expresión humana del triunfo. Su voz reanimaba a
los moribundos, y si la Virgen del Pilar hubiera hablado,
no lo habría hecho por otra boca. Su rostro expresaba
siempre una confianza suprema, y en él la triunfal sonrisa
infundía coraje como en otros el ceño feroz. Vanagloriá-
base de ser el impulsor de aquel gran movimiento. Como
comprendía por instinto que parte del éxito era debido,
más que a sus cualidades de General, a sus cualidades de
actor, siempre se presentaba con todos sus arreos de gala,
entorchados, plumas y veneras, y la atronadora música de
los aplausos y los vivas le halagaban en extremo. Todo
esto era preciso, pues ha de haber siempre algo de mutua
adulación entre la hueste y el caudillo, para que el enfático
orgullo de la victoria arrastre a todos al heroísmo.

XXIV

[Description of the ravages of fire, mine explosions, and hunger. Death of the priest Mateo del Busto.]

Mis compañeros acudieron al fuego, y yo me disponía a seguirlos, cuando alcancé a ver un hombre cuyo aspecto llamó mi atención. Era el tío Candiola, que salió de una casa cercana con los vestidos chamuscados, y apretando 5 entre sus manos un ave de corral que cacareaba sintiéndose prisionera. Le detuve en medio de la calle preguntándole por su hija y por Agustín, y con gran agitación me dijo:

—¡Mi hija! . . . No sé . . . Allá, allá está . . . ¡To- 10 do, todo lo he perdido! ¡Los recibos! ¡Se han quemado los recibos! . . . Y gracias que al salir de la casa tropecé con este pollo que huía como yo del horroroso fuego. ¡Ayer valía una gallina cinco duros! . . . Pero mis recibos, ¡Santa Virgen del Pilar, y tú, Santo Dominguito de mi 15 alma! ¿por qué se han quemado mis recibos? . . . Todavía se pueden salvar . . . ¿Quiere usted ayudarme? Debajo de una gran viga ha quedado la caja de lata en que los tenía . . . ¿Dónde hay por ahí media docena de hombres? . . . ¡Dios mío! Pero esa Junta, esa Audiencia, 20 ese Capitán General, ¿en qué están pensando? . . .

Y luego siguió gritando a los que pasaban:

—¡Eh, paisano, amigo, hombre caritativo . . . a ver si levantamos la viga que cayó en el rincón! . . . ¡Eh! buenos amigos, dejen ustedes ahí en un ladito ese mori- 25 bundo que llevan al hospital, y vengan a ayudarme. ¿No hay un alma piadosa? Parece que los corazones se han vuelto de bronce . . . Ya no hay sentimientos humanitarios . . . ¡Oh! zaragozanos sin piedad, ¡ved cómo Dios os está castigando!

Viendo que nadie le amparaba, entró de nuevo en la casa; pero salió al poco rato gritando con desesperación:

—¡Ya no se puede salvar nada! ¡Todo está ardiendo! Virgen mía del Pilar, ¿por qué no haces un milagro? ¿Por qué no me concedes el don de aquellos prodigiosos niños del horno de Babilonia, para que pueda penetrar dentro del fuego y salvar mis papeles?

XXV

Luego se sentó sobre un montón de piedras, y a ratos se golpeaba el cráneo; a ratos, sin soltar el gallo, llevábase la mano al pecho exhalando profundos suspiros. Preguntéle de nuevo por su hija, con objeto de saber de Agustín, y me dijo:

—Yo estaba en aquella casa de la calle de Añón, donde nos metimos ayer. Todos me decían que allí no había seguridad y que mejor estaríamos en el centro del pueblo; pero a mí no me gusta ir allí donde van todos, y el lugar que prefiero es el que abandonan los demás. El mundo está lleno de ladrones y rateros. Conviene, pues, huir del gentío. Nos acomodamos en un cuarto bajo de aquella casa. Mi hija tenía mucho miedo al cañoneo y quería salir afuera. Cuando reventaron las minas en los edificios, ella y Guedita salieron despavoridas. Quedéme solo, pensando en el peligro que corrían mis efectos, y de pronto entraron unos soldados con teas encendidas, diciendo que iban a pegar fuego a la casa. Aquellos canallas miserables no me dieron tiempo a recoger nada, y lejos de compadecer mi situación, burláronse de mí. Yo escondí la caja de los recibos, por temor a que, creyéndola llena de dinero, quisieran quitármela; pero no me fué posible permanecer allí mucho tiempo. Me abrasaba con el resplandor de las llamas, y me ahogaba con el humo. A pesar de todo, insistí en

salvar mi caja . . . ¡Cosa imposible! Tuve que huir.
Nada pude traer, ¡Dios poderoso! nada más que este pobre animal, que había quedado olvidado por sus dueños en
el gallinero. Buen trabajo me costó cogerle. ¡Casi se me
quemó toda una mano! ¡Oh, maldito sea el que inventó
el fuego! ¡Que pierda uno su fortuna por el gusto de estos héroes! . . . Yo tengo dos casas en Zaragoza, además
de la en que vivía. Una de ellas, la de la calle de la Sombra, se me conserva ilesa, aunque sin inquilinos. La otra,
que llaman Casa de los Duendes, a espaldas de San Francisco, está ocupada por las tropas, y toda me la han destrozado. ¡Ruinas, nada más que ruinas! ¡Es feliz la
ocurrencia de quemar las casas, sólo por impedir que las
conquisten los franceses!

—La guerra exige que se haga así—le respondí,—y esta
heroica ciudad quiere llevar hasta el último extremo su
defensa.

—¿Y qué saca Zaragoza con llevar su defensa hasta el
último extremo? A ver, ¿qué van ganando los que han
muerto? Hábleles usted a ellos de la gloria, del heroísmo
y de todas esas zarandajas. Antes que volver a vivir en
ciudades heroicas, me iré a un desierto. Concedo que haya
alguna resistencia; pero no hasta ese tan bárbaro extremo.
Verdad es que los edificios valían poco, tal vez menos que
esta gran masa de carbón que ahora resulta. A mí no me
vengan con simplezas. Esto lo han ideado los pájaros gordos para luego hacer negocio con el carbón.

Me hizo reír. No crean mis lectores que exagero, pues
tal como lo cuento, me lo dijo él punto por punto, y pueden
dar fe de mi veracidad los que tuvieron la desdicha de
conocerle. Si Candiola hubiera vivido en Numancia, habría dicho que los numantinos eran negociantes de carbón
disfrazados de héroes.

—¡Estoy perdido, estoy arruinado para siempre!—añadió después, cruzando las manos en actitud dolorosa.— Esos recibos eran parte de mi hacienda. Vaya usted ahora a reclamar las cantidades sin documento alguno, y cuando casi todos han muerto y yacen en putrefacción por esas 5 calles. No: lo digo y lo repito: no es conforme a la ley de Dios lo que han hecho esos miserables. Es un pecado mortal, es un delito imperdonable dejarse matar cuando se deben piquillos que el acreedor no podrá cobrar fácilmente. Ya se ve . . . esto de pagar es muy duro, y algunos 10 dicen: «muramos y nos quedaremos con el dinero.» Pero Dios debiera ser inexorable con esta canalla heroica, y en castigo de su infamia resucitarlos para que se las vieran con el alguacil y el escribano. ¡Dios mío, resucítalos! ¡Santa Virgen del Pilar, Santo Dominguito del Val, 15 resucítalos!

—Y su hija de usted—le pregunté con interés,—¿ha salido ilesa del fuego?

—No me nombre usted a mi hija—replicó con desabrimiento.—Dios ha castigado en mí su culpa. Ya sé quién 20 es su infame pretendiente. ¿Quién podía ser sino ese condenado hijo de D. José Montoria, que estudia para clérigo? María me lo ha confesado. Ayer estaba curándole la herida que tiene en el brazo. ¿Hase visto muchacha más desvergonzada? ¡Y esto lo hacía delante de mí! 25

Esto decía, cuando Doña Guedita, que buscaba afanosamente a su amo, apareció trayendo en una taza algunas provisiones. Él se las comió con voracidad, y luego, a fuerza de ruegos, logramos arrancarle de allí, conduciéndole al callejón del Órgano, donde estaba su hija, guareci- 30 da en un zaguán con otras infelices. Candiola, después de regañarla, se internó con el ama de llaves.

—¿Dónde está Agustín?—pregunté a Mariquilla.

—Hace un instante estaba aquí; pero vinieron a darle la noticia de la muerte de un hermano suyo, y se fué. Oí decir que estaba su familia en la calle de las Rufas.

—¡Que ha muerto su hermano, el primogénito!

5 —Así se lo dijeron, y él corrió allí muy afligido.

Sin oír más, yo también corrí a la calle de la Parra para aliviar en lo posible la tribulación de aquella generosa familia, a quien tanto debía, y antes de llegar a ella encontré a D. Roque, que con lágrimas en los ojos se acercó

10 a hablarme.

—Gabriel—me dijo,—Dios ha cargado hoy la mano sobre nuestro buen amigo.

—¿Ha muerto el hijo mayor, Manuel Montoria?

—Sí; y no es ésa la única desgracia de la familia.

15 Manuel era casado, como sabes, y tenía un hijo de cuatro años. ¿Ves aquel grupo de mujeres? Pues allí está la mujer del desgraciado primogénito de Montoria, con su hijo en brazos, el cual, atacado de la epidemia, agoniza en estos momentos. ¡Qué horrible situación! Ahí tienes a

20 una de las primeras familias de Zaragoza reducida al más triste estado, sin un techo en que guarecerse, y careciendo hasta de lo más preciso. Toda la noche ha permanecido esa infeliz madre en la calle y a la intemperie con el enfermo en brazos, aguardando por instantes que exhale el

25 último suspiro; y en realidad, mejor está aquí que en los pestilentes sótanos, donde no se puede respirar. Gracias a que yo y otros amigos la hemos socorrido en lo posible . . . ¿pero qué podemos hacer, si apenas hay pan, si se ha acabado el vino, y no se encuentra un pedazo de carne de vaca,

30 aunque se dé por él un pedazo de la nuestra?

Principiaba a amanecer. Acerquéme al grupo de mujeres, y vi el lastimoso espectáculo. Con el ansia de salvarle, la madre y las demás mujeres que le hacían compañía martirizaban al infeliz niño aplicándole los remedios que cada cual discurría; pero bastaba ver a la víctima para comprender la imposibilidad de salvar aquella naturaleza, que la muerte había asido ya con su mano amarilla.

La voz de D. José de Montoria me obligó a seguir adelante, y en la esquina de la calle de las Rufas, un segundo grupo completaba el cuadro horroroso de las desgracias de aquella familia. En el suelo yacía el cadáver de Manuel Montoria, joven de treinta años, no menos simpático y generoso en vida que su padre y hermano. Una bala le había atravesado el cráneo, y de la pequeña herida exterior, en el punto por donde entró el proyectil, salía un hilo de sangre que, bajando por la sien, el carrillo y el cuello, escurríase entre la piel y la camisa. Fuera de esto, su cuerpo no parecía el de un difunto.

Cuando yo me acerqué, su madre no se había decidido aún a creer que estaba muerto, y poniendo la cabeza del cadáver sobre sus rodillas, quería reanimarle con ardientes palabras. Montoria, de rodillas al costado derecho, tenía entre sus manos la de su hijo, y sin decir nada, no le quitaba los ojos. Tan pálido como el muerto, el padre no lloraba.

—Mujer—exclamó al fin.—No pidas a Dios imposibles. Hemos perdido a nuestro hijo.

—¡No: mi hijo no ha muerto!—gritó la madre con desesperación.—Es mentira. ¿Para qué me engañan? ¿Cómo es posible que Dios nos quite a nuestro hijo? ¿Qué hemos hecho para merecer este castigo? ¡Manuel, tú, hijo mío! ¿No me respondes? ¿Por qué no te mueves? ¿Por qué no hablas? . . . Al instante te llevaremos a casa . . . pero ¿dónde está nuestra casa? Mi hijo se enfría sobre este desnudo suelo. ¡Ved qué heladas están sus manos y su cara!

—Retírate, mujer—dijo Montoria conteniendo el llanto.—Nosotros cuidaremos al pobre Manuel.

—¡Señor, Dios mío!—clamó la madre,—¿qué tiene mi hijo que no habla, ni se mueve, ni despierta? Parece muerto; pero no está ni puede estar muerto. Santa Virgen del Pilar, ¿no es verdad que mi hijo no ha muerto?

5 —Leocadia—repitió Montoria secando las primeras lágrimas que salieron de sus ojos,—vete de aquí: retírate, por Dios. Ten resignación, porque Dios nos ha dado un fuerte golpe, y nuestro hijo no vive ya. Ha muerto por la patria . . .

10 —¡Que ha muerto mi hijo!—exclamó la madre estrechando el cadáver entre sus brazos como si se lo quisieran quitar.—No, no, no: ¿qué me importa a mí la patria? ¡Que me devuelvan a mi hijo! ¡Manuel, niño mío! No te separes de mi lado, y el que quiera arrancarte de mis 15 brazos tendrá que matarme.

—¡Señor, Dios mío! ¡Santa Virgen del Pilar!—dijo D. José de Montoria con grave acento.—Nunca os ofendí a sabiendas ni deliberadamente. Por la patria, por la religión y por el Rey, he dado mis bienes y mis hijos. ¿Por 20 qué antes que llevaros a éste mi primogénito, no me quitasteis cien veces la vida a mí, miserable viejo que para nada sirvo? Señores que estáis presentes: no me avergüenzo de llorar delante de ustedes. Con el corazón despedazado, Montoria es el mismo. ¡Dichoso tú mil veces, hijo mío, 25 que has muerto en el puesto del honor! Desgraciados los que vivimos después de perderte. Pero Dios lo quiere así: bajemos la frente ante el Dueño de todas las cosas. Mujer, Dios nos ha dado paz, felicidad, bienestar y buenos hijos; ahora parece que nos lo quiere quitar todo. Llenemos el 30 corazón de humildad, y no maldigamos nuestro sino. Bendita sea la mano que nos hiere, y esperemos tranquilos el beneficio de la propia muerte.

Doña Leocadia no tenía vida más que para llorar, be-

sando incesantemente el frío cuerpo de su hijo. D. José,
tratando de vencer las irresistibles manifestaciones de su
dolor, se levantó y dijo con voz entera:

—Leocadia, levántate. Es preciso enterrar a nuestro
hijo.

—¡Enterrarle!... —exclamó la madre.— ¡Enterrarle!...

Y no pudo decir más porque se quedó sin sentido.

En el mismo instante oyóse un grito desgarrador no
lejos de allí, y una mujer corrió despavorida hacia nosotros. Era la mujer del desgraciado Manuel, viuda ya y sin
hijo. Varios de los presentes nos abalanzamos a contenerla para que no presenciase aquella escena, tan horrible
como la que acababa de dejar, y la infeliz dama forcejeó
con nosotros, pidiéndonos que la dejásemos ver a su
marido.

En tanto D. José, apartándose de allí, llegó a donde
yacía el cuerpo de su nieto: tomóle en brazos, y lo trajo
junto al de Manuel. Las mujeres exigían todo nuestro cuidado, y mientras Doña Leocadia continuaba sin movimiento ni sentido abrazada al cadáver, su nuera, poseída
de un dolor febril, corría en busca de imaginarios enemigos, a quienes anhelaba despedazar. La conteníamos y se
nos escapaba de las manos. Tan pronto reía con espantosa
carcajada, como se nos ponía de rodillas delante, rogándo-
nos que le devolviéramos los dos cuerpos que le habíamos
quitado.

Pasaba la gente; pasaban soldados, frailes, paisanos:
todos veían aquello con indiferencia, porque a cada paso
se encontraba un espectáculo semejante. Los corazones
estaban osificados, y las almas parecían haber perdido sus
más hermosas facultades, no conservando más que el rudo
heroísmo. Por fin la pobre mujer cedió a la fatiga, al ani-

quilamiento producido por su propia pena, quedándosenos
en los brazos como muerta. Pedimos un cordial o algún
alimento para reanimarla, pero no había nada; y las demás personas que allí vi, harto trabajo tenían con atender
5 a los suyos. En tanto, D. José, ayudado de su hijo Agustín, que también trataba de vencer su acerbo dolor, desligó
el cadáver de los brazos de Doña Leocadia. El estado de
esta infeliz señora era tal, que creímos tener que lamentar otra muerte en aquel día.

10 Luego Montoria repitió:

—Es preciso que enterremos a mi hijo.

Miró él, miramos todos en derredor, y vimos muchos,
muchísimos cadáveres insepultos. En la calle de las Rufas
había bastantes; en la inmediata de la Imprenta[1] se
15 había constituído una especie de depósito. No es exageración lo que voy a decir. Innumerables cuerpos yacían api-
lados en la angosta vía, formando como un ancho paredón
entre casa y casa. Aquello no se podía mirar, y el que lo
vió, fué condenado a tener ante los ojos durante toda su
20 vida la fúnebre pira hecha con cuerpos de sus semejantes.
Parece mentira, pero es cierto. Un hombre entró en la
calle de la Imprenta y empezó a dar voces. Por un ventanillo apareció otro hombre que, contestando al primero,
dijo: «sube.» Entonces aquél, creyendo que era extravío
25 entrar en la casa y subir por la escalera, trepó por el montón de cuerpos y llegó al piso principal, una de cuyas ventanas le sirvió de puerta.

En otras muchas calles ocurría lo mismo. ¿Quién pen-
saba en abrir sepulturas? Por cada par de brazos útiles y
30 por cada azada había cincuenta muertos. De trescientos a
cuatrocientos perecían diariamente sólo de la epidemia.
Cada acción encarnizada arrancaba a la vida algunos

[1] Hoy de Flandro.

miles, y ya Zaragoza empezaba a dejar de ser una gran ciudad poblada por criaturas vivas.

Montoria, al ver aquello, habló así:

—Mi hijo y mi nieto no pueden tener el privilegio de dormir bajo tierra. Sus almas están en el cielo: ¿qué importa lo demás? Acomodémosles ahí en la puerta de la calle de las Rufas . . . Agustín, hijo mío, más vale que te vayas a las filas. Los jefes pueden echarte de menos, y creo que hace falta gente en la Magdalena. Ya no tengo más hijo varón que tú. Si mueres, ¿qué me queda? Pero el deber es lo primero, y antes que cobarde, prefiero verte como tu pobre hermano, con la sien traspasada por una bala francesa.

Después, poniendo la mano sobre la cabeza de su hijo, que estaba descubierto y de rodillas junto al cadáver de Manuel, prosiguió así, elevando los ojos al cielo:

—Señor, si has resuelto también llevarte a mi segundo hijo, llévame a mí primero. Cuando se acabe el sitio, no deseo tener más vida. Mi pobre mujer y yo hemos sido bastante felices, hemos recibido hartos beneficios para maldecir la mano que nos ha herido; pero para probarnos, ¿no ha sido ya bastante? ¿ha de perecer también nuestro segundo hijo? . . . Ea, señores—añadió luego,—despachemos pronto, que quizás hagamos falta en otra parte.

—Sr. D. José—dijo D. Roque llorando,—retírese usted también, que los amigos cumpliremos este triste deber.

—No, yo soy hombre para todo, y Dios me ha dado un alma que no se dobla ni se rompe.

Y tomó, ayudado de otro, el cadáver de Manuel, mientras Agustín y yo cogimos el del nieto, para ponerlos a entrambos en la entrada del callejón de las Rufas, donde otras muchas familias habían depositado los muertos. Montoria, luego que soltó el cuerpo, exhaló un suspiro, y dejando caer los brazos, como si el esfuerzo hecho hubiera agotado sus fuerzas, dijo:

—Es verdad, señores: yo no puedo negar que estoy cansado. Ayer me encontraba joven; hoy me encuentro viejo.

Efectivamente: Montoria estaba viejísimo, y una noche había condensado en él la vida de diez años.

Sentóse sobre una piedra, y puestos los codos en las rodillas, apoyó la cara entre las manos, en cuya actitud permaneció algún tiempo, sin que los presentes turbáramos su dolor. Doña Leocadia, su hija y su nuera, asistidas por otros dos individuos de la familia, continuaban en el Coso. D. Roque, que iba y venía de uno a otro extremo, dijo:

—La señora sigue tan abatida . . . Ahora rezan todas con mucha devoción y no cesan de llorar. Están muy caídas las pobrecitas. Muchachos, es preciso que deis por la ciudad una vuelta, a ver si se encuentra algo substancioso con que alimentarlas.

Montoria se levantó entonces, limpiando las lágrimas que corrían abundantemente de sus ojos encendidos.

—No ha de faltar, según creo. Amigo Don Roque, busque usted algo de comer, cueste lo que cueste.

—Ayer pedían cinco duros por una gallina en la Tripería,—dijo uno, que era criado antiguo de la casa.

—Pero hoy no las hay—indicó D. Roque.—He estado allí hace un momento.

—Amigos, buscad por ahí, que algo se encontrará. Para mí nada necesito.

Esto decía, cuando sentimos un agradable cacareo de ave de corral. Miramos todos con alegría hacia la entrada de la calle, y vimos al tío Candiola que, sosteniendo en su mano izquierda el pollo consabido, le acariciaba el negro plumaje con la derecha. Antes que se lo pidieran, llegóse a Montoria, y con mucha sorna le dijo:

—Una onza por el pollo.

—¡Qué carestía!—exclamó D. Roque.—¡Si no tiene más que huesos el pobre animal!

No pude contener la cólera al ver ejemplo tan clara de la repugnante tacañería y empedernido corazón del avaro. Así es que lleguéme a él, y arrancándole el pollo de las manos, le dije violentamente:

—Ese pollo es robado. Venga acá. ¡Miserable usurero! ¡Si al menos vendiera lo suyo! ¡Una onza! A cinco duros estaban ayer en el mercado. ¡Cinco duros, canalla, ladrón; cinco duros! Ni un ochavo más.

Empezó a chillar Candiola reclamando su pollo, y a punto estuvo de ser apaleado impíamente; pero D. José de Montoria intervino diciendo:

—Désele lo que quiere. Tome usted, señor Candiola, la onza que pide por ese animal.

Dióle la onza, que el infame tacaño no tuvo reparo en tomar, y luego nuestro amigo prosiguió hablando de esta manera:

—Sr. de Candiola, tenemos que hablar. Ahora caigo en que le ofendí a usted ... Sí ... hace días, cuando aquello de la harina ... Es que a veces no es uno dueño de sí mismo, y se nos sube la sangre a la cabeza ... Verdad que usted me provocó, y como se empeñaba en que le dieran por la harina más de lo que el señor Capitán General había mandado ... Lo cierto es, amigo D. Jerónimo, que yo me amosqué ... ya ve usted ... no lo puede uno remediar así de pronto ... pues ... y creo que se me fué la mano; creo que hubo algo de ...

—Sr. Montoria—dijo gruñendo el avaro,—llegará día en que haya otra vez autoridades en Zaragoza. Entonces nos veremos las caras.

—¿Va usted a meterse entre jueces y escribanos? Malo.

Aquello pasó . . . Fué un arrebato de cólera, de ésos que
no se pueden remediar. Lo que me llama la atención es
que hasta ahora no había caído en que hice mal, muy mal.
No se debe ofender al prójimo . . .

5 —Y menos ofenderle después de robarle, gruñó D. Jerónimo, mirándonos a todos y sonriendo con desdén.

—Eso de robar no es cierto—continuó Don José de Montoria,—porque yo hice lo que el Capitán General me or-
denaba. Cierto es lo de la ofensa de palabra y de obra, y
10 ahora, cuando le he visto a usted venir con el pollo, he caído en la cuenta de que obré mal. Mi conciencia me lo dice.
¡Ah, Sr. Candiola, soy muy desgraciado! Cuando uno es
feliz, no conoce sus faltas. Pero ahora . . . Lo cierto es,
D. Jerónimo de mi alma, que en cuanto le vi venir a usted,
15 me sentí inclinado a pedirle perdón por aquellos golpes . . .
Tengo la mano pesada, y . . . Así es que en un pronto . . .
no sé lo que me hago . . . Sí, yo le ruego a usted que me
perdone y seamos amigos. Sr. D. Jerónimo, seamos amigos, reconciliémonos y no hagamos caso de resentimientos
20 antiguos. El odio envenena las almas, y el recuerdo de no
haber obrado bien nos pone encima un peso insoportable.

—Después de hecho el daño, todo se arregla con hipó-
critas palabrejas—dijo el avaro, volviendo la espalda a
Montoria y escurriéndose fuera del grupo.—Más vale que
25 piense el Sr. Montoria en reintegrarme el precio de la
harina . . . ¡Perdoncitos a mí . . . ! Ya no me queda
nada que ver.

Dijo esto en voz baja y alejóse con lento paso. Montoria, viendo que alguno de los presentes corría tras él
30 insultándole, añadió:

—Dejadle marchar tranquilo, y tengamos compasión de
ese desgraciado.

XXVI

[The French prepare mines against the convent of San Francisco, and the Spaniards countermine.]

En esta penosa tarea nos relevábamos frecuentemente, y en los ratos de descanso salíamos al Coso, sitio céntrico de reunión y al mismo tiempo parque, hospital y cementerio general de los sitiados. Una tarde (creo que la del 5) estábamos en la puerta del Convento varios muchachos del 5 batallón de Extremadura y de San Pedro, y comentábamos las peripecias del sitio, opinando todos que bien pronto sería imposible la resistencia. El corrillo se renovaba constantemente. D. José de Montoria se acercó a nosotros, y saludándonos con semblante triste sentóse en el banquillo 10 de madera que teníamos junto a la puerta.

—Oiga usted lo que se habla por aquí, señor D. José—le dije.—La gente cree que es imposible resistir muchos días más.

—No os desaniméis, muchachos—contestó.—Bien dice 15 el Capitán General en su proclama que corre mucho oro francés por la ciudad.

Un franciscano que venía de auxiliar a algunas docenas de moribundos, tomó la palabra y dijo:

—Es un dolor lo que pasa. No se habla por ahí de otra 20 cosa que de rendirse. Si parece que esto ya no es Zaragoza. ¡Quién conoció a aquella gente templada del primer sitio! . . .

—Dice bien su paternidad—afirmó Montoria.—Está uno avergonzado, y hasta los que tenemos corazón de bronce 25 nos sentimos atacados de esta flaqueza que cunde más que la epidemia. Y en resumidas cuentas, no sé a qué viene ahora esa novedad de rendirse cuando nunca lo hemos hecho, ¡porra! Si hay algo después de este mundo, como nuestra religión nos enseña, ¿a qué apurarse por un día más o menos de vida?

—Verdad es, Sr. D. José—dijo el fraile,—que las provisiones se acaban por momentos y que donde no hay harina todo es mohina.

—¡Boberías y melindres, Padre Luengo!—exclamó Montoria.—Ya . . . si esta gente, acostumbrada al regalo de otros tiempos, no puede pararse sin carne y pan, no hemos dicho nada. ¡Como si no hubiera otras muchas cosas que comer! . . . Soy partidario de la resistencia a todo trance, cueste lo que cueste. He experimentado terribles desgracias: la pérdida de mi primogénito y de mi nieto ha cubierto de luto mi corazón; pero el honor nacional, llenando toda mi alma, a veces no deja hueco para otro sentimiento. Un hijo me queda, único consuelo de mi vida y depositario de mi casa y mi nombre. Lejos de apartarle del peligro, le obligo a persistir en la defensa. Si le pierdo, me moriré de pena; pero que se salve el honor nacional, aunque perezca mi único heredero.

—Y según he oído—dijo el Padre Luengo,—el Sr. D. Agustín ha hecho prodigios de valor . . . Está visto que los primeros laureles de esta campaña pertenecen a los insignes guerreros de la iglesia.

—No: mi hijo no pertenecerá a la Iglesia. Es preciso que renuncie a ser clérigo, pues yo no puedo quedarme sin sucesión directa.

—Sí: vaya usted a hablarle de sucesiones y de casorios. Desde que es soldado parece que ha cambiado un poco; pero antes, sus conversaciones trataban siempre *de re theologica*, y jamás le oí hablar *de erotica*. Es un chico que tiene a Santo Tomás en las puntas de los dedos, y no sabe en qué sitio de la cara llevan los ojos las muchachas.

—Agustín sacrificará por mí su ardiente vocación. Si

salimos bien del sitio, y la Virgen del Pilar me le deja con vida, pienso casarle al instante con mujer que le iguale en condición y en fortuna.

Cuando esto decía, vimos que se nos acercaba sofocada Mariquilla Candiola, la cual, llegándose a mí, me preguntó:

—Señor de Araceli, ¿ha visto usted a mi padre?

—No, señorita Doña María—le respondí.—Desde ayer no le he visto. Puede que esté en las ruinas de su casa, ocupándose en ver si puede sacar alguna cosa.

—No está—dijo Mariquilla con desaliento.—Le he buscado por todas partes.

—¿Ha estado usted aquí detrás, por junto a San Diego? El Sr. Candiola suele ir a visitar su casa llamada de los Duendes, por ver si se la han destrozado.

—Pues voy al momento allá.

Cuando desapareció, dijo Montoria:

—Es ésta, a lo que parece, la hija del tío Candiola. A fe que es bonita, y no parece hija de aquel lobo . . . Dios me perdone el mote. De aquel buen hombre, quise decir.

—Es guapilla—afirmó el fraile.—Pero se me figura que es una buena pieza. De la madera del tío Candiola no puede salir un buen santo.

—No se habla mal del prójimo,—dijo Don José.

—Candiola no es prójimo. La muchacha, desde que se quedaron sin casa, no abandona la compañía de los soldados.

—Estará entre ellos para asistir a heridos.

—Puede ser; pero me parece que le gustan más los sanos y robustos. Su carilla graciosa está diciendo que allí no hay pizca de vergüenza.

—¡Lengua de escorpión!

—Pura verdad—añadió el fraile.—Bien dicen que de tal palo, tal astilla. ¿No aseguran que su madre la Pepa Rincón fué mujer pública o poco menos?

—Alegre de cascos tal vez . . .

5 —¡No está mala alegría! Cuando fué abandonada por su tercer cortejo, cargó con ella el Sr. D. Jerónimo.

—Basta de difamación—ordenó Montoria,—y aunque se trata de la peor gente del mundo, dejémosles con su conciencia.

10 —Yo no daría un maravedí por el alma de todos los Candiolas reunidos,—repuso el fraile.

—Por allí aparece D. Jerónimo, si no me engaño. Nos ha visto y viene hacia acá.

En efecto: el tío Candiola, avanzando despaciosamente 15 por el Coso, llegó a la puerta del Convento.

—Buenas tardes tenga el Sr. D. Jerónimo—le dijo Montoria.—Quedamos en que se acabaron los rencorcillos . . .

—Hace un momento ha estado aquí preguntando por usted su inocente hija,—le indicó Luengo con malicia.

20 —¿Dónde está?

—Ha ido a San Diego—indicó un soldado—Puede que se la roben los franceses que andan por allí cerca.

—Quizá la respeten al saber que es hija del Sr. D. Jerónimo—dijo Luengo.—¿Es cierto, amigo Candiola, lo que 25 se cuenta por ahí?

—¿Qué?

—Que usted ha pasado estos días la línea francesa para conferenciar con la canalla.

—¡Yo! ¡Qué vil calumnia!—exclamó el tacaño.—Eso 30 lo dirán mis enemigos para perderme. ¿Es usted, Sr. de Montoria, quien ha hecho correr esas voces?

—Ni por pienso, respondió el patriota.—Pero es cierto que lo oí decir. Recuerdo que le defendí a usted, asegurando que el Sr. Candiola es incapaz de venderse a los franceses.

—¡Mis enemigos, mis enemigos quieren perderme! ¡Qué infamias inventan contra mí! También quieren que pierda la honra, después de haber perdido la hacienda. Señores, en mi casa de la calle de la Sombra se ha hundido parte del tejado. ¿Hay desolación semejante? La que tengo aquí detrás de San Francisco y pegada a la huerta de San Diego, se conserva bien; pero está ocupada por la tropa, y me la destrozan.que es un primor.

—El edificio vale bien poco, Sr. D. Jerónimo—dijo el fraile,—y si mal no recuerdo, hay diez años que nadie quiere habitarla.

—Como dió la gente en la manía de decir si había duendes o no . . . Pero dejemos eso. ¿Han visto por aquí a mi hija?

—Esa virginal azucena ha ido hacia San Diego en busca de su simpático papá.

—Mi hija ha perdido el juicio.

—Algo de eso.

—También tiene de ello la culpa el señor de Montoria. Mis enemigos, mis pérfidos enemigos no me dejan respirar.

—¡Cómo!—exclamó mi protector.—¿También tengo yo la culpa de que esa niña haya sacado las malas mañas de su madre . . . quiero decir . . . ? ¡Maldita lengua mía! Su madre fué una señora ejemplar.

—Los insultos del Sr. Montoria no me llaman la atención, y los desprecio—dijo el avaro con ponzoñosa cólera.

—En vez de insultarme el Sr. D. José, debiera sujetar a su niño Agustín, libertino y embaucador, que es quien ha trastornado el seso a mi hija. No, no se la daré en matrimonio, aunque bebe los vientos por ella. Y quiere robár-

mela. ¡Buena pieza es el tal D. Agustín! No, no la
tendrá por esposa. Vale más, mucho más, mi María.

D. José de Montoria, al oír esto, púsose blanco, y dió
algunos pasos hacia Candiola, con intento sin duda de
renovar la violenta escena de la calle de Antón Trillo.
Después se contuvo, y con voz dolorida habló así:

—¡Dios mío! dame fuerzas para reprimir mis arreba-
tos de cólera. ¿Es posible matar la soberbia y ser humilde
delante de este hombre? Le pedí perdón de la ofensa que
le hice, humilléme ante él, le ofrecí una mano de amigo,
y, sin embargo, se me pone delante para injuriarme otra
vez, para insultarme del modo más horrendo . . . ¡Miserable: castígame, mátame, bébete toda mi sangre, y vende
después mis huesos para hacer botones; pero que tu vil
lengua no arroje tanta ignominia sobre mi hijo querido!
¿Qué has dicho, qué ha dicho usted de mi Agustín?

—La verdad.

—No sé cómo me contengo. Señores, sean ustedes testi-
gos de mi bondad. No quiero arrebatarme; no quiero
atropellar a nadie; no quiero ofender a Dios. Yo le perdono a este hombre sus infamias; pero que se quite al
punto de mi presencia, porque viéndole no respondo
de mí.

Amedrentado por estas palabras Candiola, entró en el
portalón del Convento. El Padre Luengo se llevó a Montoria por el Coso abajo.

Y sucedió que en el mismo instante, entre los soldados
que allí estaban reunidos, empezó a cundir un murmullo
rencoroso que indicaba sentimientos muy hostiles contra
el padre de Mariquilla, lo cual, atendidos los antecedentes
de aquél, no tenía nada de particular. Él quiso huir, vién-
dose empujado de un lado para otro; mas le detuvieron, y
sin saber cómo, en un rapido movimiento del grupo amena-

zador, fué llevado al claustro. Entonces una voz dijo con colérico acento:

—Al pozo; arrojarle al pozo.

Candiola fué asido por varias manos, y magullado, roto y descosido más de lo que estaba.

—Es de los que andan repartiendo dinero para que la tropa se rinda,—dijo uno.

—Sí, sí,—gritaron otros.—Ayer decían que andaba en el Mercado repartiendo dinero.

—Señores—decía el infeliz con voz ahogada,—yo les juro a ustedes que jamás he repartido dinero.

Y así era la verdad.

—Anoche dicen que le vieron traspasar la línea y meterse en el campo francés.

—De donde volvió por la mañana. ¡Al pozo con él!

Otro amigo y yo forcejeamos un rato por salvar a Candiola de una muerte segura; pero no lo pudimos conseguir sino a fuerza de ruegos y persuasiones, diciendo:

—Muchachos, no hagamos una barbaridad. ¿Qué daño puede causar este vejete despreciable?

—Es verdad—añadió él en el colmo de la angustia.— ¿Qué mal puedo hacer yo, que siempre me he ocupado en socorrer a los menesterosos? Vosotros no me mataréis; sois soldados de las Peñas de San Pedro y de Extremadura: sois todos guapos chicos. Vosotros incendiasteis aquellas casas de las Tenerías, donde yo encontré el pollo que me valió una onza. ¿Quién dice que yo me vendo a los franceses? Les odio, no les puedo ver, y a vosotros os quiero como a mi propio pellejo. Niñitos míos, dejadme en paz. Todo lo he perdido; que me quede al menos la vida.

Estas lamentaciones, y los ruegos míos y de mi amigo, ablandaron un poco a los soldados, y una vez pasada la

primera efervescencia, nos fué fácil salvar al desgraciado viejo. Al relevarse la gente que estaba en las posiciones, quedó completamente a salvo; pero ni siquiera nos dió las gracias, cuando después de librarle de la muerte le ofreci-
5 mos un pedazo de pan. Poco después, y cuando tuvo alientos para andar, salió a la calle, donde él y su hija se reunieron.

XXVII

Aquella tarde, casi todo el esfuerzo de los franceses se dirigió contra el arrabal de la izquierda del Ebro. Asalta-
10 ron el monasterio de Jesús y bombardearon el templo del Pilar, donde se refugiaba el mayor número de enfermos y heridos, creyendo que la santidad del lugar les ofrecía allí más seguridad que en otra parte.

En el centro no se trabajó mucho en aquel día. Toda
15 la atención estaba reconcentrada en las minas, y nuestros esfuerzos se dirigían a probar al enemigo que antes que consentir en ser volados solos, trataríamos de volarles a ellos, o volar juntos por lo menos.

Por la noche ambos ejércitos parecían entregados al
20 reposo. En las galerías subterráneas no se sentía el rudo golpe de la piqueta. Yo salí afuera, y hacia San Diego encontré a Agustín y a Mariquilla, que hablaban sosegadamente sentados en el dintel de una puerta de la casa de los Duendes. Se alegraron mucho de verme, y me
25 senté junto a ellos, participando de los mendrugos que comían.

—No tenemos donde albergarnos—dijo Mariquilla.— Estábamos en un portal del callejón del Órgano, y nos echaron. ¿Por qué aborrecen tanto a mi pobre padre?
30 ¿Qué daño les ha hecho? Después nos guarecimos en un cuartucho de la calle de las Urreas, y también nos echaron.

Nos sentamos luego bajo un arco en el Coso, y todos los que allí estaban huyeron de nosotros. Mi padre está furioso.

—Mariquilla de mi corazón—dijo Agustín,—espero que el sitio se acabe pronto de un modo o de otro. Quiera Dios que muramos los dos, si vivos no podemos ser felices. No sé por qué, en medio de tantas desgracias, mi corazón está lleno de esperanza; no sé por qué me occurren ideas agradables, y pienso constantemente en un risueño porvenir. ¿Por qué no? ¿Todo ha de ser desgracias y calamidades? Las desventuras de mi familia son infinitas. Mi madre no tiene ni quiere tener consuelo. Nadie puede apartarla del sitio en que están el cadáver de mi hermano y el de mi sobrino, y cuando por fuerza la llevamos lejos de allí, la vemos luego arrastrándose sobre las piedras de la calle para volver. Ella, mi cuñada y mi hermana ofrecen un espectáculo lastimoso: niéganse a tomar alimento, y al rezar, deliran confundiendo los nombres santos. Esta tarde, al fin, hemos conseguido llevarlas a un sitio cubierto, donde se las obliga a mantenerse en reposo y a tomar algún alimento. Mariquilla, ¡a qué triste estado ha traído Dios a los míos! ¿No hay motivo para esperar que al fin se apiade de nosotros?

—Sí—repuso la Candiola:—el corazón me dice que hemos pasado las amarguras de nuestra vida, y que ahora tendremos días tranquilos. El sitio se acabará pronto, porque, según dice mi padre, lo que queda es cosa de días. Esta mañana fuí al Pilar: cuando me arrodillé delante de la Virgen, parecióme que la Santa Señora me miraba y se reía. Después salí de la iglesia, y un gozo muy vivo hacía palpitar mi corazón. Miraba al cielo, y las bombas me parecían un juguete; miraba a los heridos, y se me figuraba que todos ellos se volvían sanos; miraba a las gentes, y en todas creía encontrar la alegría que se desbordaba en mi pecho. Yo no sé lo que me ha pasado hoy; yo estoy contenta. Dios y la Virgen sin duda se han apiadado de nosotros; y estos latidos de mi corazón, esta alegre inquietud, son avisos de que al fin, después de tantas lágrimas, vamos a ser dichosos.

—Lo que dices es la verdad—afirmó Agustín estrechando a Mariquilla amorosamente contra su pecho.—Tus presentimientos son leyes; tu corazón, identificado con lo divino, no puede engañarnos; oyéndote me parece que se disipa la atmósfera de penas en que nos ahogamos, y respiro con delicia los aires de la felicidad. Espero que tu padre no se opondrá a que te cases conmigo.

—Mi padre es bueno—dijo la Candiola.—Yo creo que si los vecinos de la ciudad no le mortificaran, él sería más humano. Pero no le pueden ver. Esta tarde ha sido maltratado otra vez en el claustro de San Francisco, y cuando se reunió conmigo en el Coso estaba colérico y juraba que se había de vengar. Yo procuré aplacarle, pero todo en vano. Nos echaron de todas partes. Él, cerrando los puños y pronunciando voces destempladas, amenazaba a los transeuntes. Después echó a correr hacia aquí; yo pensé que venía a ver si le han destrozado esta casa, que es nuestra; seguíle; volvióse él hacia mí como atemorizado al sentir mis pasos, y me dijo; «Tonta, entrometida, ¿quién te manda seguirme?» Yo no le contesté nada; pero viendo que avanzaba hacia la línea francesa con ánimo de traspasarla, quise detenerle, y le dije: «Padre, ¿a dónde vas?» Entonces me contestó: «¿No sabes que en el ejército francés está mi amigo el capitán de suizos D. Carlos Lindener, que servía el año pasado en Zaragoza? Voy a verle: recordarás que me debe algunas cantidades.» Hízome quedar aquí y se marchó. Lo que siento es que sus enemigos, si saben que traspasa la línea y va al campo francés, le llamarán traidor. No sé si será por el gran cariño que le tengo por lo que me parece incapaz de semejante acción. Temo que le pase algún mal, y por eso deseo la conclusión del sitio. ¿No es verdad que concluirá pronto, Agustín? 5

—Sí, Mariquilla: concluirá pronto, y nos casaremos. Mi padre quiere que me case.

—¿Quién es tu padre? ¿Cómo se llama? ¿No es tiempo todavía de que me lo digas?

—Ya lo sabrás. Mi padre es persona principal y muy 10 querido en Zaragoza. ¿Para qué quieres saber más?

—Ayer quise averiguarlo . . . Somos curiosas: a varias personas conocidas que hallé en el Coso, les pregunté: «¿Saben ustedes quién es ese señor que ha perdido a su hijo primogénito?» Pero como hay tantos en este caso, la 15 gente se reía de mí.

—Yo te lo revelaré a su tiempo, y cuando al decírtelo pueda darte una buena noticia.

—Agustín, si me caso contigo, quiero que me lleves fuera de Zaragoza por unos días. Deseo durante corto tiempo 20 ver otras casas, otros árboles, otro país; deseo vivir algunos días en sitios que no sean éstos, donde tanto he padecido.

—Sí, Mariquilla de mi alma—exclamó Montoria con arrebato:—iremos a donde quieras, lejos de aquí, mañana 25 mismo . . . mañana no, porque no está levantado el sitio; pasado . . . en fin, cuando Dios quiera . . .

—Agustín—añadió Mariquilla con voz débil que indicaba cierta somnolencia,—quiero que al volver de nuestro viaje reedifiques la casa en que he nacido. El ciprés con- 30 tinúa en pie.

Mariquilla, inclinando la cabeza, mostraba estar medio vencida por el sueño.

—¿Deseas dormir, pobrecilla?—le dijo mi amigo tomándola en brazos.

—Hace varias noches que no duermo—respondió la joven cerrando los ojos.—La inquietud, el pesar, el miedo,
5 me han mantenido en vela. Esta noche el cansancio me rinde, y la tranquilidad que siento me hace dormir.

—Duerme en mis brazos, María—dijo Agustín,—y que la tranquilidad que ahora llena tu alma no te abandone cuando despiertes.

10 Después de un breve rato en que la creíamos dormida, Mariquilla, mitad despierta, mitad en sueños, habló así:

—Agustín, no quiero que quites de mi lado a esa buena Doña Guedita, que tanto nos protegía cuando éramos novios . . . Ya ves cómo tenía yo razón al decirte que mi
15 padre fué al campo francés a cobrar sus cuentas . . .

Después no habló más, y se durmió profundamente. Sentado Agustín en el suelo, la sostenía sobre sus rodillas y entre sus brazos. Yo abrigué sus pies con mi capote.

Callábamos Agustín y yo, porque nuestras voces no tur-
20 baran el sueño de la joven. Aquel sitio era bastante solitario. Teníamos a la espalda la casa de los Duendes, inmediata al Convento de San Francisco, y enfrente el Colegio de San Diego, con su huerta circuída por largas tapias que se alzaban en irregulares y angostos callejones.
25 Por ellos discurrían los centinelas que se relevaban y los pelotones que iban a las avanzadas o venían de ellas. La tregua era completa, y aquel reposo anunciaba grandes luchas para el día siguiente.

De pronto, el silencio me permitió oír sordos golpes de-
30 bajo de nosotros en lo profundo del suelo. Al punto comprendí que andaba por allí la piqueta de los minadores franceses, y comuniqué mi recelo a Agustín, el cual, prestando atención, me dijo:

—Efectivamente: parece que están minando. Pero ¿a dónde van por aquí? Las galerías que hicieron desde Jerusalén están todas cortadas por las nuestras. No pueden dar un paso sin que se les salga al encuentro.

—Es que este ruido indica que minan por San Diego. 5 Ellos poseen una parte del edificio. Hasta ahora no han podido llegar a las bodegas de San Francisco. Si por casualidad han discurrido que es fácil el paso desde San Diego a San Francisco por los bajos de esta casa, probablemente este paso será el que están abriendo ahora. 10

—Corre al instante al Convento—me dijo; —baja a los subterráneos, y si sientes ruido, cuenta a Renovales lo que pasa. Si algo ocurre, me llamas en seguida.

Agustín quedóse solo con Mariquilla. Fuí a San Francisco, y al bajar a las bodegas encontré, con otros patriotas, 15 a un oficial de ingenieros, el cual, como yo le expusiera mi temor, me dijo:

—Por las galerías abiertas debajo de la calle de Santa Engracia, desde Jerusalén y el Hospital, no pueden acercarse aquí, porque con nuestra zapa hemos inutilizado la 20 suya, y unos cuantos hombres podrán contenerlos. Debajo de este edificio dominamos los subterráneos de la iglesia, las bodegas y los sótanos que caen hacia el claustro de Oriente. Hay una parte del Convento que no está minada, y es la del Poniente y Sur; pero allí no hay sótanos, 25 y hemos creído excusado abrir galerías, porque no es probable se nos acerquen por esos dos lados. Poseemos la casa inmediata, y yo he reconocido su parte subterránea, que está casi pegada a las cuevas de la sala capitular. Si ellos dominaran la casa de los Duendes, fácil les sería 30 poner hornillos y volar toda la parte de Sur y de Poniente; pero aquel edificio es nuestro, y desde él a las posiciones francesas enfrente de San Diego y Santa Rosa, hay mucha distancia. No es probable que nos ataquen por ahí, a no ser que exista alguna comunicación entre la casa y San Diego o Santa Rosa, que les permitiera acercársenos sin advertirlo.

5 Hablando sobre el particular estuvimos hasta la madrugada. Al amanecer, Agustín entró muy alegre diciéndome que había conseguido albergar a Mariquilla en el mismo local donde estaba su familia. Después nos dispusimos para hacer un esfuerzo aquel día, porque los franceses, 10 dueños ya del Hospital, mejor dicho, de sus ruinas, amenazaban asaltar a San Francisco, no por bajo tierra, sino a descubierto y a la luz del sol.

XXVIII

La posesión de San Francisco iba a decidir la suerte de la ciudad. Aquel vasto edificio, situado en el centro del 15 Coso, daba una superioridad incontestable a la nación que lo ocupase. Los franceses lo cañonearon desde muy temprano, con objeto de abrir brecha para el asalto, y los zaragozanos llevaron a él lo mejor de su fuerza para defenderlo. Como escaseaban ya los soldados, multitud de personas 20 graves, que hasta entonces no sirvieran sino de auxiliares, tomaron las armas. Sas, Cereso, La Casa, Piedrafita, Escobar, Leiva, D. José de Montoria, todos los grandes patriotas habían acudido también.

En la embocadura de la calle de San Gil y en el arco de 25 Cineja, había varios cañones para contener los ímpetus del enemigo. Yo fuí enviado con otros de Extremadura al servicio de aquellas piezas, porque apenas quedaban artilleros, y cuando me despedí de Agustín, que permanecía en San Francisco al frente de la compañía, nos abrazamos 30 creyendo que no volveríamos a vernos.

D. José de Montoria, hallándose en la barricada de la Cruz del Coso, recibió un balazo en la pierna y tuvo que retirarse; pero apoyado en la pared de una casa inmediata al arco de Cineja, resistió por algún tiempo el desmayo que le producía la hemorragia, hasta que al fin, sintiéndose 5 desfallecido, me llamó, diciéndome:

—Señor de Araceli, se me nublan los ojos . . . No veo nada . . . ¡Maldita sangre, cómo se marcha a toda prisa, cuando hace más falta! ¿Quiere usted darme la mano?

—Señor—le dije, corriendo hacia él y sosteniéndole,— 10 más vale que se retire usted a su alojamiento.

—No, aquí quiero estar . . . Pero, señor de Araceli, si me quedo sin sangre . . . ¿Dónde demonios se ha ido esta condenada sangre . . . ? Y parece que tengo piernas de algodón . . . Me caigo al suelo como un costal vacío. 15

Hizo terribles esfuerzos por reanimarse; pero casi llegó a perder el sentido, más que por la gravedad de la herida, por la pérdida de la sangre, el ningún alimento, los insomnios y penas de aquellos días. Aunque él rogaba que le dejáramos allí arrimado a la pared, para no perder ni un 20 solo detalle de la acción que iba a trabarse, le llevamos a su albergue, que estaba en el mismo Coso, esquina a la calle del Refugio. La familia había sido instalada en una habitación alta. La casa estaba toda llena de heridos, y casi obstruían la puerta los muchos cadáveres depositados 25 en aquel sitio. En el angosto portal, en las habitaciones interiores, no se podía dar un paso, porque la gente que había ido allí a morirse lo obstruía todo, y no era fácil distinguir los vivos de los difuntos.

Montoria, cuando le entramos, dijo: 30

—No me llevéis arriba, muchachos, donde está mi familia. Dejadme en esta pieza baja. Ahí veo un mostrador que me viene de perillas.

Pusímosle donde dijo. La pieza baja era una tienda. Bajo el mostrador habían espirado aquel día algunos heridos y apestados, y muchos enfermos se extendían por el infecto suelo, arrojados sobre piezas de tela.

5 —A ver—continuó,—si hay por ahí algún alma caritativa que me ponga un poco de estopa en este boquete por donde sale la sangre . . .

Una mujer se adelantó hacia el herido. Era Mariquilla Candiola.

10 —Dios os lo premie, niña—dijo D. José, al ver que traía hilas y lienzo para curarle.—Basta por ahora con que me remiende usted un poco esta pierna. Creo que no se ha roto el hueso.

Mientras esto pasaba, unos veinte paisanos invadieron
15 la casa, para hacer fuego desde las ventanas contra las ruinas del Hospital.

—Señor de Araceli, ¿se marcha usted al fuego? Aguarde usted un rato para que me lleve, porque me parece que no puedo andar solo. Mande usted el fuego desde la ven-
20 tana. Buena puntería. No dejar respirar a los del Hospital . . . A ver, joven, despache usted pronto. ¿No tiene usted un cuchillo a mano? Sería bueno cortar ese pedazo de carne que cuelga . . . ¿Cómo va eso, señor de Araceli? ¿Vamos ganando?

25 —Vamos bien—le respondí desde la ventana.—Ahora retroceden al Hospital. San Francisco es un hueso un poco duro de roer.

María en tanto miraba fijamente a Montoria, y seguía curándole con mucho cuidado y esmero.

30 —Es usted una alhaja, niña—dijo mi amigo.—Parece que no pone las manos encima de la herida . . . Pero ¿a qué me mira usted tanto? ¿Tengo monos en la cara? A ver . . . ¿Está concluído eso? . . . Trataré de levantar-

me . . . Pero si no me puedo tener . . . ¿Qué agua de malvas es ésta que tengo en las venas? ¡Porr . . . ! iba a decirlo . . . que no pueda corregir la maldita costumbre . . . Señor de Araceli, no puedo con mi alma. ¿Cómo anda la cosa?

—Señor, a las mil maravillas. Nuestros valientes paisanos están haciendo prodigios.

En esto llegó un oficial herido a que le pusieran un vendaje.

—Todo marcha a pedir de boca—nos dijo.—No tomarán a San Francisco. Los del Hospital han sido rechazados tres veces. Pero lo portentoso, señores, ha ocurrido por el lado de San Diego. Viendo que los franceses se apoderaban de la huerta pegada a la casa de los Duendes, cargaron sobre ellos a la bayoneta los valientes soldados de Orihuela, mandados por Pino-Hermoso, y no sólo los desalojaron, sino que dieron muerte a muchos, cogiendo trece prisioneros.

—Quiero ir allá. ¡Viva el batallón de Orihuela! ¡Viva el Marqués de Pino-Hermoso!—exclamó con furor sublime D. José de Montoria.—Señor de Araceli, vamos allá. Lléveme usted. ¿Hay por ahí un par de muletas? Señores, las piernas me faltan. Pero andaré con el corazón. Adiós, niña, hermosa curandera . . . Pero ¿por qué me mira usted tanto? . . . Me conoce usted, y yo creo haber visto esa cara en alguna parte . . . sí . . . pero no recuerdo dónde.

—Yo también le he visto a usted una vez, una vez sola— dijo Mariquilla con aplomo,—y ojalá no me acordara.

—No olvidaré este beneficio—añadió Montoria.—Parece usted una buena muchacha . . . y muy linda por cierto. Adiós: estoy muy agradecido, sumamente agradecido . . . Venga un par de muletas, un bastón, que no puedo andar, señor de Araceli. Déme usted el brazo . . . ¿Qué telarañas son éstas que ante los ojos se me ponen? . . . Vamos allá, y echaremos a los franceses del Hospital.

Disuadiéndole de su temerario propósito de salir, me 5 disponía a marchar yo solo, cuando se oyó una detonación tan fuerte, que ninguna palabra del lenguaje tiene energía para expresarla. Parecía que la ciudad entera era lanzada al aire por la explosión de un inmenso volcán abierto bajo sus cimientos. Todas las casas temblaron, obscurecióse el 10 cielo con inmensa nube de humo y de polvo, y a lo largo de la calle vimos caer trozos de pared, miembros despedazados, maderos, tejas, lluvias de tierra y material de todas clases.

—¡La Santa Virgen del Pilar nos asista!—exclamó 15 Montoria.—Parece que ha volado el mundo entero.

Los enfermos y heridos gritaban creyendo llegada su última hora, y todos nos encomendamos mentalmente a Dios.

—¿Qué es esto? ¿Existe todavía Zaragoza?—pregun- 20 taba uno.

—¿Volamos nosotros también?

—Debe haber sido en el Convento de San Francisco esta terrible explosión,—dije yo.

—Corramos allá—dijo Montoria sacando fuerzas de fla- 25 queza.—Señor de Araceli, ¿no decían que estaban tomadas todas las precauciones para defender a San Francisco? . . . ¡Pero no hay un par de muletas por ahí!

Salimos al Coso, donde al punto nos cercioramos de que una gran parte de San Francisco había sido volada.

30 —Mi hijo estaba en el Convento—dijo Montoria pálido como un difunto.—¡Dios mío, si has determinado que lo pierda también, que muera por la patria en el puesto del honor!

Acercóse a nosotros el locuaz mendigo de quien hice mención en las primeras páginas de esta relación, el cual trabajosamente andaba con sus muletas, y parecía en muy mal estado de salud.

—*Sursum Corda*—le dijo el patriota,—dame tus muletas que para nada las necesitas.

—Déjeme su merced—repuso el cojo,—llegar a aquel portal y se las daré. No quiero morirme en medio de la calle.

—¿Te mueres tú?

—¡Así parece! La calentura me abrasa. Estoy herido en el hombro desde ayer, y todavía no me han sacado la bala. Siento que me voy. Tome usía las muletas.

—¿Vienes de San Francisco?

—No, señor: yo estaba en el arco del Trenque . . . allí había un cañón: hemos hecho mucho fuego. Pero San Francisco ha volado por los aires cuando menos lo creíamos. Toda la parte de Sur y de Poniente vino al suelo, enterrando mucha gente. Ha sido traición, según dice el pueblo . . . Adiós, D. José . . . aquí me quedo . . . los ojos se me obscurecen, la lengua se me traba, yo me voy . . . la Virgen del Pilar me ampare, y aquí tiene usía mis remos.

Con ellos pudo avanzar un poco Montoria hacia el lugar de la catástrofe; pero tuvimos que doblar la calle de San Gil, porque no se podía seguir más adelante. Los franceses habían cesado de hostilizar el Convento por el lado del Hospital; pero asaltándolo por San Diego, ocupaban a toda prisa las ruinas, que nadie podía disputarles. Conservábase en pie la iglesia y torre de San Francisco.

—¡Eh, Padre Luengo!—dijo Montoria llamando al fraile de este nombre, que entraba apresuradamente en la calle de San Gil.—¿Qué hay? ¿Dónde está el Capitán General? ¿Ha perecido entre las ruinas?

—No—repuso el Padre deteniéndose.—Está con otros jefes en la plazuela de San Felipe. Puedo anunciarle a usted que su hijo Agustín se ha salvado, porque era de los que ocupaban la torre.

—¡Bendito sea Dios!—dijo D. José cruzando las manos.

—Toda la parte de Sur y Poniente ha sido destruída—prosiguió Luengo.—No se sabe cómo han podido minar por aquel sitio. Debieron poner los hornillos debajo de la sala del Capítulo, y por allí no se habían hecho minas, creyendo que era lugar seguro.

—Además—dijo un paisano armado y que se acercó al grupo,—teníamos la casa inmediata, y los franceses, posesionados sólo de parte de San Diego y de Santa Rosa, no podían acercarse allí con facilidad.

—Por eso se cree—indicó un clérigo armado que se nos agregó,—que han encontrado un paso secreto entre Santa Rosa y la casa de los Duendes. Apoderados de los sótanos de ésta, con una pequeña galería pudieron llegar hasta los subterráneos de la sala del Capítulo.

—Ya se sabe todo—dijo un capitán del ejército.—La casa de los Duendes tiene un gran sótano que nos era desconocido. Desde este sótano partía, sin duda, una comunicación con Santa Rosa, a cuyo Convento perteneció antiguamente dicho edificio, y servía de granero y almacén.

—Pues si eso es cierto; si esa comunicación existe—añadió Luengo,—ya comprendo quién se la ha descubierto a los franceses. Ya saben ustedes que cuando los enemigos fueron rechazados en la huerta de San Diego, se hicieron algunos prisioneros. Entre ellos está el tío Candiola, que varias veces ha visitado estos días el campo francés, y desde anoche se pasó al enemigo.

—Así tiene que ser—afirmó Montoria,—porque la casa
de los Duendes pertenece a Candiola. Harto sabía el condenado judío los pasos y escondrijos de aquel edificio. Señores, vamos a ver al Capitán General. ¿Se cree que aún
podrá defenderse el Coso?   5

—¿Pues no se ha de defender?—dijo el militar.—Lo que
ha pasado es una friolera: algunos muertos más. Aún se
intentará reconquistar la iglesia de San Francisco.

Todos mirábamos a aquel hombre que tan serenamente hablaba de lo imposible. La concisa sublimidad   10
de su empeño parecía una burla, y, sin embargo, en aquella epopeya de lo increíble, semejantes burlas solían parar
en realidad.

Los que no den crédito a mis palabras, abran la Historia
y verán que unas cuantas docenas de hombres extenuados, 15
hambrientos, descalzos, medio desnudos, algunos de ellos
heridos, se sostuvieron todo el día en la torre; mas no con-
tentos con esto, extendiéronse por el techo de la iglesia, y
abriendo aquí y allí innumerables claraboyas, sin atender
al fuego que se les hacía desde el Hospital, empezaron a   20
arrojar granadas de mano contra los franceses, obligándoles a abandonar el templo al caer de la tarde. Toda la
noche pasó en tentativas del enemigo para reconquistarlo;
pero no pudieron conseguirlo hasta el día siguiente, cuando los tiradores del tejado se retiraron, pasando a la casa 25
de Sástago.

XXIX

¿Zaragoza se rendirá? La muerte al que esto diga.

Zaragoza no se rinde. La reducirán a polvo; de sus
históricas casas no quedará ladrillo sobre ladrillo; caerán
sus cien templos; su suelo abriráse vomitando llamas, y   30
lanzados al aire los cimientos, caerán las tejas al fondo de

los pozos; pero entre los escombros y entre los muertos habrá siempre una lengua viva para decir que Zaragoza no se rinde.

Llegó el momento de la suprema desesperación. Francia ya no combatía, minaba. Era preciso desbaratar el suelo nacional para conquistarlo. Medio Coso era suyo, y España destrozada se retiró a la acera de enfrente. Por las Tenerías, por el arrabal de la izquierda habían alcanzado también ventajas, y sus hornillos no descansaban un instante.

Al fin, ¡parece mentira! nos acostumbramos a las voladuras, como antes nos habíamos hecho al bombardeo. A lo mejor, se oía un ruido como el de mil truenos retumbando a la vez. ¿Qué ha sido? Nada: la Universidad, la capilla de la Sangre, la casa de Aranda, tal convento o iglesia que ya no existe. Aquello no era vivir en nuestro pacífico y callado planeta; era tener por morada las regiones del rayo, mundos desordenados donde todo es fragor y desquiciamiento. No había sitio alguno donde estar, porque el suelo ya no era suelo, y bajo cada planta se abría un cráter. Y, sin embargo, aquellos hombres seguían defendiéndose contra la inmensidad abrumadora de un volcán continuo y de una tempestad incesante. A falta de fortalezas, habían servido los conventos; a falta de conventos, los palacios; a falta de palacios, las casas humildes. Todavía había algunas paredes.

Ya no se comía. ¿Para qué, si se esperaba la muerte de un momento a otro? Centenares, miles de hombres perecían en las voladuras, y la epidemia había tomado carácter fulminante. Tenía uno la suerte de salir ileso de entre la lluvia de balas, y luego, al volver una esquina, el horroroso frío y la fiebre, apoderándose súbitamente de la naturaleza, le conducían en poco a la muerte. Ya no había parien-

tes ni amigos; menos aún: ya los hombres no se conocían
unos a otros; y ennegrecidos los rostros por la tierra, por
el humo, por la sangre, desencajados y cadavéricos, al jun-
tarse después del combate, se preguntaban: «¿Quién
eres tú? ¿quién es usted?»   5

[Gabriel goes on an errand to the Coso, and later he goes to the
square of San Felipe.]

Al llegar vi un hombre que, envuelto en su capote, paseaba de largo a largo sin hacer caso de nada ni de nadie. Era
Agustín Montoria.

¡Agustín! ¿Eres tú?—le dije acercándome—¡Qué pá-
lido y demudado estás! ¿Te han herido?   10

—Déjame—me contestó agriamente:—no quiero com-
pañías importunas.

—¿Estás loco? ¿Qué te pasa?

—Déjame, te digo—añadió repeliéndome con fuerza.—
Te digo que quiero estar solo. No quiero ver a nadie.   15

—Amigo—indiqué comprendiendo que algún terrible
pesar perturbaba el alma de mi compañero,—si te ocurre
algo desagradable, dímelo y tomaré para mí una parte de
tu desgracia.

—¿Pues no lo sabes?   20

—No sé nada. Ya sabes que me mandaron con veinte
hombres a la calle de las Arcadas. Desde ayer, desde la
explosión de San Francisco, no nos hemos visto.

—Es verdad—repuso.—Gabriel, he buscado la muerte
en esa barricada del Coso, y la muerte no ha querido venir. 25
Innumerables compañeros míos cayeron a mi lado, y no ha
habido una bala para mí. Gabriel, amigo mío querido, pon
el cañón de una de tus pistolas en mi sien y arráncame la
vida. ¿Lo creerás? Hace poco intenté matarme . . . No
sé . . . parece que vino una mano invisible y me apartó el   30

arma de las sienes. Después, otra mano suave y tibia
pasó por mi frente.

—Cálmate, Agustín, y cuéntame lo que tienes.

—¡Lo que tengo! ¿Qué hora es?

—Las nueve.

—¡Falta una hora!—exclamó con nervioso estremecimiento.—¡Sesenta minutos! Puede ser que los franceses
hayan minado esta plazuela de San Felipe, donde estamos,
y tal vez, dentro de un instante, la tierra, saltando bajo
nuestros pies, abra una horrible sima en que todos quede-
mos sepultados; todos: la víctima y los verdugos.

—¿Qué víctima es ésa?

—¿No lo sabes? El desgraciado Candiola. Está encerrado en la Torre Nueva.

En la puerta de la Torre Nueva había algunos soldados,
y una macilenta luz alumbraba la entrada.

—En efecto—dije,—sé que ese infame viejo fué cogido
prisionero con algunos franceses en la huerta de San
Diego.

—Su crimen es indudable. A los enemigos enseñó el
paso desde Santa Rosa a la casa de los Duendes, de él sólo
conocido. Además de que no faltan pruebas, el infeliz esta
tarde ha confesado todo con esperanza de salvarse.

—Le han condenado . . .

—Sí. El consejo de guerra no ha discutido mucho. Candiola será arcabuceado dentro de una hora, por traidor.
¡Allí está! Y aquí me tienes a mí, Gabriel; aquí me
tienes a mí, capitán del batallón de las Peñas de San Pedro, ¡malditas charreteras! aquí me tienes con una orden
en el bolsillo, en que se manda ejecutar la sentencia a las
diez de la noche, en este mismo sitio, aquí en la plazuela
de San Felipe, al pie de la torre. ¿Ves, ves la orden? Está
firmada por el general Saint-March.

Callé, porque no se me ocurría una sola palabra que decir a mi compañero en aquella terrible ocasión.

—¡Amigo mío, valor!—exclamé al fin.—Es preciso cumplir la orden.

Agustín no me oía. Su actitud era la de un demente, y se apartaba de mí para volver en seguida, balbuciendo palabras de desesperación. Después, mirando a la torre, que majestuosa y esbelta alzábase sobre nuestras cabezas, exclamó con terror:

—Gabriel, ¿no la ves, no ves la torre? ¿No ves que está derecha, Gabriel? La torre se ha puesto derecha. ¿No la ves? ¿Pero no la ves?

Miré a la torre. Como era natural, continuaba inclinada.

—Gabriel—añadió Montoria,—mátame: no quiero vivir. No: yo no le quitaré a ese hombre la vida. Encárgate tú de esta comisión. Yo, si vivo, quiero huir; estoy enfermo; me arrancaré estas charreteras, y se las tiraré a la cara al general Saint-March. No, no me digas que la Torre Nueva sigue inclinada. Pero, hombre, ¿no ves que está derecha? Amigo, tú me engañas; mi corazón está traspasado por un acero candente, rojo, y la sangre chisporrotea. Me muero de dolor.

Yo procuraba consolarle, cuando una figura blanca penetró en la plaza por la calle de Torresecas. Al verla temblé de espanto: era Mariquilla. Agustín no tuvo tiempo de huir, y la desgraciada joven se abrazó a él, exclamando con ardiente emoción:

—Agustín, Agustín. Gracias a Dios que te encuentro aquí. ¡Cuánto te quiero! Cuando me dijeron que eras tú el carcelero de mi padre, me volví loca de alegría, porque tengo la seguridad de que has de salvarle. Esos caribes del Consejo le han condenado a muerte. ¡A muerte! ¡Morir él, que no ha hecho mal a nadie! Pero Dios no quiere que el inocente perezca, y le ha puesto en tus manos para que le dejes escapar.

—Mariquilla, María de mi corazón—dijo Agustín.— Déjame, vete . . . no te quiero ver . . . Mañana, ma-
ñana hablaremos. Yo también te amo . . . Estoy loco por ti. Húndase Zaragoza, pero no dejes de quererme. Esperaban que yo matara a tu padre . . .

—¡Jesús, no digas eso! ¡Tú!

—No, mil veces no; que castiguen otros su traición.

—No, mentira: mi padre no ha sido traidor. ¿Tú también le acusas? Nunca lo creí . . . Agustín, es de noche. Desata sus manos, quítale los grillos que destrozan sus pies, ponle en libertad. Nadie le puede ver. Huiremos; nos esconderemos aquí cerca, en las ruinas de nuestra casa, allí en la sombra del ciprés, en aquel mismo sitio donde tantas veces hemos visto el pico de la Torre Nueva.

—María . . . espera un poco . . . —dijo Montoria con suma agitación.—Eso no puede hacerse así . . . Hay mucha gente en la plaza. Los soldados están muy irritados contra el preso. Mañana . . .

—¡Manana! . . . ¿Qué has dicho? ¿Te burlas de mí? Ponle al instante en libertad, Agustín. Si no lo haces, creeré que he amado al más vil, al más cobarde y despreciable de los hombres.

—María, Dios nos está oyendo. Dios sabe que te adoro. Por Él juro que no mancharé mis manos con la sangre de ese infeliz: antes romperé mi espada; pero en nombre de Dios te digo también que no puedo poner en libertad a tu padre. María, el cielo se nos ha caído encima.

—Agustín, me estás engañando—dijo la joven con angustiosa perplejidad.—¿Dices que no le pondrás en libertad?

—No, no, no puedo. Si Dios en forma humana viniera a pedirme la libertad del que ha vendido a nuestros heroicos paisanos, entregándoles al cuchillo francés, no podría hacerlo. Es un deber supremo al que no puedo faltar. Las innumerables víctimas inmoladas por la traición, la ciudad rendida, el honor nacional ultrajado, son recuerdos y consideraciones que pesan en mi conciencia de un modo formidable.

—Mi padre no puede haber hecho traición—dijo Mariquilla, pasando súbitamente del dolor a una exaltada y nerviosa cólera.—Son calumnias de sus enemigos. Mienten los que le llaman traidor; y tú, más cruel y más inhumano que todos, mientes también. No, no es posible que yo te haya querido: me causa vergüenza pensarlo. ¿Has dicho que en libertad no le pondrás? ¿Pues para qué existes, de qué sirves tú? ¿Esperas ganar con tu crueldad sanguinaria el favor de esos bárbaros inhumanos que han destruído la ciudad, fingiendo defenderla? ¡Para ti nada vale la vida del inocente, ni la desolación de una huérfana! ¡Miserable y ambicioso egoísta, te aborrezco más de lo que te he querido! ¿Has pensado que podrías presentarte delante de mí con las manos manchadas en la sangre de mi padre? No, él no ha sido traidor. Traidor eres tú y todos los tuyos. ¿Dios mío! ¿No hay un brazo generoso que me ampare; no hay entre tantos hombres uno solo que impida este crimen? ¡Una pobre mujer corre por toda la ciudad buscando un alma caritativa, y no encuentra más que fieras!

—María—dijo Agustín,—me estás despedazando el alma; me pides lo imposible: lo que yo no haré, ni puedo hacer, aunque en pago me ofrezcas la bienaventuranza eterna. Todo lo he sacrificado ya, y contaba con que me aborrecerías. Considera que un hombre se arranca con sus propias manos el corazón y lo arroja al lodo: pues eso he hecho yo. No puedo más.

La ardiente exaltación de María Candiola la llevaba de la ira más intensa a la sensibilidad más patética. Antes mostraba con enérgica fogosidad su cólera, y después se deshacía en lágrimas amargas, expresándose así:

—¡Qué he dicho, y qué locuras has dicho tú! Agustín, tú no puedes negarme lo que te pido. ¡Cuánto te he querido y cuánto te quiero! Desde que te vi por primera vez en nuestra *torre*, no te has apartado un solo instante de mi pensamiento. Tú has sido para mí el más amable, el más discreto, el más valiente de todos los hombres. Te quise sin saber quién eras: yo ignoraba tu nombre y el de tus padres; pero te habría amado aunque hubieras sido el hijo del verdugo de Zaragoza. Agustín, tú te has olvidado de mí desde que no nos vemos. ¡Soy yo, Mariquilla! Siempre he creído y creo que no me quitarás a mi buen padre, a quien amo tanto como a ti. Él es bueno, no ha hecho mal a nadie; es un pobre anciano . . . Tiene algunos defectos; pero yo no los veo: yo no veo en él más que virtudes. No he conocido a mi madre, que murió siendo yo muy niña; he vivido retirada del mundo; mi padre me ha criado en la soledad, y en la soledad se ha formado el grande amor que te tengo. Si no te hubiera conocido a ti, todo el mundo me hubiera sido indiferente sin él.

Leí claramente en el semblante de Montoria la indecisión. Él miraba con aterrados ojos tan pronto a la muchacha como a los hombres que estaban de centinela en la entrada de la torre, y la hija de Candiola, con admirable instinto, supo aprovechar esta disposicíon a la debilidad, y echándole los brazos al cuello, añadió:

—Agustín, ponle en libertad. Nos ocultaremos donde nadie pueda descubrirnos. Si te dicen algo, si te acusan de haber faltado al deber, no les hagas caso y vente conmigo. ¡Cuánto te amará mi padre al ver que le salvas la vida! ¡Qué felicidad nos espera, Agustín! ¡Qué bueno eres! Ya lo esperaba yo; y cuando supe que el pobre preso estaba en tu poder, se me figuró que las puertas del cielo se abrían.

Mi amigo dió algunos pasos y retrocedió después. Había bastantes militares y gente armada en la plazuela. De repente se nos apareció delante un hombre con muletas, acompañado de otros paisanos y algunos oficiales de alta graduación.

—¿Qué pasa aquí?—dijo D. José de Montoria.—Me pareció oír chillidos de mujer. Agustín, ¿estás llorando? ¿Qué tienes?

—Señor—gritó Mariquilla con terror volviéndose hacia Montoria.—Usted no se opondrá tampoco a que dejen en libertad a mi padre. ¿No se acuerda usted de mí? Ayer estaba usted herido y yo le curé.

—Es verdad, niña—dijo gravemente Don José.—Estoy muy agradecido. Ahora caigo en que es usted la hija del Sr. Candiola.

—Sí, señor: ayer, cuando le curaba a usted, reconocí en su cara la de aquel hombre que maltrató a mi padre hace muchos días.

—Sí, hija mía: fué un arrebato, un pronto . . . No lo pude remediar . . . Tengo la sangre muy viva . . . Y usted me curó . . . Así se portan los buenos cristianos. Pagar las injurias con beneficios, y hacer bien a los que nos aborrecen, es lo que manda Dios.

—Señor—exclamó María toda deshecha en lágrimas,— yo perdono a mis enemigos; perdone usted también a los suyos. ¿Por qué no han de poner en libertad a mi padre? Él no ha hecho nada.

—Es un poco difícil lo que usted pretende. La traición del Sr. Candiola no puede perdonarse. La tropa está furiosa.

—¡Todo es un error! Si usted quiere interceder . . .
Usted será de los que mandan.

—¿Yo? . . . dijo Montoria.—Ése es un asunto que no me incumbe . . . Pero serénese usted, joven . . . De veras que parece usted una buena muchacha. Recuerdo el esmero con que me curaba, y me llega al alma tanta bondad. Grande ofensa hice a usted, y de la misma persona a quien ofendí he recibido un bien inmenso, tal vez la vida. De este modo nos enseña Dios con un ejemplo que debemos ser humildes y caritativos, ¡porr . . . ! ¡ya la iba a soltar! . . . ¡Maldita lengua mía!

—¡Señor, qué bueno es usted!—exclamó la joven.— ¡Yo le creía muy malo! usted me ayudará a salvar a mi padre. Él tampoco se acuerda del ultraje recibido.

—Oiga usted—le dijo Montoria tomándola por un brazo.—Hace poco pedí perdón al señor D. Jerónimo por aquel vejamen, y lejos de reconciliarse conmigo, me insultó del modo más grosero. Él y yo no casamos, niña. Dígame usted que me perdona lo de los golpes, y mi conciencia se descargará de un gran peso.

—¡Pues no le he de perdonar! ¡Oh señor, qué bueno es usted! Usted manda aquí, sin duda. Pues haga poner en libertad a mi padre.

—Eso no es de mi cuenta. El Sr. Candiola ha cometido un crimen que espanta. Imposible perdonarle, imposible: comprendo la aflicción de usted . . . De veras lo siento, mayormente al acordarme de su caridad . . . Ya la protegeré a usted . . . Veremos.

—Yo no quiero nada para mí—dijo María, ronca ya de tanto gritar.—Yo no quiero sino que pongan en libertad a

un infeliz que nada ha hecho. Agustín, ¿no mandas aquí?
¿Qué haces?

—Este joven cumplirá con su deber.

—Este joven—repuso la Candiola con furor,—hará lo
que yo le ordene, porque me ama. ¿No es verdad que pon- 5
drás en libertad a mi padre? Tú me lo dijiste . . . Señores, ¿qué buscan ustedes aquí? ¿Piensan impedirlo?
Agustín, no les hagas caso y defendámonos.

—¡Qué es esto!—exclamó Montoria con estupefacción.
—Agustín, ¿ha dicho esta muchacha que te disponías a 10
faltar a tu deber? ¿La conoces tú?

Dominado por profundo temor, Agustín no contestó
nada.

—Sí, le pondrá en libertad—exclamó María con desesperación.—Fuera de aquí, señores. Aquí no tienen uste- 15
des nada que hacer.

—¡Cómo se entiende!—gritó D. José, tomando a su
hijo por un brazo.—Si lo que esta muchacha dice fuera
cierto; si yo supiera que mi hijo faltaba al honor de ese
modo, atropellando la lealtad jurada al principio de au- 20
toridad delante de las banderas; si yo supiera que mi hijo
hacía burla de las órdenes cuyo cumplimiento se le ha encargado, yo mismo le pasaría una cuerda por los codos,
llevándole delante del consejo de guerra para que le dieran
su merecido.   25

—¡Señor, padre mío!—repuso Agustín pálido como la
muerte.—Jamás he pensado en faltar a mi deber.

—¿Es éste tu padre?—dijo María.—Agustín, dile que
me amas, y quizás tenga compasión de mí.

—Esta joven está loca—afirmó D. José.—Desgraciada 30
niña: su tribulación me llega al alma. Yo me encargo de
protegerla en su orfandad . . . pero serénese usted. Sí,
la protegeré, siempre que reforme sus costumbres . . .

Pobrecilla: usted tiene buen corazón . . . un excelente corazón . . . pero . . . sí . . . me lo han dicho, un poco levantada de cascos . . . Es lástima que por una perversa educación se pierda una buena alma . . . Conque ¿será usted buena? . . . Creo que sí.

—Agustín, ¿cómo permites que me insulten?—exclamó María con inmenso dolor.

—No os insulto—añadió el padre.—Es un consejo. ¡Cómo había yo de insultar a mi bienhechora! Si usted se porta bien, le tendremos gran cariño. Queda usted bajo mi protección, desgraciada huerfanita . . . ¿Para qué toma en boca a mi hijo? Nada, nada: más juicio, y por ahora basta ya de agitación . . . El chico tal vez la conozca a usted . . . Sí, me han dicho que durante el sitio no ha abandonado usted la compañía de los soldados . . . Es preciso enmendarse: yo me encargo . . . No puedo olvidar el beneficio recibido; además, conozco que su fondo es bueno . . . Esa cara no miente: tiene usted una figura celestial. Pero es preciso renunciar a los goces mundanos, refrenar el vicio . . . pues . . .

—No—gritó de súbito Agustín, con tan vivo arrebato de ira, que todos temblamos al verle y oírle.—No, no consiento a nadie, ni aun a mi padre, que la injurie delante de mí. Yo la amo, y si antes lo he ocultado, ahora lo digo aquí sin miedo ni vergüenza para que todo el mundo lo sepa. Señor, usted no sabe lo que está diciendo, ni cuánto se aparta de lo verdadero, sin duda porque le han engañado. Máteme usted si le falto al respeto; pero no la infame delante de mí, porque oyendo otra vez lo que he oído, ni la presencia de mi propio padre me reportaría.

Montoria, que no esperaba tal exabrupto, miró con asombro a sus amigos.

—Bien, Agustín—exclamó la Candiola.—No hagas caso

de esa gente. Este hombre no es tu padre. Haz lo que te indica tu corazón. ¡Fuera de aquí, señores, fuera de aquí!

—Te engañas, María—replicó el joven.—Yo no he pensado poner en libertad al preso, ni lo pondré; pero al mismo tiempo digo que no seré yo quien disponga su muerte. Oficiales hay en mi batallón que cumplirán la orden. Ya no soy militar: aunque esté delante del enemigo, arrojo mi espada, y corro a presentarme al Capitán General para que disponga de mi suerte.

Diciendo esto, desenvainó, y doblando la hoja sobre la rodilla, rompióla, y después de arrojar los dos pedazos en medio del corrillo, se fué sin decir una palabra más.

—¡Estoy sola! ¡Ya no hay quien me ampare!—exclamó Mariquilla con abatimiento.

—No hagan caso de las barrabasadas de mi hijo—nos dijo Montoria.—Ya le tomaré yo por mi cuenta. Tal vez la muchacha le haya interesado . . . pues . . . no tiene nada de particular. Estos eclesiásticos inexpertos suelen ser así . . . Y usted, señora Doña María, procure serenarse. Ya nos ocuparemos de usted. Yo le prometo que si tiene buena conducta, se le conseguirá que entre en las Arrepentidas . . . Vamos, llevarla fuera de aquí.

—¡No: no me sacarán de aquí sino a pedazos!—gritó la joven en el colmo de la desolación.—¡Oh! Sr. D. José de Montoria: usted le pidió perdón a mi padre. Si él no le perdonó, yo le perdono mil veces. Pero . . .

—Yo no puedo hacer lo que usted me pide—replicó el patriota con pena.—El crimen cometido es enorme. Retírese usted . . . ¡Qué espantoso dolor! ¡Es preciso tener resignación! Dios le perdonará a usted todas sus culpas, pobre huerfanita . . . Cuente conmigo, y todo lo que yo pueda . . . La socorreremos, la auxiliaremos . . . Estoy

conmovido, y no sólo por agradecimiento, sino por lástima . . . Vamos, venga usted conmigo . . . Son las diez
menos cuarto.

—Sr. Montoria—dijo María poniéndose de rodillas de-
5 lante del patriota y besándole las manos.—Usted tiene influencia en la ciudad, y puede salvar a mi padre. Se ha
enfadado usted conmigo, porque Agustín dijo que me quería. No, no le quiero: ya no le miraré más. Aunque soy
honrada, él es superior a mí, y no puedo pensar en casarme
10 con él. Señor de Montoria, por el alma de su hijo muerto,
hágalo usted. Mi padre es inocente. No, no es posible
que haya sido traidor. Aunque el Espíritu Santo me lo
dijera, no lo creería. Dicen que no era patriota. Mentira,
yo digo que mentira. Dicen que no dió nada para la gue-
15 rra: pues ahora se dará todo lo que tenemos. En el sótano
de casa hay enterrado mucho dinero. Yo le diré a usted
dónde está, y pueden llevárselo todo. Dicen que no ha
tomado las armas. Yo las tomaré ahora: no temo las
balas, no me asusta el ruido del cañón, no me asusto de
20 nada; volaré al sitio de mayor peligro, y allí donde no
puedan resistir los hombres me pondré yo sola ante el fuego. Yo sacaré con mis manos la tierra de las minas, y haré
agujeros para llenar de pólvora todo el suelo que ocupan
los franceses. Dígame usted si hay algún castillo que to-
25 mar, o alguna muralla que defender, porque nada temo, y
de todas las personas que aún viven en Zaragoza, yo seré
la última que se rinda.

—¡Desgraciada niña!—murmuró el patriota alzándola
del suelo.—Vámonos, vámonos de aquí.

30   —Señor de Araceli—ordenó el jefe de la fuerza, que era
uno de los presentes,—puesto que el capitán D. Agustín
Montoria no está en su puesto, encárguese usted del mando de la compañía.

—No, asesinos de mi padre—exclamó María, no ya exasperada, sino furiosa como una leona.—No mataréis al inocente. Cobardes, verdugos: los traidores sois vosotros, no él. No podéis vencer a vuestros enemigos, y os gozáis en quitar la vida a un infeliz anciano. Militares, ¿a qué habláis de vuestro honor, si no sabéis lo que es eso? Agustín, ¿donde estás? Sr. D. José de Montoria, esto que ahora pasa es una ruin venganza, tramada por usted, hombre rencoroso y sin corazón. Mi padre no ha hecho mal a nadie. Ustedes intentaban robarle . . . Bien hacía él en no querer dar su harina, porque los que se llaman patriotas, son negociantes que especulan con las desgracias de la ciudad . . . No puedo arrancar a estos crueles una palabra compasiva. Hombres de bronce, bárbaros, mi padre es inocente, y si no lo es, bien hizo en vender la ciudad. Siempre le darían más de lo que ustedes valen . . . ¿Pero no hay uno, uno tan sólo que se apiade de él y de mí?

—Vamos: retirémosla, señores; llevarla a cuestas. ¡Infeliz joven!—dijo Montoria.—Esto no puede prolongarse. ¿En dónde se ha metido mi hijo?

Se la llevaron y durante un rato oí desde la plazuela sus gritos desgarradores.

—Buenas noches, señor de Araceli—me dijo Montoria. —Voy a ver si hay un poco de agua y vino que dar a esa pobre huérfana.

XXX

Vete lejos de mí, horrible pesadilla. No quiero dormir. Pero el mal sueño que anhelo desechar vuelve a mortificarme. Quiero borrar de mi imaginación la lúgubre escena; pero pasa una noche y otra, y la escena no se borra. Yo, que en tantas ocasiones he afrontado sin pestañear los mayores peligros, hoy tiemblo: mi cuerpo se estremece, y helado sudor corre por mi frente. La espada teñida en sangre de franceses se cae de mis manos, y cierro los ojos para no ver lo que pasa delante de mí.

En vano te arrojo, imagen funesta. Te expulso y vuel-
5 ves, porque has echado profunda raíz en mi cerebro. No: yo no soy capaz de quitar a sangre fría la vida a un semejante, aunque un deber inexorable me lo ordene. ¿Por qué no temblaba en las trincheras y ahora tiemblo? Siento un frío mortal. A la luz de las linternas veo algunas
10 caras siniestras; una, sobre todo, lívida y hosca que expresa un espanto superior a todos los espantos. ¡Cómo brillan los cañones de los fusiles! Todo está preparado, y no falta más que una voz: mi voz. Trato de pronunciar la palabra, y me muerdo la lengua. No, esa palabra no sal-
15 drá jamás de mis labios.

Vete lejos de mí, negra pesadilla. Cierro los ojos, me aprieto los párpados con fuerza para cerrarlos mejor, y cuanto más los cierro más te veo, horrendo cuadro. Esperan todos con ansiedad; pero ninguna ansiedad es com-
20 parable a la de mi alma, rebelándose contra la ley que obliga a determinar el fin de una existencia extraña. El tiempo pasa, y unos ojos que yo no quisiera haber visto nunca, desaparecen bajo una venda. Yo no puedo ver tal espectáculo, y quisiera que pusiesen también un lienzo en
25 los míos. Los soldados me miran, y yo disimulo mi cobardía frunciendo el ceño. Somos estúpidos y vanos hasta en los momentos supremos. Parece que los circunstantes se burlan de mi perplejidad, y esto me da cierta energía. Entonces despego mi lengua del paladar y grito: ¡Fuego!
30 La maldita pesadilla no quiere irse, y me atormenta esta noche, como anoche, y como anteanoche, reproduciéndome lo que no quiero ver. Más vale no dormir, y prefiero el insomnio. Sacudo el letargo, y aborrezco despierto la vigilia

como antes aborrecía el sueño. Siempre el mismo zumbido de los cañones. Esas insolentes bocas de bronce no han cesado de hablar aún. Han pasado diez días y Zaragoza no se ha rendido, porque todavía algunos locos se obstinan en guardar para España aquel montón de polvo y ceniza. Siguen reventando los edificios, y Francia, después de sentar un pie, gasta ejércitos y quintales de pólvora para conquistar terreno en que poner el otro. España no se retira mientras tenga una baldosa en que apoyar la inmensa máquina de su bravura.

Yo estoy exánime y no puedo moverme. Esos hombres que veo pasar por delante de mí no parecen hombres. Están flacos, macilentos, y sus rostros serían amarillos, si no les ennegrecieran el polvo y el humo. Brillan bajo la negra ceja los ojos que ya no saben mirar sino matando. Se cubren de inmundos harapos, y un pañizuelo ciñe su cabeza como un cordel. Están tan escuálidos, que parecen los muertos del montón de la calle de la Imprenta, que se han levantado para relevar a los vivos. De trecho en trecho se ven, entre columnas de humo, moribundos en cuyo oído murmura un fraile conceptos religiosos. Ni el moribundo entiende, ni el fraile sabe lo que dice. La religión misma anda desatinada y medio loca. Generales, soldados, paisanos, frailes, mujeres, todos están confundidos. No hay clases ni sexos. Nadie manda ya, y la ciudad se defiende en la anarquía.

No sé lo que me pasa. No me digáis que siga contando, porque ya no hay nada. Ya no hay nada que contar, y lo que veo no parece cosa real, confundiéndose en mi memoria lo verdadero con lo soñado. Estoy tendido en un portal de la calle de la Albardería, y tiemblo de frío; mi mano izquierda está envuelta en un lienzo lleno de sangre y fango. La calentura me abrasa, y anhelo tener fuerzas para acudir al fuego. No son cadáveres todos los que hay a mi lado. Alargo la mano y toco el brazo de un amigo que vive aún.

—¿Qué ocurre, Sr. *Sursum Corda*?

—Los franceses parece que están del lado acá del Coso —me contesta con voz desfallecida.—Han volado media ciudad. Puede ser que sea preciso rendirse. El Capitán General ha caído enfermo de la epidemia, y está en la calle de Predicadores. Creen que se morirá. Entrarán los franceses. Me alegro de morirme para no verlos. ¿Qué tal se encuentra usted, señor de Araceli?

—Muy mal. Veré si puedo levantarme.

—Yo estoy vivo todavía, a lo que parece. No lo creí. El Señor sea conmigo. Me iré derecho al cielo. Señor de Araceli, ¿se ha muerto usted ya?

Me levanto y doy algunos pasos. Apoyándome en las paredes, avanzo un poco y llego junto a las Escuelas Pías. Algunos militares de alta graduación acompañan hasta la puerta a un clérigo pequeño y delgado, que les despide diciendo: «Con nuestro deber hemos cumplido, y la fuerza humana no alcanza a más . . . » Era el Padre Basilio.

Un brazo amigo me sostiene, y reconozco a D. Roque.

—Amigo Gabriel—me dice con aflicción.—La ciudad se rinde hoy mismo.

—¿Qué ciudad?

—Ésta.

Al hablar así, me parece que nada está en su sitio. Los hombres y las casas, todo corre en veloz fuga. La Torre Nueva saca sus pies de los cimientos para huir también, y desapareciendo a lo lejos, el capacete de plomo se le cae de un lado. Ya no resplandecen las llamas de la ciudad. Columnas de negro humo corren de Levante a Poniente, y el polvo y la ceniza, levantados por los torbellinos del viento, marchan en la misma dirección. El cielo no es cielo, sino un toldo de color plomizo, que tampoco está quieto.

—Todo huye, todo se va de este lugar de desolación— digo a D. Roque.—Los franceses no encontrarán nada.

—Nada: hoy entran por la puerta del Ángel. Dicen 5 que la capitulación ha sido honrosa. Mira: ahí vienen los espectros que defendían la plaza.

En efecto: por el Coso desfilan los últimos combatientes, aquel uno por mil que había resistido a las balas y a la epidemia. Son padres sin hijos, hermanos sin hermanos, 10 maridos sin mujer. El que no puede encontrar a los suyos entre los vivos, tampoco es fácil que los encuentre entre los muertos, porque hay cincuenta y dos mil cadáveres, casi todos arrojados en las calles, en los portales de las casas, en los sótanos, en las trincheras. Los franceses, al 15 entrar, se detienen llenos de espanto ante espectáculo tan terrible, y casi están a punto de retroceder. Las lágrimas corren de sus ojos, y se preguntan si son hombres o sombras las pocas criaturas con movimiento que discurren ante su vista. 20

El soldado voluntario, al entrar en su casa, tropieza con los cuerpos de su esposa y de sus hijos. La mujer corre a la trinchera, al paredón, a la barricada, y busca a su marido. Nadie sabe dónde está: los mil muertos no hablan, y no pueden dar razón de si está Fulano entre ellos. Fami- 25 lias numerosas se encuentran reducidas a cero, y no queda en ellas uno solo que eche de menos a los demás. Esto ahorra muchas lágrimas, y la muerte ha herido de un solo golpe al padre y al huérfano, al esposo y a la viuda, a la víctima y a los ojos que habían de llorarla. 30

Francia ha puesto al fin el pie dentro de aquella ciudad edificada a las orillas del clásico río que da su nombre a nuestra Península; pero la ha conquistado sin domarla.

Al ver tanto desastre y el aspecto que ofrece Zaragoza, el ejército imperial, más que vencedor, se considera sepulturero de aquellos heroicos habitantes. Cincuenta y tres mil vidas le tocaron a la ciudad aragonesa en el contingente de doscientos millones de criaturas con que la humanidad pagó las glorias militares del Imperio francés.

Este sacrificio no será estéril, como sacrificio hecho en nombre de una idea. El Imperio, cosa vana y de circunstancias, fundado en la movible fortuna, en la audacia, en el genio militar, que siempre es secundario, cuando, abandonando el servico de la idea, sólo existe en obsequio de sí propio; el Imperio francés, digo; aquella tempestad que conturbó los primeros años del siglo, y cuyos relámpagos, truenos y rayos aterraron tanto a la Europa, pasó, porque las tempestades pasan, y lo normal en la vida histórica, como en la Naturaleza, es la calma. Todos le vimos pasar, y presenciamos su agonía en 1815; después vimos su resurrección algunos años adelante; pero también pasó, derribado el segundo como el primero por la propia soberbia. Tal vez retoñe por tercera vez este árbol viejo; pero no dará sombra al mundo durante siglos, y apenas servirá para que algunos hombres se calienten con el fuego de su última leña.

Lo que no ha pasado ni pasará es la idea de nacionalidad que España defendía contra el derecho de conquista y la usurpación. Cuando otros pueblos sucumbían, ella mantiene su derecho, lo defiende, y sacrificando su propia sangre y vida, lo consagra, como consagraban los mártires en el circo la idea cristiana. El resultado es que España, despreciada injustamente en el Congreso de Viena, desacreditada con razón por sus continuas guerras civiles, sus malos gobiernos, su desorden, sus bancarrotas más o menos declaradas, sus inmorales partidos, sus ex-

THE SIEGE OF SARAGOSSA, 1808. FROM THE PAINTING BY
HORACE VERNET IN THE NEW YORK PUBLIC LIBRARY

travagancias, sus toros y sus pronunciamientos, no ha visto nunca, después de 1808, puesta en duda la continuación de su nacionalidad; y aun hoy mismo, cuando parece hemos llegado al último grado del envilecimiento, con más motivos que Polonia para ser repartida, nadie se atreve a intentar la conquista de esta casa de locos.

Hombres de poco seso, o sin ninguno en ocasiones, los españoles darán mil caídas hoy como siempre, tropezando y levantándose, en la lucha de sus vicios ingénitos, de las cualidades eminentes que aún conservan, y de las que adquieren lentamente con las ideas que les envía la Europa central. Grandes subidas y bajadas, grandes asombros y sorpresas, aparentes muertes y resurrecciones prodigiosas reserva la Providencia a esta gente, porque su destino es poder vivir en la agitación como la salamandra en el fuego; pero su permanencia nacional está y estará siempre asegurada.

XXXI

Era el 21 de Febrero. Un hombre que no conocí, se me acercó y me dijo:

—Ven, Gabriel: necesito de ti.

—¿Quién me habla?—le pregunté.—Yo no le conozco a usted.

—Soy Agustín Montoria—respondió.—¿Tan desfigurado estoy? Ayer me dijeron que habías muerto. ¡Qué envidia te tenía! Veo que eres tan desgraciado como yo, y vives aún. ¿Sabes, amigo mío, lo que acabo de ver? Acabo de ver el cuerpo de Mariquilla. Está en la calle de Antón Trillo, a la entrada de la huerta. Ven y la enterraremos.

—Yo más estoy para que me entierren que para enterrar. ¿Quién se ocupa de eso? ¿De qué ha muerto esa mujer?

—De nada, Gabriel, de nada.

—Es singular muerte: no la entiendo.

—Mariquilla no tiene heridas, ni las señales que deja en el rostro la epidemia. Parece que se ha dormido. Apoya la cara contra el suelo, y tiene las manos en ademán de taparse fuertemente los oídos.

—Hace bien. Le molesta el ruido de los tiros. Lo mismo me pasa a mí, que todavía los siento.

—Ven conmigo y me ayudarás. Llevo una azada.

Difícilmente llegué a donde mi amigo, con otros dos compañeros, me llevaba. Mis ojos no podían fijarse bien en objeto alguno, y sólo vi una sombra tendida. Agustín y los otros dos levantaron aquel cuerpo, fantasma, vana imagen o desconsoladora realidad que allí existía. Creo haber distinguido su cara, y al verla, tristísima penumbra se extendió por mi alma.

—No tiene ni la más ligera herida—decía Agustín,—ni una gota de sangre mancha sus vestidos. Sus párpados no se han hinchado, como los que mueren de la epidemia. María no ha muerto de nada. ¿La ves, Gabriel? Parece que esta figura que tengo en brazos no ha vivido nunca; parece que es una hermosa imagen de cera, a quien he amado en sueños representándomela con vida, palabra y movimiento. ¿La ves? Siento que todos los habitantes de la ciudad estén muertos por esas calles. Si vivieran, les llamaría para decirles que la he amado. ¿Por qué lo oculté como un crimen? María, Mariquilla, esposa mía, ¿por qué te has muerto sin heridas y sin enfermedad? ¿Qué tienes, qué te pasa, qué te pasó en tu último momento? ¿En dónde estás ahora? ¿Tú piensas? ¿Te acuerdas de mí y sabes acaso que existo? María, Mariquilla, ¿por qué tengo yo ahora esto que llaman vida y tú no? ¿En dónde podré oírte, hablarte y ponerme delante de ti para

que me mires? Todo a obscuras está en torno mío, desde
que has cerrado los ojos. ¿Hasta cuándo durará esta
noche de mi alma y esta soledad en que me has dejado?
La tierra me es insoportable. La desesperación se apodera
de mi alma, y en vano llamo a Dios para que la llene toda. 5
Dios no quiere venir, y desde que te has ido, Mariquilla,
el universo está vacío.

Diciendo esto, un vivo rumor de gente llegó a nuestros
oídos.

—Son los franceses que toman posesión del Coso,—dijo 10
uno.

—Amigos, cavad pronto esa sepultura—ordenó Agustín,
dirigiéndose a los dos compañeros, que abrían un gran hoyo al pie del ciprés.—Si no, vendrán los franceses y nos la
quitarán. 15

Un hombre avanza por la calle de Antón Trillo, y deteniéndose junto a la tapia destruída, mira hacia adentro.
Le veo y tiemblo. Está transfigurado, cadavérico, con los
ojos hundidos, el paso inseguro, la mirada sin brillo, el
cuerpo encorvado, y me parece que han pasado veinte años 20
desde que no le veo. Su vestido es de harapos manchados
de sangre y lodo. En otro lugar y ocasión hubiérasele tomado por un mendigo octogenario que venía a pedir una
limosna. Acercóse a donde estábamos, y con voz tan débil
que apenas se oía, dijo: 25

—Agustín, hijo mío, ¿qué haces aquí?

—Señor padre—repuso el joven sin inmutarse,—estoy
enterrando a Mariquilla.

—¿Por qué haces eso? ¿Por qué tanta solicitud por una
persona extraña? El cuerpo de tu pobre hermano yace 30
aún sin sepultura entre los demás patriotas. ¿Por qué te
has separado de tu madre y de tu hermana?

—Mi hermana está rodeada de personas amantes y piadosas que cuidarán de ella, mientras ésta no tiene a nadie más que a mí.

D. José de Montoria, sombrío y meditabundo entonces cual nunca le vi, no dijo nada, y empezó a echar tierra en el hoyo, en cuya profundidad habían colocado el cuerpo de la hermosa joven.

—Echa tierra, hijo, echa tierra pronto—exclamó al fin, —pues todo ha concluído. Han dejado entrar a los franceses en la ciudad cuando todavía podía defenderse un par de meses más. Esta gente no tiene alma. Ven conmigo y hablaremos de ti.

—Señor—repuso Agustín con voz entera,—los franceses están en la ciudad, y las puertas han quedado libres. Son las diez: a las doce saldré de Zaragoza para ir al Monasterio de Veruela, donde pienso morir.

La guarnición, según lo estipulado, debía salir con los honores militares por la puerta del Portillo. Yo estaba tan enfermo, tan desfallecido a causa de la herida que recibí en los ultimos días, y a causa del hambre y cansancio, que mis compañeros tuvieron que llevarme casi a cuestas. Apenas vi a los franceses, cuando con más tristeza que júbilo se extendieron por lo que había sido ciudad.

Inmensas, espantosas ruinas la formaban. Era la ciudad de la desolación, de la epopeya digna de que la llorara Jeremías y de que la cantara Homero.

En la Muela, donde me detuve para reponerme, se me presentó D. Roque, el cual salió también de la ciudad, temiendo ser perseguido por sospechoso.

—Gabriel—me dijo,—nunca creí que la canalla fuera tan vil. Yo esperaba que en vista de la heroica defensa de la ciudad, serían más humanos. Hace unos días vimos dos cuerpos que arrastraba el Ebro en su corriente. Eran las dos víctimas de esa soldadesca furiosa que manda Lannes: eran Mosén Santiago Sas, jefe de los valientes escopeteros de la parroquia de San Pablo, y el Padre Basilio Boggiero, maestro, amigo y consejero de Palafox. Dicen que a ese último le fueron a llamar a media noche, so color de en- 5 comendarle una misión importante, y luego que le tuvieron entre las traidoras bayonetas, lleváronle al puente, donde le acribillaron, arrojándole después al río. Lo mismo hicieron con Sas.

—Y nuestro protector y amigo, D. José de Montoria, 10 ¿no ha sido maltratado?

—Gracias a los esfuerzos del presidente de la Audiencia ha quedado con vida; pero me lo querían arcabucear . . . nada menos. ¿Has visto cafres semejantes? A Palafox parece que le llevan preso a Francia, aunque prometieron 15 respetar su persona. En fin, hijo, es una gente esa, con la cual no me quisiera encontrar ni en el Cielo. ¿Y qué me dices de la hombrada del mariscalazo Sr. Lannes? Se necesita frescura para hacer lo que él ha hecho. Pues nada más sino que mandó que le llevaran las alhajas de la 20 Virgen del Pilar, diciendo que en el templo no estaban seguras. Luego que vió tal balumba de piedras preciosas, diamantes, esmeraldas y rubíes, parece que le entraron por el ojo derecho . . . Nada, hijo . . . que se quedó con ellas. Para disimular esta rapiña, ha hecho como que se 25 las ha regalado la Junta . . . De veras te digo que siento no ser joven para pelear como tú en contra de ese ladrón de caminos, y así se lo dije a Montoria cuando me despedí de él. ¡Pobre D. José, qué triste está! Le doy pocos años de vida: la muerte de su hijo mayor y la determi- 30 nación de Agustín de hacerse cura, fraile o cenobita, le tienen muy abatido y en extremo melancólico.

D. Roque se detuvo para acompañarme, y luego partimos juntos. Después de restablecido continué la campaña de 1809, tomando parte en otras acciones, conociendo nueva gente, y estableciendo amistades frescas o renovando las antiguas. Más adelante referiré algunas cosas de aquel año, así como lo que me contó Andresillo Marijuán, con quien tropecé en Castilla, cuando yo volvía de Talavera y él de Gerona.

Marzo–Abril de 1874

FIN DE ZARAGOZA

the hands of the French. The response was almost immediate. Although any real central authority was lacking, the Spaniards arose in all parts of the peninsula, appointed local commissions (*juntas*) to govern them, and refused to accept French domination.

The great rising in Madrid had occurred on May 2, 1808, before the proclamation of Joseph Bonaparte as king of Spain. A central or national *junta* was formed. Portugal also rose in revolt. England was asked for help. A great war began, known in Spain as the *Guerra de independencia*, famous in English history as the Peninsular War.

The early part of the war was favorable to the Spaniards, who won the battle of Bailén on July 19, 1808. Joseph Bonaparte fled from Madrid on July 31, 1808. The English troops landed, and the French abandoned Portugal. Spanish forces advanced toward the north. However, conditions soon changed. Napoleon himself intervened and defeated the English and Spaniards throughout northern Spain. Madrid fell on December 4, 1808. With few exceptions the years 1809 and 1810 were favorable to France. In 1810 the French occupied most of the peninsula except Cadiz and the English positions in Portugal. The Spaniards devoted themselves to guerrilla warfare, while the English, under Sir Arthur Wellesley, later Duke of Wellington, were preparing systematically for subsequent fighting. The tide turned in 1811, and the allies under Wellesley made considerable headway. In 1812, while Napoleon was engaged in his Russian expedition, the French steadily lost ground. Madrid was recaptured on August 12, 1812. In 1813 and 1814 the war proceeded successfully for the allies, who had invaded southern France before peace was made. Thus Napoleon's Spanish enterprise proved to be a great failure, and may be regarded as in some respects the beginning of his downfall.

The First Series of Episodios. The first ten *Episodios* deal
with outstanding events of the early nineteenth century in
Spain, and principally with the War of Independence. The
novels of this series are autobiographical in form. Except
in the account of the siege of Gerona, the narrator is
Gabriel de Araceli, a character created by Galdós on the basis
of an actual survivor of Trafalgar. He is an attractive young
man, whose feelings and actions are those of a natural, honest,
patriotic young Spaniard of his day. His own story, with its
ramifications, supplies the fictional matter of the first series
of *Episodios.* We follow Gabriel's love affair and his private
adventures with interest to their successful conclusion. However, the matter of chief concern is the history of Spain, and
the real hero of these novels is the Spanish people struggling
against invasion.

The novels of the first series are as follows:

1. *Trafalgar*, describing the great naval battle of October 20,
   1805, with due regard for English skill and valor and
   for Spanish valor.
2. *La corte de Carlos IV*, containing accounts of intrigues at the
   court in 1807.
3. *El 19 de marzo y el 2 de mayo*, narrating the uprising against
   Godoy in Aranjuez on March 19, 1808, and the famous
   riot in Madrid on May 2 of the same year.
4. *Bailén*, with an account of the Spanish victory of July 19,
   1808.
5. *Napoleón en Chamartín*, presenting the events leading up to
   the reoccupation of Madrid by the French in December,
   1808.
6. *Zaragoza*, with the famous second siege of the city.
7. *Gerona*, describing the heroic defense of this city in 1809 by
   Mariano Álvarez de Castro, perhaps the greatest single
   Spanish hero of the War of Independence.
8. *Cádiz*, describing the gathering in this city in 1810 of the
   Spanish legislative assembly or Cortes.

9. *Juan Martín el Empecinado*, treating one of the most famous of the Spanish guerrilla warriors in 1811.
10. *La batalla de los Arapiles*, devoted chiefly to the English contribution to the war.

The first novel of the second series, *El equipaje del Rey José*, deals also with the war of independence, treating the defeat of the French in the battle of Vitoria on June 21, 1813.

Throughout these novels are found many sidelights on opinions and customs in Spain. They are a mine of information collected by Galdós from many sources.

Immediate Historical Background of "Zaragoza." In order to understand the plot of *Zaragoza* we need little information regarding the novels that precede it in the series: there is nothing in *Zaragoza* related to Gabriel's love story, the secondary plot being furnished entirely by the persons encountered in the city by Gabriel. However, some knowledge of the military facts connected with the sieges is essential.

Saragossa[1] is a famous old city on the river Ebro in northeastern Spain. It is situated now in the province of Saragossa, once a part of the old kingdom of Aragon. The city was known in Roman times, and its name, Cæsaraugusta in Latin, is derived from that of Cæsar Augustus. It has often been the scene of stirring events, during the period of Moorish domination, later when it was the capital of Aragon, and still later as a part of the united kingdom of Spain. It was the scene of fighting in the early eighteenth century in the War of the Spanish Succession, as well as later in the war against Napoleon.

The patriotic uprising in Spain after the succession to the throne of Joseph Bonaparte spread quickly to Aragon. A popular revolt, begun on May 24, 1808, resulted in the ap-

---

[1] Except in referring to the name of the novel, the English form Saragossa is used in this introduction instead of the Spanish *Zaragoza*.

pointment as captain general of Aragon of the popular young José Palafox y Melci, a man of courage and good character, although not of extraordinary ability. He had the good sense to surround himself with able men. Under his leadership troops were raised, Saragossa was hurriedly prepared for defense, and legislative sessions were held. *Juntas* were appointed for various tasks. On June 7 the French general Lefebvre-Desnouettes left Pamplona to try to capture Saragossa with 4000 men, later reënforced. He defeated Spanish armies outside the city, which he reached on June 15. Then followed the first siege of Saragossa, of which some outstanding incidents are narrated in the second chapter of the novel, although the real subject matter of Galdós's work is the more memorable second siege. A list of important happenings in the first siege follows:

JUNE 15. Battle of Las Eras. The French approach the city near the gates of Portillo, Carmen, and Santa Engracia. There is much casual skirmishing, but no formal attack.

JUNE 17. Fruitless negotiations.

JUNE 26. Verdier replaces Lefebvre-Desnouettes.

JUNE 28. Capture of Mt. Torrero.

JULY 1. Attack on the Portillo gate and exploits of Agustina Aragón.

JULY 2. Capture of the Carmen gate and investment of the Portillo gate. Palafox, who had left the city, brings an army to the Arrabal and the French retreat from the Portillo gate.

JULY 28. Defeat of the relieving force.

AUGUST 1. The city is surrounded.

AUGUST 3. Fruitless negotiations.

AUGUST 4. Grand attack. The French penetrate to El Coso and hold half of the city. The Spaniards refuse to surrender. Street fighting ensues.

AUGUST 13. Joseph Bonaparte orders the immediate raising of the siege.

AUGUST 14. The French withdraw.

NOTES

PAGE 1 LINE 1 **del 18:** the month was December; cf. Introduction, p. xvi.

1 2 puerta de Sancho: for this and other landmarks in or near Saragossa see the plan of the city on the preceding page.

1 3 la Torre Nueva: a leaning tower built in the sixteenth century, and demolished in 1892 because it was considered unsafe.

1 6 Lerma: a town in the province of Burgos in Old Castile. After making their escape there, Gabriel and his companions proceeded southeast to Saragossa, about 135 miles distant. In general, see the Vocabulary for names of places and persons.

1 17 hízose: in literary style the object pronoun often follows the verb in forms other than the infinitive, present participle, and affirmative imperative, especially when the verb is near the beginning of a sentence or clause, and preferably when the verb is in the present or preterit tense.

1 20 Escuela Pía: a school for the education of destitute children; see plan of city.

1 21 Don Roque: a character in *Napoleón en Chamartín*, the novel that precedes *Zaragoza* in the series of *Episodios nacionales*.

1 24 el buscar amigos: 'the search for friends'; the infinitive is here a verbal noun, as frequently.

2 2 la torre inclinada: the Torre Nueva mentioned before.

2 13 por encima de: **por** is often used before other prepositions (and other parts of speech) with a force scarcely translatable.

2 16 cansado de soportarla: the Torre Nueva is said to have had a faulty foundation.

2 18 nunca acaba de caer: 'never does fall.' This use of **acabar de** must not be confused with the more common meaning that corresponds to the English 'just.'

2 19 el Coso: one of the principal streets in Saragossa. The Casa de los Gigantes is the popular name for the Audiencia (Court House), so called from the two gigantic figures at the doorway. To go from the Audiencia to the Seminario along the Coso, Gabriel and his companions had to walk a considerable distance in a circuit.

2 24 Monasterio de Santa Engracia: blown up by the French on August 13, 1808, just before the abandonment of the first siege.

2 31 los Santos Mártires de Zaragoza: the bones of martyrs are said to rest in the lower church, sometimes called the Church of the Martyrs, which commemorates the massacre of St. Engracia and other Christians by the soldiers of the Roman emperor Dacian (304 B.C.).

3 6 los dos famosos cronistas: sixteenth-century historians of Saragossa and Aragon, Jerónimo Zurita (1512–1580) and Jerónimo Blancas (ca. 1550–1590).

3 15 tapándonos con manta y media: 'covering ourselves with a blanket and a half'; apparently a picturesque reference to the scantiness of their covering.

3 17 — Yo conozco: the dash is generally used in dialogue to indicate the interlocutors.

4 3 de: omit in translation, as, in general, when prepositions precede **que** clauses. The use of prepositions before **que** clauses in Spanish is common, either after a noun, as here, or after a verb, as in the case of **en** two lines below.

4 5 por carecer de: 'because we lacked'(for lack of). In Spanish **por** and other prepositions are often followed by the infinitive, where in English we sometimes substitute a conjunction with a clause. In such cases **por** usually signifies cause.

4 8 que os he de llevar: 'for I intend to take you.' The exact translation of **haber de** must depend upon the context; **que** often means 'for.'

4 17 saludara: when **como** means 'as' or 'because,' it is followed by the indicative or the subjunctive indifferently. However, this **saludara** may also be regarded as the equivalent of the pluperfect indicative **había saludado.**

4 27 el 4 de Agosto: concerning the events of this day and the battle of the Eras mentioned below, cf. Introduction, p. xiv.

5 6 Pues no he de poder: 'why, of course I can'; cf. note to **4** 8.

5 10 Esteban López: for this and other episodes taken from history, cf. Introduction, p. xviii.

5 11 voluntarios de Aragón: concerning Galdós's use of the names of bodies of troops in Saragossa, cf. Introduction, p. xviii.

5 13 **Eso sí que es :** 'that indeed is.' This emphatic use of **sí** is frequent. When **que** introduces a clause without a preceding verb expressed, it is explained as dependent upon some verb understood (**hay, sucede, puede decirse,** etc., are sometimes suggested). This **que** may begin a clause or may follow an adverb or adverbial phrase (here **sí**).

5 15 **4 de Junio :** a mistake; the siege did not begin until June 15, and the episode of the artillera, Agustina Aragón, took place on July 1. A **cañón de 24** is a 24-centimeter (or about a 10-inch) cannon.

5 24 **mi don Andrés :** this use of **mi** is common in popular usage.

5 31 **Sursum Corda :** Latin words from the mass, meaning 'hope' or 'courage' (literally 'up hearts'); here simply a nickname.

6 1 **pué :** colloquial for **puede,** here meaning 'it is possible.'

6 4 **al señor de Sursum Corda :** 'Mr. Sursum Corda'; **de** is used in somewhat humorous politeness.

6 6 **Pues ello :** 'just so'; indicating assent or satisfaction.

6 10 **siempre que gusten :** 'whenever you like.' The verb **gustar,** usually impersonal, is here personal. Like **antes que** and other conjunctions of time, **siempre que** takes the subjunctive when it refers to indefinite future time. — **como iba diciendo :** 'as I was saying.' For emphasis or variety **ir** and other verbs (**venir, andar, quedar, seguir,** etc.) are sometimes substituted for **estar** in progressive tenses.

6 17 **D. Miguel Gila :** cf. Introduction, p. xviii.

6 23 **amigo y señor mío :** 'my dear sir,' here used in exaggerated politeness. Don Roque would like to escape.

6 26 **al D. José :** the use of articles before **don** or **doña** is colloquial.

6 33 **la Aljafería :** originally a Moorish castle, later a palace and a headquarters of the Inquisition, partly destroyed during the second siege, and now restored and used as a barracks.

7 1 **Y que es hombre de mantequillas en gracia de Dios . . . :** 'and (he) is a mollycoddle by the grace of God' (ironical). For **que,** introducing the clause, see note to **5** 13.

7 3 **En la del 4 de Agosto :** 'in the affair of the fourth of August.' In Spanish a feminine article, adjective, or pronoun often refers to something indefinite. The reference is sometimes explained by supplying a feminine noun such as **cosa,** although a satisfactory noun cannot always be suggested.

7 5 **Esto de :** the neuter pronouns **lo, esto, eso,** and **aquello,** followed by **de,** are frequent. They are usually to be translated 'the (this, that)

affair or matter of.' Here it is better to say 'Santa Engracia here.'
There is no connection between this construction and the indefinite
feminine just treated.

7 9 un barrio de naipes: 'a ward of cards'; cf. English 'a house
of cards.'

7 17 Pues yo sí: 'well, I *did* (see it).' **Sí** often repeats the idea
contained in the preceding verb where in English we use an auxiliary
verb with emphasis.

7 27 echa: the historical present for vividness, as often both in
Spanish and in English.

7 30 se vuelve: with verbs of motion (except **irse** and some idioms)
the reflexive adds only a slight sense of spontaneity to the simple verb.

— velay que: for **que** see note to **5 13**.

8 10 al ir a disparar: the subject understood is "they," Codé and
his companions. In his quick narrative Sursum Corda suppresses this
and an object pronoun **les** with **se echan encima** below.

8 27 un servidor: this is Gabriel himself; cf. in English 'your
humble servant.'

9 9 así lo exigía: '(the plan) so required it,' or 'this was required
by.' The Spanish active construction is here best rendered by the
English passive.

9 21 lo cual: neuter because its antecedent is the account of the
capitulation, and not **capitulación** itself.

9 33 Doñana: an imaginary place. Gabriel was a foundling from
Cadiz, but in *Napoleón en Chamartín* (pp. 99 ff.) an attempt was
made to construct a family tree for him.

10 1 Trafalgar: scene of a great victory of the English fleet under
Nelson over the French and Spanish fleets on October 21, 1805.
Gabriel had been on one of the ships in the battle at the age of four-
teen years, but merely as a servant.

10 3 en el Perú: a reference to *Napoleón en Chamartín* (pp.
81 ff. and 96 ff.), where a position for Gabriel in Peru is discussed.

10 4 Puerta de los Pozos: Gabriel took part in the defense of
Madrid at this gate in early December, 1808 (*Napoleón en Chamartín*,
pp. 170 ff.).

10 14 vestido: to facilitate a proposed flight of Gabriel from
Madrid in *Napoleón en Chamartín*, a duke's costume had been
secured for him.

10 21 cuya compañía: the situation is unclear. According to Galdós's words Sas and Montoria would be captains of the same company. On page 15 Sas is referred to as commander of a battalion of escopeteros, and, in an omitted passage, of a company. Alcaide Ibieca states that Sas formed two companies of four squads each. Galdós probably means that Montoria was captain of one of these companies. The whole matter is probably an example of Galdós's occasional carelessness, caused by haste; it is not important.

10 24 no está para coger el fusil: Don Roque was an elderly man.

10 29 lo bien que recibiríamos: 'how gladly we should receive'; a common use of **lo** before adverbs.

11 16 hacer penitencia: 'to do penance': a polite circumlocution for ' to eat.'

11 18 boberías: 'foolishness.' An abstract noun is often plural in Spanish when it is singular in English.

11 19 están en su casa: 'you are in your (own) house'; a common expression of politeness.

11 25 vierais: Galdós is here addressing his readers in the familiar plural form.

12 3 no era cosa de que: 'it was not fitting that' (i.e. 'the thing that'); note again the use of **de** before a **que** clause.

12 10 Menudo: ironical. — **sacas de lana:** to protect the walls against shot.

12 23 Amberes, etc.: scenes of famous sieges. Antwerp was captured by the French in 1832, Danzig by the French in 1807, Metz by the Germans in 1871, Sebastopol by the Allies in the Crimean War in 1855, Cartagena by the Spanish government from rebels in 1874. Gibraltar, captured by the English in 1704, was successfully defended by them on more than one occasion, especially in the great siege of 1779–1783.

13 33 puesta a la vista toda su alma: 'as his whole soul was placed in plain view,' i.e. he was always above board. This is an absolute construction.

14 6 amor de familia: as if he felt himself related to the Virgin; an example of Spanish religious feeling. The Cathedral of the Pilar contains the pillar on which the Virgin is supposed to have appeared to St. James in Saragossa in 40 A.D., and also an image of the Virgin, said to have been given by her to St. James on the same occasion. The Virgin of the Pilar is the patroness of Saragossa, and is much revered there.

14 18 **la Seo :** used as the cathedral of the city alternately with the Pilar for six months of each year.

14 21 **si me conocieran :** we should expect **si me hubieran conocido** ('if they had known me') to agree with the conclusion **no habrían sido.** However, in the familiar style of Gabriel de Araceli's narrative the shorter imperfect subjunctive instead of the pluperfect is not unnatural, and is vivid.

15 12 **numantinos :** Numantia, in north central Spain, was renowned in antiquity for its heroic resistance to the Romans. It is now in ruins.

15 14 **figuras de coturno :** 'figures of the buskin.' The buskin, employed by Greek tragic actors, has come to be used as a symbol of tragedy, or of an elevated poetic style. The editor has not discovered any English or German plays dealing with the people of Saragossa, but there are references to them in poetry (e.g. Byron and Kleist), in letters, and in newspapers. By **figuras de coturno** Galdós may have meant merely 'figures worthy of the stage' or 'heroic figures.' The thick-soled buskin made actors appear tall.

15 18 **nuestras carnes,** etc. : almost identical words, and also Palafox's proclamations below, are found in Alcaide Ibieca.

15 20 **batallón de voluntarios de las Peñas de San Pedro :** one of the units defending Saragossa.

15 27 **cuya :** 'which,' not 'whose'; a frequent use of **cuyo.**

16 4 **el Arrabal :** note on the map the exposed position of the Arrabal.

16 7 **el Canal :** the Canal Imperial (for irrigation), which takes its water from the Ebro and runs nearly parallel to the river, south of Saragossa. It was begun in the sixteenth century, and has never been finished, although enough of it was completed in the eighteenth century to be of considerable service.

16 8 **Cuarenta mil hombres :** French authorities say just over 30,000 men.

16 10 **desde :** omit in translation.

16 11 **el monte Torrero :** this hill, a short distance south of Saragossa, was captured early in both sieges, although it might have been defended if the Spaniards had had more time and means. It was an important, but not an absolutely vital point.

17 4 **nuestros modernos geniecillos:** 'our little modern geniuses'; the diminutive here is depreciative.

17 6 **la gran escuela de los latinos:** this apparently refers to the best traditions of the Latin peoples, derived from the Romans.

17 14 **la Iglesia docente:** 'the teaching church,' i.e. the priests who give instruction in Christian doctrine.

17 15 **la primera misa:** i.e. the first mass to be said by Agustín.

18 4 **es:** the present indicative here after the past tense **acordara** is much more forceful than the more logical conditional form **sería.**

18 9 **para lo que vale mejor** etc.: 'the best thing is not to think about it.' In modern Spanish prose, prepositions are regularly placed before **lo que** even when logically they belong between **lo** and **que** as here.

18 11 **Eso que lo digan los viejos:** repetition of the object (here **eso**) by a personal pronoun is common in Spanish, especially when, for emphasis, the object precedes the verb.

18 24 **Por si:** 'in case'; slightly different from **si** alone.

18 25 **espero cumplirás:** 'I hope (that) you will carry out.' Note the omission of **que** in Spanish. This is not nearly so common as the omission of 'that' in English.

19 5 **te vas:** the present tense is used many times for vividness instead of the future, throughout this conversation.

19 31 **la camisa:** 'your shirt' or 'a shirt'; note the use of the definite article in Spanish. — **Agustinillo:** 'my dear Augustine.' The diminutive here expresses affection.

20 11 **el tío Candiola:** 'old Candiola.' The word **tío** (or **tía**) is customarily applied to an elderly or peculiar person.

20 16 **el Consejo y Cámara de Castilla:** administrative bodies, no longer in existence, but formerly important, with political, judicial, and other functions, now exercised by other bodies.

20 20 **que parece se está cayendo:** note the omission of **que** after **parece,** and see note to **18** 25.

21 3 **a él lo mismo le daba Juan que Pedro:** 'he cared the same for John as for Peter,' i.e., it was a matter of indifference to him.

21 6 **una buena pieza:** 'a fine specimen' (ironical).

21 14 **estuvieran:** the subject is the indefinite third person plural 'they,' used as in English.

21 24 **La Virgen del Pilar dice:** evidently the first line of a patriotic song of the siege. See **46** 22.

21 28 Pero si no me mandas nada : statements like this, introduced by **si**, are common in Spanish, and in translation such a **si** is usually to be rendered ' but,' ' well,' or ' why '; here it may be omitted.

22 8 ésos : ' them.' The demonstrative is sometimes used where in English we use a personal pronoun with emphasis.

22 14 no haya sido : ' was not.' The perfect tense is sometimes used in Spanish where a simple tense is preferred in English.

22 15 Elzevirius : a pocket edition of Horace printed by the firm of Elzevirius (Elzevir), a famous Dutch family of printers and publishers.

22 16 a quien : quien sometimes refers to personified or important things, as well as to persons.

22 24 Quis multa gracilis te puer in rosa : Ode 5, Book I, of Horace. The words here quoted are the first line; supplying a verb from the second line to fill out the sense, it means ' What slender boy on many a rose is courting you? '

22 26 no estaba : supply **en casa.**

22 31 Que si es guapa : ' is she beautiful.' The verb **preguntas** is understood before **que**, which is sometimes employed to connect **preguntar**, expressed or understood, with a following clause or indirect question.

23 20 Asturias de Santillana : the name of an old province in north central Spain, comprising chiefly what is now part of the province of Santander.

23 25 lo estoy todavía : ' I am (so) still.' **Lo** refers to **asombrado** ; **lo** often refers to a preceding adjective or noun, where in English we use ' so,' ' one,' or ' it,' or no word at all.

24 2 después de levantado el primer sitio : ' after the first siege had been raised.' **Levantado el primer sitio** alone would be an absolute construction, meaning ' the first siege having been raised.' The employment of a preposition of time (here **después de**) before a participle and substantive is a typical Spanish construction, whether or not the participle and noun are to be regarded as forming an absolute clause.

24 24 Est mollis, etc. : ' the pleasing flame meanwhile eats her marrow, and the wound lives secretly in her breast '; from Virgil's Æneid, Book IV, lines 66–67. Agustín is applying Dido's experience to himself.

25 13 **la Candiola:** 'the Candiola girl.' In familiar speech the article **la** before a last name designates a woman.

25 27 **los hay:** 'there are some.' **Los** refers to **momentos**.

25 33 **señalándole:** note that, as often, **le** means 'it.'

26 17 **Serían las nueve:** 'it was about nine o'clock': the so-called conditional of probability in the past.

27 18 **la célebre imagen:** see note to **14** 6.

27 23 **Mariquilla:** 'Mary.' The sense of endearment in the diminutive can hardly be translated.

28 3 **lo era: era hermosa**; see note to **23** 25.

29 1 **tendría reducida a su hija:** 'he would keep his daughter reduced.' **Tendría** is here a principal verb in force, and not merely a substitute for **haber**. Grammatically **tener** is always a principal verb, for the past participle with it is used as an adjective to agree with the object of **tener**.

29 6 **non plus ultra:** 'the uttermost' (Latin).

29 14 **irá saliendo:** 'it will be coming out'; see note to **6** 10.

29 20 **tía Guedita:** 'Guedita'; see note to **20** 11. Here **tía** is hardly translatable.

30 13 **cierto mercader veneciano:** Shylock is meant.

30 21 **No gusta:** 'he does not like'; again **gustar** is personal.

30 29 **dos cuartos con cardenillo:** 'two farthings with verdigris,' i.e. two rusty farthings.

30 30 **la pone de vuelta y media:** 'he will scold her'; the present, instead of the future, is vivid.

31 7 **un arca: un** is used instead of **una** before a word beginning with accented **a**.

31 23 **me dices:** a conversational use for **me preguntas**.

31 33 **esta imagen:** the image of the Virgin of the Pilar.

32 14 **No sé rendirme,** etc.: these words, and the long statement mentioned below, are in Alcaide Ibieca.

32 21 **Boggiero:** one of the most influential persons in Saragossa, and recognized in histories of the siege as the inspirer of many of Palafox's acts and statements.

33 2 **su primera paralela:** a 'parallel' is a trench dug by an attacking force parallel to the line of defense. According to the standard siegecraft of Napoleonic days, three parallels were dug, and connected by zigzag trenches. The first parallel was dug at night, zigzags were constructed from it to the point where it was desired to open the second parallel, and so on.

33 3 **lo cual :** the neuter refers to the fact that there were many troops in Saragossa.

33 16 **en zig-zag :** see note to **33** 2.

33 25 **Reducto inconquistable,** etc. : an almost identical inscription is found in Alcaide Ibieca, II, 15.

34 18 **pedrisco :** this and the following terms are slang epithets natural among soldiers ; see vocabulary.

35 2 **escudo de premio y distinción :** a medal of honor granted to many soldiers in accordance with a proclamation by Palafox on August 16, 1808.

35 3 **no porque careciera :** subjunctive because of the negative ; **porque,** meaning 'because,' when not preceded by a negative, is followed by the indicative.

35 16 **Recuerno : re** prefixed to an exclamatory word makes it more forceful.

36 23 **que tenía guardado :** 'that I was keeping stored away '; cf. note to **29** 1.

36 31 **el día 31 :** Pirli had returned from the sortie with some booty.

37 12 **Manuela :** a historical figure, mentioned for her bravery by Alcaide Ibieca and Toreno. Modern Saragossa has a street named after her. In describing her Galdós has greatly expanded his sources.

37 20 **nos tuvo encantados :** 'kept us delighted': here again **tener** is more than a mere substitute for **haber.**

38 19 **en pedazos mil :** 'in a thousand pieces '; an emphatic position for a numeral.

39 31 **prenda :** ' my dear '; **prenda** may be used of a beloved object, and from that the transfer to its colloquial use in address is easy. — **haciéndole tomar el arma : le** is indirect object. When **hacer** accompanies another verb which takes a direct object, the object of **hacer** is regularly indirect.

39 33 **la segunda artillera :** Pirli compares Manuela to Agustina Aragón ; see **5** 17.

40 9 **Si a estas cosas no hay más que tomarlas el gusto :** ' why, for these things you have only to develop a liking '; we should expect **les,** but **las** is very commonly used as indirect object.

40 20 **a comer :** equivalent to **vamos a comer**.

40 22 **hijo:** affectionately used to the dog.

41 9 **Napoleón :** the editor has not succeeded in verifying this statement about Napoleon.

41 23 **Ya :** used alone, **ya** means 'well' or 'indeed'; here it expresses surprise.

44 27 **Manuela Sancho :** this episode is based on history.

45 17 **la Francia :** the article used with the name of a country adds emphasis or dignity. Of course this does not apply to the names of countries that regularly take the article, like **el Portugal**.

45 22 **Las bombas,** etc.: based on a proclamation of Palafox, found in Alcaide Ibieca, II, 10.

46 8 **Con ser tantas y tan gordas :** 'although there were so many of them (the **noticias**) and they were such whoppers.' This concessive meaning of **con** followed by the infinitive is common.

47 6 **con mirar :** 'by looking'; here **con** followed by the infinitive expresses means.

47 14 **les traía muy apurados :** 'had (or kept) them very much worried'; **traer** resembles **tener** as used with past participles.

47 15 **destruído :** agrees with **techo**, instead of **parte**.

48 3 **Dios y la Virgen del Pilar le saquen,** etc.: 'may God and the Virgin of the Pilar get him safely out of this war, for the rest will be realized in due course.'

48 6 **mitra, báculo :** symbols of the bishop's office; see vocabulary.

48 14 **hechos unos guerreros :** 'made (converted into) warriors'; a common use of **hecho**.

48 15 **Don Santiago Sas,** etc.: all these militant churchmen are mentioned in Alcaide Ibieca, and their share in the defense of Saragossa was characteristic of the religious as well as the patriotic fervor of the Spanish war of independence.

48 21 **por volver :** 'to return.' When **por** expresses desire or purpose it is usually somewhat more vague than **para**; i.e., accomplishment seems doubtful. Sometimes, however, there is no real distinction.

48 28 **amorem . . . formosa . . . pulcherrima, inflamavit :** 'love . . . handsome . . . most beautiful, inflamed'; disconnected Latin words, preserved in the memory of Doña Leocadia. She makes **inflammavit** more like Spanish by getting rid of the double **m**.

48 32 **una obra eclesiástica :** although not technically a well-educated man, Gabriel had studied and read a good deal. It is not unnatural for him to indulge in this harmless irony.

49 7 **bendita :** 'blessed.' In Spanish as in English, this word expresses several shades of meaning, now serious, now ironic, now playful, as here.

49 27 **hará que pronto no podamos :** 'will bring it about that soon we cannot,' or 'will soon make us unable'; in this sense **hacer que** is regularly followed by the subjunctive.

50 13 **una batalla, que ni la de las Eras se le compara :** '(such) a battle that not even that of the Eras is comparable to it.'

50 14 **Pues qué:** 'you don't say so'; used before a negative question.

50 31 **Sr. D. José de mis pecados :** 'my dear Don José.' **Señor** adds a little solemnity to the address; **de mis pecados** denotes affection.

51 5 **No es ésta la primera vez,** etc. : apparently to be connected with **31** 5.

52 3 **creyendo habérselas :** 'believing that he had to deal'; an idiomatic use of **haber**; **las** is the indefinite feminine pronoun.

52 22 **administrador de bienes del Común . . . contratista de arbitrios :** 'administrator of attached property for the community . . . collector of taxes.' Candiola insinuates that Montoria has made dishonest use of his positions.

52 30 **No la doy menos de ciento sesenta y dos reales costal de a cuatro arrobas:** 'I will not give it for less than a hundred and sixty-two reales (for) a four-arroba bag.' Note the conciseness of business language. The combination **de a** is used in various phrases, especially of rate, measure, and price.

53 14 **ni tanto así:** 'not even so much'; accompanied presumably by a gesture indicating a very small quantity.

53 19 **sabandijo:** dictionaries give only the feminine **sabandija**; the masculine form is popular usage.

53 29 **del Moncayo :** the highest mountain near Saragossa.

54 21 **corazón de corcho :** in English we should say 'heart of stone' or, to avoid repetition, 'hard heart.'

55 6 **Candiolilla :** 'miserable Candiola.' Here, and in Candiola's rejoinder, the diminutive has a contemptuous force. — **tengamos la fiesta en paz :** 'let us settle the affair in peace'; a recognized expression used as a plea against disturbance.

55 10 **Ya :** 'yes' or 'indeed.'

55 21 **la Virgen del Pilar,** etc. : Candiola accuses his fellow-citizens of graft under the cloak of patriotism.

58 24 **después de esparcidos :** 'after they (**mis miembros**) were scattered'; see note to **24** 2.

59 12 **Nada :** 'there is no use talking.' Some such interpretation may be given to this use of **nada** alone. The closest equivalent in English in a single word is 'no.'

60 12 **el Coso :** this street marks the limits of the old Roman city.

60 24 **Me vería Mariquilla :** 'could Mariquilla have seen me'; the so-called conditional of probability. In a question it may express uncertainty, as here.

60 29 **no está el horno para bollos :** 'the oven is in no condition for rolls'; i.e., this is no time for questions.

61 2 **quizá esté :** quizá(s) and **tal vez** are often followed by the subjunctive.

61 27 **Ya se acabó aquella gente invencible :** 'those invincible people . . . have come to an end.' To describe an action just completed, the preterit, instead of the usual perfect, is emphatic.

62 4 **epidemia :** according to the French writer Lejeune, the defenders of Saragossa suffered terribly from typhus fever.

62 9 **eso de quedarse uno frío, y entrarle calambres,** etc. : 'that matter of a man's being cold and having cramps, etc., attack him.' Note the indefinite use of **uno,** and that **quedarse** and **entrar** depend on **de.**

62 15 **Hay hombre :** 'there is a man,' or 'here is the case.of a man.' Montoria is probably not referring to any definite individual.

62 22 **Cuando digo,** etc.: this incomplete sentence is natural in Montoria's excitement.

63 4 **mucha gallina :** the singular for the plural, a peculiar idiomatic construction, occasionally found in conversational Spanish.

63 8 **Que un hombre como yo se ocupe :** 'that a man like me should busy himself.' Before **que** there is ellipsis of some expression that takes the subjunctive, such as **es posible.**

64 17 **dejarse :** the infinitive is sometimes used for the imperative in a forceful, exclamatory, or general context.

66 10 **que fuera contestada :** 'until it should be answered,' or 'for it to be answered.'

67 2 **Agustín iba acompañado:** for emphasis or variety, several verbs (**ir, venir, quedar,** etc.) may be used instead of **estar** before the past participle; somewhat similar substitutes for **estar** are used before the present participle.

69 21 **cuando menos lo parezca:** 'when it seems least probable.' **Lo** stands for the idea that they will realize their desires.

70 9 **nos conocemos hace cuatro meses:** **desde** is usually placed before **hace** in this construction.

71 26 **una señora bomba:** the effect of **señora** is semicomic.

72 3 **A la niña no le asusta:** if not a misprint, **le** is used for **la**; **le** tends to encroach upon grammar rules for object pronouns.

72 16 **Bendita bomba, que no cayera:** 'blessed (*ironical*) bomb, (to think) that it didn't fall.' The next remarks show a change. After all, Candiola hopes that the bomb has fallen upon Montoria's home.

72 23 **a las Santas Masas y a Santo Domingo del Val:** the Santas Masas are the martyrs buried in Santa Engracia; Santo Domingo del Val was a child saint slain in Saragossa by Jews in 1250. He is usually called Dominguito. He was Candiola's patron saint (**96** 1).

73 5 **hasta que la vieja no vino:** 'until the old woman came'; **no** is sometimes used redundantly after **hasta que** or **mientras**, when the main clause is negative.

73 18 **Sí:** in giving this answer Agustín takes advantage of the ambiguity of the possessive **su,** which may refer to either man.

74 9 **este arma:** this use of a masculine ending before a feminine word beginning with accented **a,** not approved by grammarians except in the case of the article, occurs in conversation.

74 18 **si llega a salir verdad,** etc.: 'if . . . turns out true.' We should expect the whole context here to be in the pluperfect subjunctive, in past conditions contrary to fact. The present tense makes María's intention extremely emphatic.

76 7 **el que ha traído la guerra que la pague:** the subject of **pague** is **el que,** etc.

76 12 **las de Urries:** 'the Urrieses,' i.e. the ladies of the Urries family.

76 20 **Tu papaíto:** 'your dear papa' (ironical or contemptuous).

77 16 **los:** if not a misprint, this is a popular usage for **les.**

77 24 **Pasito a pasito :** 'step by step.' The diminutive suggests extreme caution.

80 2 **pensamientos :** the subject of **desbordándose** in an absolute construction.

81 4 **me quedo tan contenta : tan** is used not infrequently as a substitute for **muy,** just as in English (although less often) 'so' replaces 'very.'

81 10 **le preguntamos que cómo :** note that **que** follows **preguntamos,** and see note to **22** 31.

82 22 **Temes al fuego : a** is sometimes used before the direct object when it is an emphatic or important thing, as well as a person.

83 29 **se las compone :** 'arranges matters'; for the indefinite feminine **las** see note to **7** 3.

84 5 **llevaron . . . arrastró :** the subject of **llevaron** is the indefinite 'they'; that of **arrastró** is **oleada.**

85 5 **he aquí que :** 'lo and behold.' **He** is a species of interjection of disputed origin, used to call attention to something.

85 12 **Que :** introduces an exclamation ; see note to **5** 13.

88 27 **en una :** i.e. **en una casa.**

90 6 **de que :** dependent on **temor** above.

90 22 **A todas éstas :** '(in addition) to all these (circumstances)'; note the indefinite feminine pronoun.

90 28 **las piedras del Coso :** a name once given to the undeveloped portion of the Coso.

92 20 **D. José :** Palafox.

93 11 **le vimos :** 'we saw on her.'

95 8 **Quiere usted :** 'will you.' When the verb "will" expresses volition, its Spanish equivalent is **querer.**

96 2 **Santo Dominguito del Val :** see note to **72** 23.

96 6 **tres o cuatro reales por peso fuerte al mes :** about fifteen to twenty per cent a month.

96 18 **sí viene al caso :** 'it *does* make a difference'; note the emphasis of **sí.**

97 5 **me producía :** 'produced in me.'

98 16 **Doña Guedita me arañó el rostro al salir del cuarto :** a peculiar statement which indicates that Guedita in her terror was clawing whatever she came in contact with.

98 31 **mientras no recoja :** 'until I pick up'; see note to **73** 5.

99 1 **Si las hubiera:** 'if there were any'; see note to **25** 27.

99 24 **Vaya usted noramala:** 'go to the devil'; **noramala** is short for **en hora mala.**

100 23 **Y no tener yo aquí:** 'and (to think) that I should not have here.'

100 26 **la mejor pieza: pieza** may refer to any piece of furniture; here to the candil. In English we should repeat the word 'lamp.'

102 8 **en el momento de alzar:** the moment during mass when the host is raised; the congregation kneels at this point.

102 11 **como del Mercado:** 'from the general direction of the market'; **como** makes the direction vague.

102 20 **Por asesino,** etc.: these words are found in Alcaide Ibieca, II, 174.

104 2 **del 30 de Enero al 2 de Febrero:** there was fighting in the houses near the Puerta Quemada during these days.

105 12 **partirlo:** the meaning is imperative; see note to **64** 17.

106 31 **algún cuerpo:** the force is plural, as is not rare with **alguno.**

108 14 **Trabajillo:** 'a little work' (cheerful irony).

108 22 **trajera:** used for the pluperfect **había traído.**

113 18 **En la torre,** etc.: as M. Bataillon points out, these words are taken from Alcaide Ibieca, II, 164.

113 23 **en la historia:** apparently Pirli is a fictitious name, but Galdós here points out that the deed ascribed to him is historical. Alcaide Ibieca mentions no names connected with this exploit.

114 17 **la familia de Lazán:** the brother of Palafox was the Marquis of Lazán, the hereditary title of the oldest son of the family.

116 24 **ladito:** the diminutive ending here naturally accompanies a wheedling or persuasive tone.

117 5 **aquellos prodigiosos niños del horno de Babilonia:** Shadrach, Meshach, and Abednego, who were protected by God from suffering injury when cast into the fiery furnace (Daniel, chapter 3).

118 3 **que había quedado olvidado:** 'which had been forgotten'; see note to **67** 2.

118 6 **Que pierda uno:** '(to think) that a man should lose'; see note to **63** 8.

118 12 **Es feliz la ocurrencia:** 'it is a happy idea' (ironical).

118 26 **los pájaros gordos:** 'the big-bugs,' literally 'big birds,' a colloquial term for persons of importance.

119 5 **por esas calles :** 'on the streets'; the demonstrative **ese** is sometimes used to refer to something indefinite.

124 21 **Un hombre,** etc.: the editor has not found the source of this incident.

127 21 **cuando aquello de la harina :** 'when that affair of the flour (took place)'; **cuando** may be used thus with a verb understood.

128 1 **Aquello pasó :** 'that has passed'; for the tense see note to **61** 27.

128 26 **Perdoncitos :** the diminutive here indicates contempt and may be translated by emphasizing *pardons*.

129 22 **Quién conoció :** 'who would recognize'; the meaning is that nobody would now recognize the people of the first siege, so far have they fallen; the use of the preterit is forceful.

130 27 **vaya usted a hablarle :** 'go and talk to him' (scornful).

130 29 **de re theologica, de erotica :** Latin expressions; 'about matters of theology . . . about matters of love.'

130 31 **Santo Tomás :** St. Thomas Aquinas (1227–1274), a famous scholastic philosopher, author of a celebrated compendium of Christian doctrine called *Summa Theologiae* or "Sum of Theology."

131 23 **una buena pieza :** 'a bad lot,' not quite the same force as in **21** 6.

132 5 **No está mala alegría :** the priest is ironical. We may freely translate Montoria's preceding remark **Alegre de cascos tal vez** 'a little frivolous perhaps'; then we may render **No está mala alegría** as 'frivolous is the word.'

132 32 **Ni por pienso :** 'not even in thought,' or 'by no means'; here **pienso** is a noun equivalent to **pensamiento.**

134 16 **Qué has dicho, qué ha dicho usted :** the familiar **tú** is not very complimentary, and Montoria changes to the more polite **usted.**

139 2 **No sé si será,** etc.: 'I don't know whether it can be on account of the great affection that I have for him that (on account of which) he seems to me, etc.'

139 27 **pasado :** he starts to say **pasado mañana** 'day after tomorrow,' but this too he retracts.

140 19 **porque :** 'in order that,' used sometimes for **para que** to express purpose, as **por** is used for **para**; see note to **48** 21.

141 13 **me llamas :** 'call me'; the present tense here has imperative force.

142 13 **iba a decidir la suerte de la ciudad :** in reality the fall of the Arrabal on February 20 was the decisive blow of the siege; in order to combine Candiola's treachery with the siege Galdós treats the fall of San Francisco as the critical event. Cf. Introduction, p. xix.

145 1 **agua de malvas :** 'water of mallows.' The mallow is used to produce a soothing application for colds, on account of its softness.

145 16 **Pino-Hermoso :** the editor has not been able to find any reference in history to this exploit; see Introduction p. xviii.

147 13 **usía :** a respectful form of address, a contraction of **Vues-tra Señoría** 'your lordship,' 'your honor.'

147 23 **mis remos:** the use of **remos** (usually 'oars') is recognized for arms or legs, and Sursum Corda here extends it to his crutches.

149 14 **abran la Historia,** etc.: Alcaide Ibieca II, 187.

150 14 **la Universidad,** etc.: these buildings were blown up at various times in the latter stages of the siege. The **Capilla de la Sangre** was connected with the church of San Francisco.

152 28 **capitán :** in a section omitted in this edition, the promotions of Agustín to a captaincy and of Gabriel to a lieutenancy are described.

153 11 **está derecha :** a reference to **26** 1.

154 13 **Nadie le puede ver :** here the literal meaning 'no one can see him,' not the common idiomatic 'no one can stand him.'

156 15 **el hijo del verdugo :** the executioner and his family are often social outcasts in Spain.

163 26 **pesadilla :** M. Bataillon remarks on this passage that Galdós purposely envelops the last stages of the siege in obscurity, in order to avoid a description of the fall of the Arrabal, and thus again to make the fall of San Francisco appear as the decisive event of the siege; cf. note to **142** 13.

164 29 **Fuego :** the word of command to shoot the unfortunate Candiola.

165 3 **Han pasado diez días :** the convent of San Francisco was blown up on February 10; ten days after this time, February 20, takes us to the fall of the Arrabal and to the end of the siege.

166 7 **El Capitán General ha caído enfermo de la epidemia :** Palafox became sick and was not responsible for the last acts of the defenders; see Introduction, pp. xvi-xvii.

167 32 **del clasico río,** etc.: the peninsula of Spain and Portugal was once called the Iberian peninsula; the connection with the name of the river Ebro is obvious.

168 5 **doscientos millones de criaturas:** Galdós's estimate of the total loss of life attributable to the Napoleonic wars. It seems unduly large.

168 17 **su agonía en 1815:** the hundred days of Napoleon's return, ended by the defeat at Waterloo. — **su resurrección:** the French empire, restored under Napoleon III in 1852, lasted until the Franco-Prussian war in 1870.

168 30 **en el Congreso de Viena:** the Congress of Vienna attempted to settle the confusion resulting from the Napoleonic wars. Spain had little influence in it.

168 31 **sus continuas guerras civiles,** etc.: there are many wars and riots in the turbulent history of nineteenth-century Spain.

169 4 **al último grado del envilecimiento:** Galdós here expresses his own views on the Spain of 1874, when he wrote *Zaragoza*. In that year governmental conditions were very bad.

172 16 **lo estipulado:** the complete conditions of surrender can be found in Toreno or in Alcaide Ibieca; cf. Introduction, p. xvi.

172 25 **Jeremías, Homero:** the misfortunes and heroisms of the city would be a worthy subject for lamentations such as those of Jeremiah or for an epic like Homer's.

173 2 **Santiago Sas, Basilio Boggiero:** these were the two leaders most disliked by the French. According to French accounts they were killed while attempting to escape.

173 12 **presidente de la Audiencia:** Don Pedro Ric.

173 13 **me:** a striking example of the common ethical dative or dative of reference, used to refer to a person interested in the outcome of the action; here it defies translation.

173 14 **A Palafox,** etc.: Palafox was taken to France and held prisoner there until the end of the war.

173 18 **el mariscalazo:** ' the great Marshal ' (ironical).

174 5 **Más adelante:** in later novels of the *Episodios nacionales*. The siege of Gerona is narrated to Gabriel by his friend Andresillo Marijuán.

VOCABULARY

The sign ∽ means a repetition of the word printed in black type at the head of the paragraph; thus, ∽s under **abastecimiento** means abastecimientos

a to, at, toward, from, in, on, upon, by, within, over, before, for, of, under, with; *not translated before direct object*; *for various idiomatic meanings see Notes and other headings in Vocabulary*

abajo down, below, downstairs; ∽ **de** below; **de arriba** ∽ from top to bottom; **por la calle** ∽ down the street

abalanzar hurl; ∽**se** rush

abandonar abandon, leave

abandono *m.* abandonment, disregard

abastecimiento *m.* provisioning; ∽s provisions

abasto *m.* supply

abatido -a dejected

abatimiento *m.* dejection

abatir throw down

abejorro *m.* bumblebee

aberración *f.* aberration

abertura *f.* opening

abierto -a *p.p. of* abrir open

abismo *m.* abyss

ablandar soften

abofetear strike

abolladura *f.* dent

abordar take up

aborrecer abhor, hate

aborrecible hateful

abrasar burn, consume

abrazado -a a embracing

abrazar embrace; ∽**se a** embrace

abrigar cover, protect, shelter; ∽**se** take shelter

abrigo *m.* shelter, wrap

abril *m.* April

abrir open; ∽**se** open, extend

abrumador -ora overwhelming

abrumar overwhelm

ábside *m. and f.* central arch

absolución *f.* absolution

absoluto -a absolute

absorto -a amazed

abstenerse refrain

absurdo -a absurd; *m.* absurdity

abuhardillado -a in the form of a garret, filled with garrets

abundancia *f.* abundance

abundantemente abundantly, copiously

abundar abound

aburrido -a weary, tired, bored

aburrirse get tired, get bored

acá here; **de entonces ∽** from then until now; **del lado ∽** on this side; **hacia ∽** in this direction

acabar end, terminate; **∽ de** finish, have just; **∽se** come to an end; **acabándoles de matar 85** 30 finally killing them

acampar encamp

acaparar store up

acariciar caress, stroke

acarreo *m.* conveyance

acaso perhaps; *m.* chance

accidente *m.* accident

acción *f.* action, engagement, battle

accionar gesticulate

aceite *m.* oil; **bollo de ∽** doughnut (fried in olive oil and sweetened with powdered sugar)

acento *m.* accent

acequia *f.* canal, ditch (for irrigation)

acera *f.* sidewalk

acerado -a steeled, strong

acerar steel, strengthen

acerbo -a bitter

acerca de about

acercarse approach

acero *m.* steel

acertado -a proper

acierto *m.* success, prudence

aclamación *f.* acclamation

aclarar light

acobardar terrify; **∽se** become cowardly, become timid

acoger greet

acometer attack, undertake

acomodar adapt, arrange, dispose of, accommodate; **∽se** find room

acomodo *m.* situation

acompañar accompany

acontecer happen

acontecimiento *m.* event

acordar decide, agree; **∽se (de)** remember

acostarse lie down, go to bed, retire

acostumbrar accustom; **∽se** become accustomed

acrecer increase

acreedor *m.* creditor; **∽ a** deserving of

acribillar riddle

actitud *f.* attitude

actividad *f.* activity

activo -a active; *m.* total amount

acto *m.* act; **∽ continuo** at once; **en el ∽** at once

actor *m.* actor

actual present

actualmente at present

acuartelamiento *m.* quarters

acudir hasten, repair, proceed, go, come up

acuerdo *m.* decision

acullá : por ∽ on the other side

acusar accuse

adelantar advance, push forward; **∽se** advance, get ahead of

adelante ahead, forward, later; **hacia ∽** forward; **más ∽** later, further; **sacar ∽** help

ademán *m.* gesture, movement

además moreover, besides; ∿**de** besides; ∿ **de que** besides the fact that

adentro in, inside; **hacia** ∿ inside; **para mis** ∿**s** to myself

adherirse a adhere to, join

adiós good-by

administración *f.* administration

administrador *m.* administrator, steward, trustee

admirable admirable, wonderful, remarkable

admirar admire, amaze

admitir admit, accept

adorar adore

adornar adorn

adquirir acquire, secure

adulación *f.* adulation

advenimiento *m.* advent

advertir notice, remark, warn

afablemente affably

afán *m.* eagerness

afanosamente anxiously

afección *f.* affection

afectación *f.* affectation

afecto *m.* affection, feeling

afilado -a sharp, slender

afiliar affiliate; ∿**se en** enlist in, join

afinar refine, fix

afirmación *f.* statement

afirmar affirm, declare

aflicción *f.* affliction

afligir distress

aflojar relax, let fall

afluir flow

afortunado -a fortunate

afrontar face

afuera out, outside; **hacia** ∿ outward

agacharse crouch

agasajar receive

agasajo *m.* reception, kindness, welcome

ágil agile

agilidad *f.* agility

agitación *f.* agitation

agitar wave

aglomeración *f.* piling up, assembling, massing, pile

aglomerar heap up, pile up

agolparse crowd, pile up

agonía *f.* agony, death agony

agonizar be dying

agosto *m.* August

agotar exhaust

agradable pleasant, pleasing

agradar please

agradecer thank, be grateful for

agradecido -a thankful, grateful

agradecimiento *m.* gratitude

agrado *m.* pleasure

agrandar increase, enlarge

agravar aggravate

Ágreda *f.* name of a small town in the province of Soria, between Burgos and Saragossa

agregar add; ∿**se a** join

agriamente harshly

agrietarse be filled with cracks

agua *f.* water; ∿ **de olor** perfume

aguantar put up with, endure

aguardar wait, await

aguardiente *m.* brandy

agudeza *f.* keenness, sharp remark

agudo -a acute, keen, sharp

aguja *f.* needle, spire

agujerear pierce, make holes in, fill with holes

agujero *m.* hole

Agustín *m.* Augustine; **San ∼** name of a convent

Agustina *f.* given name

Agustinillo *m.* (little) Augustine

agustino -a belonging to the order of St. Augustine; **Agustino** *m.* Augustine; **Agustinos Observantes** name of an order of friars

ah oh

ahí there; **por ∼** around here, around there, over there

ahogar stifle; **∼se** choke

ahora now; **lo que es ∼** as for the present moment; **∼ mismo** right now; **por∼** for the present

ahorrar save

ahorro *m.* saving

ahuyentar put to flight

aire *m.* air, breeze, frivolity

aislar isolate

ajeno -a foreign

ajorca *f.* bracelet, band

ajuar *m.* furniture, belongings

al = a + el

alabanza *f.* praise

alabar praise

Alagón *m.* name of a small town about fifteen miles northwest of Saragossa

álamo *m.* poplar tree

alarde *m.* parade, manifestation

alargar hand, extend, stretch, stretch out, turn

alarma *m.* alarm; **tocar a ∼** sound the alarm

Albantos surname of a patriot of Saragossa

Albardería: la ∼ name of a street

albéitar *m.* veterinary

albergar shelter; **∼se** take lodgings

albergue *m.* lodging

alborotar disturb, excite

alcance *m.* range

alcanzar gain, secure, reach; **∼ a más** go farther; **∼ a ver** descry, perceive

alcayata *f.* hook

alcoba *f.* bedroom

Alcover name of a street

alcurniado -a noble

aldeano *m.* villager

alegrar cheer up; **∼se** be glad, rejoice

alegre joyful, happy, gay, merry; **∼ de cascos** *see note to* **132** 5

alegremente merrily

alegría *f.* joy, happiness, merriment; *see note to* **132** 5

alejarse go away; **∼ tanto** go away so far

Alemania *f.* Germany

alentar nourish, encourage

aleros *m. pl.* eaves

alerta vigilantly; **estar ∼** be on the alert

alfaque *m.* shoal; **los Alfaques** name of a small seaport at the mouth of the river Ebro in eastern Spain alférez *m.* second lieutenant

alfiler *m.* pin

algarabía *f.* clamor

algazara *f.* shouting, uproar

algo something, somewhat; ∾ de some; ∾ de eso something like that

algodón *m.* cotton

alguacil *m.* constable

alguien some one, any one

algún *see* alguno

alguno -a some (one), any (one); *pl.* some, a few

alhaja *f.* jewel

Alicante *m.* name of a province and city in southeastern Spain

aliento *m.* breath, spirit; *pl.* courage, spirits

alimentar nourish

alimento *m.* food, nourishment

alistamiento *m.* enlistment

aliviar relieve

Aljafería: la ∾ name of a castle near Saragossa

alma *f.* soul, heart; de mi ∾ my dear, my beloved; no poder con el ∾ 145 4 be exhausted

almacén *m.* storehouse

almorzar eat lunch

Almudí: el ∾ name of an old market on the Coso, primarily for grain, no longer in existence

almuerzo *m.* breakfast, lunch

alojamiento *m.* lodging

alojarse take lodgings

alpargata *f.* sandal (of hemp)

alrededor around; a su ∾ around him; *m. pl.* outskirts, environs, surroundings, neighborhood

Altabás *m.* name of a monastery

altanero -a proud

altar *m.* altar

alteración *f.* disturbance, excitement

alterar alter, disturb, excite

alternar alternate, associate

altillo *m.* (small) hill

altísimo -a very high, highest

alto -a high, lofty, upper; *m.* upper story, halt

altura *f.* height

alumbrar light, illuminate

alumno *m.* pupil

Álvarez surname of a heroine of Saragossa

alzar raise, rise; ∾se rise

allá there; al lado ∾ de on the other side of; hacia ∾ in that direction; más ∾ further, further on; más ∾ de beyond; de más ∾ further on

allí there; hacia ∾ in that direction; (de) por ∾ over there, around there

ama *f.* mistress; ∾ de claves *or* llaves housekeeper

amable kind, kindly

amalgama *f.* amalgam

amalgamar amalgamate

amanecer dawn; *m.* dawn; al ∾ at dawn

amante loving; *m.* lover

amar love

amargo -a bitter

amargura *f.* bitterness, bitter experience

amarillez *f.* yellowness

amarillo -a yellow

amasar knead, mold, mix

amasijo *m.* medley

Amberes *m.* Antwerp

ambicioso -a ambitious

ambos -as both

amedrentar frighten, intimidate, cow

amenazador -ora threatening

amenazar threaten

amenguar diminish

América *f.* America; **puente de** ∾ name of a bridge over the Canal Imperial

amigo -a friendly; *m.* friend, beloved; **muy** ∾ (an) intimate friend

amistad *f.* friendship

amo *m.* master; ∾s master and mistress

amontonar pile, pile up

amor *m.* love; **al** ∾ **de** 2 4 close to; **con mil** ∾es with great pleasure

amorosamente affectionately

amoroso -a amorous, loving, of love

amoscarse become irritated

amparar protect, shelter, help, assist

amparo *m.* shelter

anacoreta *m.* anchorite, hermit

anales *m. pl.* annals

anarquía *f.* anarchy

ancianidad *f.* old age

anciano -a old

ancho -a wide

anchura *f.* width

Andalucía *f.* Andalusia

andar go, go about, walk, be; ∾ **en malos pasos** follow evil ways; ∾se go about

Andrés *m.* Andrew

Andresillo *m.* (little) Andrew

anegar inundate, submerge

ángel *m.* angel; **Ángel** name of a gate

angelito *m.* little angel

angosto -a narrow

ángulo *m.* angle

anguloso -a angular

angustia *f.* anguish

angustioso -a full of anguish, agonized, dreadful

anhelar long, yearn, long for

anhelo *m.* eagerness

anillo *m.* ring

ánima *f.* soul

animación *f.* animation

animal *m.* animal, creature

animar animate, encourage; ∾se take courage

ánimo *m.* spirit, courage, mind, intention

animoso -a courageous

aniquilamiento *m.* annihilation

aniquilar annihilate

anoche last night

anochecer grow dark; *m.* nightfall; **al** ∾ at nightfall; **después de anochecido** after nightfall

anonadar destroy, confuse

ansia *f.* anxiety

ansiedad *f.* anxiety

ante before

anteanoche night before last

antecedente *m.* antecedent

antepecho *m.* railing, parapet

anterior before, previous; lo ∾ the aforesaid

antes before, first, rather; ∾ bien on the contrary; ∾ de before; ∾ de que before; ∾ que before, rather than

anticipar make beforehand

antiguamente formerly

antiguo -a old

antipático -a repulsive, unattractive

antojarse take (it) into one's head

Antón Trillo name of a street

Antonio *m.* Anthony

antro *m.* cave

anunciar announce, give notice of, forebode

añadir add

añejo -a old; lo ∾ 11 8 old wine

año *m.* year

Añón name of a street

apacible gentle, quiet

apaciguar pacify

apagado -a 93 14 low

apagar put out, extinguish

apalear beat

aparato *m.* apparatus, display

aparecer appear; ∾se appear

aparentar pretend, appear

aparente apparent

aparentemente apparently

aparición *f.* appearance

apariencia *f.* appearance, apparent intention

apartar take away, keep away, withdraw, separate; ∾se go away

apedrear stone, throw stones

apenas hardly, scarcely

apestar infect with pestilence

apetecer desire

apiadarse (de) take pity (on)

apilar heap

apiñar press, crowd

aplacar pacify, quench

aplastar crush

aplauso *m.* applause; ∾s applause

aplazar postpone

aplicar apply

aplomo *m.* self-possession

apoderado -a de in possession of

apoderarse de take possession of, gain control over, capture

apodo *m.* nickname

aporrear beat, strike

aposento *m.* room, apartment, chamber

apostar (a) bet

apoyado -a leaning, resting

apoyar support, lean, rest; ∾se lean, rest, take one's support

apoyo *m.* support

aprender learn

apresuradamente hurriedly

apretar squeeze, clench; lo más apretado the most crowded part

aprovechar take advantage of, profit by

aproximación *f.* approach

aproximadamente approximately

apuntalar support with props

apuntar aim

apurar exhaust, perplex, torment, worry; ∽se be impatient, hurry

apuro *m.* need, hardship

aquel -ella that

aquél, aquélla, aquello that, that one, it, the former; **aquél mi that . . . of mine; aquello de** that matter of

aquello *see* **aquél**

aquí here; **por** ∽ over here, this way

ara *f.* altar

árabe *m.* Arab

arabesco *m.* arabesque

arábigo -a Arabian

Araceli surname of the supposed narrator of " Zaragoza "

Aragón *m.* Aragon

aragonés -esa Aragonese, of Aragon; **Aragonés** (an) Aragonese

Aranda name of a family and house in Saragossa

arañar scratch

arbitrio *m.* free will, tax

árbol *m.* tree

arboleda *f.* grove

arca *f.* chest

arcabucear shoot

Arcadas: las ∽ name of a street

arcediano *m.* archdeacon (an office subsidiary to that of a bishop, associated with a cathedral)

arco *m.* arc, arch

arder burn

ardiente ardent, burning

ardientemente ardently

ardimiento *m.* daring

ardor *m.* ardor

ardoroso -a fiery, restless

arduo -a arduous

árido -a arid

aristocrático -a aristocratic

arma *f.* arm, weapon; **a** ∽ **blanca** with cold steel; **plaza de** ∽s place of arms (a station or depot in trench works for assembling troops)

armar arm, begin; ∽ **caballero** knight

armario *m.* cabinet, cupboard

armatoste *m.* mass, bulk

armonía *f.* harmony

armonioso -a harmonious

arqueo *m.* scrutiny

arquitectura *f.* architecture

arquitectural architectural

arquitrabe *m.* architrave

arrabal *m.* suburb

arraigar root, take root

arrancar tear (away)

arrasar demolish

arrastrar drag, drag away, carry away; **21 4 mob; dejarse** ∽ let one's self be carried away

arrebatar seize, take; ∽se be carried away (by passion)

arrebato *m.* burst, outburst, transport

arrebujar wrap

arreciar increase

arrecife *m.* causeway

arredrar daunt, terrify

arreglar fix, arrange

arreo *m.* decoration, trapping

arrepentido -a repentant; **las Arrepentidas** a reform convent for wayward girls

arrepentirse (de) regret

arriba up, upstairs, above; **de ∽ abajo** from top to bottom; **hacia ∽** upward

arriesgar risk; **lo arriesgado** the perilous nature

arrimado -a close

arrimar carry, bring near

arroba *f.* a measure containing about twenty-five pounds

arrodillarse kneel down

arrogante arrogant, valiant

arrojar cast, hurl, throw aside, throw away, produce

arrojo *m.* fearlessness, boldness, dash, impetuosity, intrepidity

arrollar roll up, wrap, sweep away

arroyo *m.* rivulet, gutter

arruga *f.* wrinkle

arrugar wrinkle

arruinar ruin

arrullo *m.* lullaby

arte *m. or f.* art, skill

artesano *m.* artisan

artificial artificial

artificio *m.* artifice

artificioso -a artificial

artillera *f.* artillerywoman

artillería *f.* artillery

artillero *m.* artilleryman

asaltar assault, storm

asalto *m.* assault

asar roast

ascender ascend, promote

ascenso *m.* ascent, promotion

asedio *m.* siege

asegurar assure, give assurance; **80** 13 assert; **∽se** take a firm footing

asemejar liken; **∽ a** make resemble

aseo *m.* neatness

asesino *m.* murderer

así so, as follows; **una cosa ∽ 23** 21 a similar thing; **∽ y todo** nevertheless

asiento *m.* seat, foundation

asilo *m.* asylum, refuge

asimismo likewise

asir grasp, seize; **∽se** grasp

asistir help, take care of, attend (to), be present

asomar show, appear; **∽se** appear

asombrar astonish, amaze, terrify; **∽se** be amazed

asombro *m.* astonishment, amazement

aspaviento *m.* dread; **∽s** boasts

aspecto *m.* aspect, appearance

aspillera *f.* loophole

aspillerado -a with loopholes

aspiración *f.* aspiration

aspirar aspire, aim

Asso surname of an editor of Saragossa

astilla *f.* chip; **de tal palo tal ∽ 132** 1 a chip of the old block

astro *m.* star

Asturias *f. pl.* name of a province in northwestern Spain

asunto *m.* affair, matter

asustar frighten; ∽se become
frightened

atacar attack

atajar intercept

atajo *m.* short cut

ataque *m.* attack

atar tie

atascar obstruct; ∽se become
obstructed, get stuck

atemorizar frighten

atención *f.* attention

atender attend (to), pay attention (to), consider, take into
account

atento -a attentive

aterrar terrify

atezado -a very dark

ático *m.* upper floor

atildado -a refined

atmósfera *f.* atmosphere

átomo *m.* atom

atónito -a astonished

atormentar torment

atracción *f.* attraction

atrancar bar

atrás behind, back, backwards;
hacia ∽ backwards

atravesar cross, pierce

atreverse dare

atrevido -a daring

atribuir attribute

atrincheramiento *m.* entrench-
ment

atronador -ora thundering

atropellado -a confused, hasty

atropellar trample upon, insult;
∽se *m.* confusion

atroz atrocious

audacia *f.* audacity

audaz audacious

audiencia *f.* audience; **Audiencia**
Audience Hall, Tribunal, Court
House

aullido *m.* howl, cry

aumentar increase; ∽se increase

aun *or* **aún** yet, still, even

aunque although, even if

aurora *f.* dawn

autoridad *f.* authority

autorizar authorize

auxiliar aid, help, assist; *m.*
auxiliary

auxilio *m.* aid, help

avance *m.* advance

avanzada *f.* outpost, advanced
post

avanzar advance

avaricia *f.* avarice

avariento -a avaricious; *m.* miser

avaro *m.* miser

ave *f.* bird; ∽ **de corral** barnyard fowl

avenirse harmonize

aventura *f.* adventure

aventurarse venture

avergonzarse be ashamed

averiguar find out, discover

ávidamente avidly, eagerly

avidez *f.* avidity

avinagrado -a sour

aviso *m.* notice

avistar see in the distance, come
in sight of

avivar enliven

ay oh, alas; ∽ **de** alas, woe to;
m. lament

ayer yesterday

ayuda *f.* aid, help

ayudar aid, help

ayuna *f.* fast; **en ∾s** fasting

ayunar fast

azada *f.* spade

azadón *m.* hoe

azar *m.* hazard; **al ∾** at random

Azlor one of the surnames of the countess of Bureta

Azoque : el ∾ name of a street

azorar terrify

azotar lash

azotea *f.* (flat) roof

azúcar *m.* sugar

azucena *f.* lily

azuzar spur on, urge

Babilonia *f.* Babylon

bacanal *f.* revelry

báculo *m.* staff, crosier (a bishop's staff)

bah bah, pshaw

bailar dance

bailarín *m.* dancer

baile *m.* dance, dancing

Bailén *m.* name of a town in south central Spain

baileteo *m.* dancing

baja *f.* casualty

bajada *f.* descent

bajar go down, descend, take down, lower

bajo -a low, lower; *m.* lower part; **bajo** *prep.* under; **piso ∾** ground floor

bala *f.* ball, bullet; **∾ rasa** round shot

balance *m.* balance

balancear balance

balazo *m.* shot, bullet wound

balbuciente stammering

balbucir stammer

balcón *m.* balcony

balde : de ∾ free of cost

baldosa *f.* paving stone, flagstone

baluarte *m.* bastion (a work projecting outward from the main inclosure of a fortification)

balumba *f.* bulk

bancarrota *f.* bankruptcy

banco *m.* bench

bandera *f.* flag

bandido *m.* bandit

bandurria *f.* bandore (an instrument resembling a guitar)

banquillo *m.* little stool

bañar bathe

baratijas *f. pl.* trifles

barato -a cheap

barba *f.* chin, beard; **∾s** beard, whiskers; **en sus ∾s** in their faces; **por ∾** apiece

barbaridad *f.* act of cruelty

bárbaro -a barbarous; *m.* barbarian

barco *m.* ship

barra *f.* bar

barrabasada *f.* absurd action

barricada *f.* barricade

barril *m.* barrel

barrio *m.* ward, quarter; **el otro ∾** the other world; **Barrio Verde** name of a street

barro *m.* mud, clay

base *f.* base, basis

Basilio *m.* Basil

bastante enough, quite, much, considerable, considerably; ∽s many

bastar be enough; ∽ **con** be enough; **basta de** enough

bastón *m.* cane, stick

batalla *f.* battle; **cañon de** ∽ field-piece

batallón *m.* battalion

batería *f.* battery

batir strike, pound, clap, stir, mix; ∽se fight; ∽se **en retirada** beat a retreat

bayoneta *f.* bayonet

bayonetazo *m.* bayonet thrust.

beatitud *f.* beatitude

beber drink; **de** ∽ something to drink; ∽ **los vientos** 133 33 solicit with great eagerness; ∽se drink (up)

belleza *f.* beauty

bendecir bless

bendición *f.* blessing

bendito -a blessed

Benedicto surname

beneficiado *m.* curate

beneficio *m.* benefit, favor, kindness

Berlín *m.* Berlin

bermellonado -a vermilion

Bernardona: **la** ∽ name of a hill about half a mile west of Saragossa

Berthier surname of a French marshal (1753–1815)

besar kiss

bestia *f.* beast, fool

Betbezé surname of a commander of a battery in Saragossa

bien *adv.* well, well off, very, indeed; *m.* good, blessing, possession, property; ∽es property; **antes** ∽ on the contrary; **en** ∽ safely; **más** ∽ rather; **si** ∽ although

bienaventuranza *f.* beatitude

bienestar *m.* well-being

bienhechora *f.* benefactress

bisoño *m.* recruit

Blake surname of a Spanish general (1759–1827)

blanco -a white, pale; *m.* target; **a arma blanca** with cold steel

blandir brandish

blando -a soft

blandura *f.* softness; ∽s softness

blanquinegro -a black mixed with white

blasfemia *f.* blasphemy

bloquear blockade

bobalicón *m.* blockhead

bobería *f.* nonsense; ∽s nonsense, foolishness

boca *f.* mouth; **a** ∽ **de jarro** at close quarters, at close range; ∽ **de fuego** cannon; **de manos a** ∽ suddenly; **a pedir de** ∽ as well as could be desired; **provisiones de** ∽ food supplies; **tomar en** ∽ a call by name

boca-calle *f.* street-opening

bodega *f.* wine cellar, cellar

Boggiero surname of a priest, teacher, and adviser of Palafox

bolsa *f.* purse; **30** 6 bag (used to hold a wig together)

bolsillo *m.* pocket, purse

bollo *m.* roll, cake; ∾ **de aceite** doughnut (fried in olive oil, and sweetened with powdered sugar)

bomba *f.* bomb

bombardear bombard

bombardeo *m.* bombardment

bondad *f.* goodness, good will, uprightness, act of kindness

bonito -a pretty

boquete *m.* gap, breach, opening

boquirrubio *m.* dandy, dude

Borbón Bourbon, name given to a body of troops

bordar embroider

borde *m.* edge

Borja *f.* name of a small city nearly forty miles northwest of Saragossa

borrar erase

borrascoso -a stormy

bostezar yawn

botánico -a botanical

botella *f.* bottle

botón *m.* button

bóveda *f.* arch, arched ceiling, vault

bravo -a brave, worthy

bravura *f.* bravery, courage, fierceness, bravado

brazo *m.* arm

brebaje *m.* beverage

brecha *f.* breach

breve brief

brevemente briefly

brevísimo -a very short

brigadier *m.* brigadier-general

brillante brilliant

brillantísimo -a very brilliant

brillar shine

brillo *m.* brilliancy

brindar offer

brío *m.* spirit, resolution

brioso -a spirited

brocado *m.* brocade

bronce *m.* bronze

bruñir polish

bruscamente abruptly

brusco -a sudden

brutal brutal

brutalidad *f.* brutality; ∾**es** brutal acts

buche *m.* mouthful

buen *see* **bueno**

Buenavista *f.* name of a hill south of Saragossa

bueno -a good, well, fine, considerable; **bueno** *adv.* all right; **buen madrugador** early riser; ∾**s días** good-day, good morning

buhardilla *f.* garret

buhardillón *m.* big garret

bulto *m.* mass, shape

bulla *f.* clatter

bullanga *f.* tumult

Bureta title of a famous countess and heroine of Saragossa

burla *f.* fun, joke

burlarse make fun

busca *f.* search

buscar seek, look for

Busto: del ∾ surname of a priest of Saragossa

Butrón surname of a general of Saragossa

cabal just, exact; **a carta** ∾ perfectly

caballería *f.* cavalry

caballerito *m.* young gentleman

caballero *m.* knight, gentleman

caballo *m.* horse

cabaña *f.* cabin

cabecera *f.* head, front

cabello *m.* hair

caber fit, find room; **no** ∾ **en sí** be beside oneself; **más de lo que en mi cuerpo cabía 12** 2 more than I could hold

cabeza *f.* head

cabo *m.* end, corporal; **al** ∾ at length; **llevar a** ∾ carry out

cabra *f.* goat

cabriola *f.* caper

cabriolé *m.* cloak

cacarear cackle

cacareo *m.* cackling

cacería *f.* hunt

cacumen *m.* head

cachazudamente coolly

cada each, every; ∾ **cual** each one; ∾ **uno** each one; ∾ **vez** constantly, continually

cadáver *m.* corpse

cadavérico -a cadaverous

cadencia *f.* cadence

Cádiz *m.* Cadiz (a seaport in southwestern Spain)

caer fall; **48** 13 suit; **4** 19 be situated; ∾ **a** open upon; **al** ∾ **de la tarde** at nightfall; ∾ **en (la cuenta de)** realize, remember; **iban a** ∾ **42** 13 landed; ∾**se** fall (down)

cafre *m.* savage

caída *f.* fall; ∾ **de la tarde** nightfall

caído -a downcast

Caifás *m.* Caiaphas (name of the judge who presided over the preliminary trial of Jesus Christ)

caja *f.* box, chest; ∾ **social** common treasury

cajón *m.* box

calambre *m.* spasm, cramp

calamidad *f.* calamity

calcular calculate

cálculo *m.* calculation

caldear warm

caldo *m.* broth

calentar warm

calentura *f.* fever

calibre *m.* caliber

calidad *f.* quality, high rank

caliente warm, hot

calificador *m.* censor

calma *f.* calm

calmar calm, quench; ∾**se** become calm

calmoso -a calm

calor *m.* heat

calumnia *f.* calumny

Calvo surname of a patriot of Saragossa

callado -a quiet

callar be silent

calle *f.* street

callejón *m.* narrow street, alley

cama *f.* bed

cámara *f.* chamber, house

camarada *m.* comrade

camarín *m.* chamber

cambiar (de) change

cambio *m.* exchange; en ∽ on the other hand

camilla *f.* litter

camino *m.* road, way; ∽ de on the way to; ladrón de ∽s highwayman; ∽ para on the way to

camisa *f.* shirt

campal relating to the field; acción ∽ pitched battle

campamento *m.* encampment

campana *f.* bell

campanario *m.* belfry

campanero *m.* bell-ringer

campaña *f.* campaign

campechano -a hearty

campo *m.* field, country, camp; casa de ∽ country house; Campo-Real name of a garden; Campo Segorbino name given to a body of troops from Segorbe, in eastern Spain

cana *f.* gray hair

canal *m.* canal

canalla *f.* canaille, rabble, coward, wretch

canastillo *m.* little basket

candente red-hot

candil *m.* candlestick, lamp

Candiola surname

Candiolilla *diminutive of* Candiola (*see note to* 55 6)

canónigo *m.* canon (member of an important board of priests, usually in a cathedral church)

canonizar canonize, declare a saint

cansado -a tired, weary

cansancio *m.* weariness

cansar weary; ∽se get tired

cantar sing, crow

cántaro *m.* pitcher

cantidad *f.* quantity, amount; algunas ∽es some sums of money

canto *m.* singing, song, block

caña *f.* stick

cañón *m.* cannon, barrel

cañonazo *m.* cannon shot

cañonear cannonade

cañoneo *m.* cannonade

capa *f.* cape, cloak

capacete *m.* helmet

capacidad *f.* capacity, extent

capaz capable

capellán *m.* chaplain

capilla *f.* chapel

capital *m.* capital (a sum of money); *f.* capital (a city)

capitán *m.* captain; ∽ general captain general (title of the commanding officer of an army, navy, or province)

capitanía *f.* office of the captain; ∽ general office of the captain general

capitulación *f.* capitulation

capitular capitulate; *adj.* capitulary, relating to a chapter (body of priests); sala ∽ chapter-room (*see* capítulo)

capítulo *m.* chapter, subject; **sala del Capítulo** chapter-room (room for the meeting of the chapter or body of canons of a church)

capote *m.* cloak

capricho *m.* caprice

cara *f.* face; **echar en ∽ a** cast in (some one's) teeth; **verse las ∽s** have it out

carácter *m.* character

carbón *m.* charcoal, coal, cinders

carcajada *f.* burst of laughter

cárcel *f.* prison

carcelero *m.* jailer

carcomido -a decayed

cardenillo *m.* verdigris

carecer de lack, be in need of

carestía *f.* scarcity, want

cargar charge, load, cover, lift, take up, carry; **∽ con 132** 6 take; **∽ la mano 120** 11 let fall one's hand

cargo *m.* charge; **hacerse ∽ de** observe, realize

caribe *m.* savage

caridad *f.* charity

carilla *f.* little face

cariño *m.* affection

cariñoso -a (con) affectionate (toward)

çarita *f.* little face

caritativo -a charitable

Carlos *m.* Charles

Carmen *m.* name of a college and gate

Carnaval *m.* Carnival

carne *f.* meat, flesh; **∽ de vaca** beef; **∽s** flesh

carnicería *f.* butchery

caro -a expensive, dear; **más cara 54** 6 at a higher price

carretera *f.* highroad

carrillo *m.* cheek

carta *f.* letter; **a ∽ cabal** perfectly

Cartagena *f.* Carthagena (name of a seaport in southeastern Spain)

cartel *m.* placard, sign

cartilaginoso -a cartilaginous

cartón *m.* pasteboard

cartuchería *f.* cartridge factory

cartucho *m.* cartridge

casa *f.* house, home; **a ∽** home; **a ∽ de** to the house of; **∽ de locos** insane asylum; **en ∽** at home; **La Casa** surname of a patriot priest of Saragossa

Casa-Blanca *f.* name of a small settlement and wharf on the Canal Imperial south of Saragossa

casaca *f.* coat

Casanova surname of a patriot priest of Saragossa

casar marry; **158** 21 match, get along; **∽se (con)** marry

Casa-utensilios *f.* Furniture Storehouse

cascajo *m.* rubbish

cascar crack

casco *m.* skull; **alegre de ∽s** *see note to* **132** 5; **levantado de ∽s** flighty cascote *m.* rubbish

caserío *m.* group of houses

casero -a domestic

casi almost

casita *f.* little house

caso *m.* case, situation, place;
estar en el ∾ de que be in such
a condition that; hacer ∾ (a *or*
de) pay attention (to); poner
por ∾ say for example; venir
al ∾ be pertinent, make a
difference

casorio *m.* wedding

Casta *f.* given name

castañuela *f.* castanet

castigar punish, whip, beat

castigo *m.* punishment

Castilla *f.* Castile

castillo *m.* castle

casualidad *f.* chance

Cataluña *f.* Catalonia

catástrofe *f.* catastrophe

cátedra *f.* chair, pulpit

caudillo *m.* chieftain

causa *f.* cause, reason; a ∾ de
on account of

causar cause

cautelosamente cautiously

cautiverio *m.* captivity

cavar dig

caverna *f.* cavern

cazador *m.* huntsman, chasseur
(light-armed soldier)

cazar hunt, drive

cebar feed

cecina *f.* dried beef

ceder yield, give way

cegar blind, stop

ceja *f.* eyebrow

celebrar celebrate

célebre celebrated

celestial celestial

celo *m.* zeal

celosía *f.* Venetian blind, shutter

cementerio *m.* cemetery

cena *f.* supper

ceniza *f.* ashes

cenobita *m.* monk

centelleante flashing

centellear flash

centenar *m.* (a) hundred

centésimo -a hundredth

centinela *m. or f.* sentinel; estar
de ∾ be on guard

central central

céntrico -a central, focal

centro *m.* center

centuplicación *f.* hundredfold
multiplication

centuplicar centuplicate, multiply
a hundredfold

ceñir gird (on)

ceño *m.* brow; fruncir el ∾ frown

cera *f.* wax

cerca near; ∾ de near, nearly;
de ∾ (from) close at hand

cercanía *f.* proximity; ∾s neighborhood

cercano close, neighboring

cercar surround

cerciorarse find out

cerco *m.* blockade

cerebro *m.* brain

Cereso *or* Cerezo surname of a
patriot of Saragossa

Cerezo *see* Cereso

cero *m.* zero

cerquillo *m.* (small) circle

cerrar close, shut, clench

cerrojo *m.* bolt

certero -a accurate

certidumbre *f.* certainty

Cervera *f.* name of a town some sixty miles northwest of Saragossa (full name is **Cervera del Río Alhama**)

cesar cease

cesaraugustano -a of Saragossa

cesta *f.* basket

cestillo *m.* small basket

cesto *m.* basket

cicatero *m.* miser

ciego -a blind

cielo *m.* sky, heaven

cien = ciento

ciencia *f.* science, knowledge

cieno *m.* mud

científico -a scientific

ciento (a) hundred

ciertamente certainly

cierto -a certain, a certain, true; cierto *adv.* certainly; lo cierto the truth; por cierto certainly

cima *f.* top, summit

cimborrio *m.* cupola

cimiento *m.* foundation

cincel *m.* chisel

cinco five

cincuenta fifty

Cineja: Arco de ∽ name of an old gateway and of a street

cinta *f.* ribbon

ciprés *m.* cypress

circo *m.* amphitheater

circonlocución *f.* circumlocution

circuir surround

circuito *m.* circuit

circular circulate

círculo *m.* circle

circundar surround

circunferencia *f.* circumference

circunspecto -a circumspect

circunstancia *f.* circumstance; de ∽s provisional

circunstante *m.* bystander

citado -a aforesaid

citar cite, quote

ciudad *f.* city

civil civil; *m.* civilian

civilmente from the civilian point of view

clamar cry out, ring out

clamor *m.* clamor, noise

claraboya *f.* skylight, window

claramente clearly

clarear grow light, dawn; ∽se thin out

claridad *f.* brightness, light

clarín *m.* trumpet

claro -a clear

clase *f.* class, kind, quality

clásico -a classic

claustro *m.* cloister

clavar nail, spike, fasten, fix

clave *f.* key; ama de ∽s housekeeper

clavo *m.* nail; los Clavos name of a street

Clemente *m.* Clement

clérigo *m.* cleric, priest

cobarde cowardly; *m.* coward

cobardía *f.* cowardice

cobrar recover, collect (what is due), take

cobre *m.* copper

cocina *f.* kitchen

cochura *f.* dough

Codé surname of a peasant patriot of Saragossa

codear elbow

codo *m.* elbow

cofre *m.* trunk, chest

coger catch, seize, grasp, take, pick

Cogollos *m.* name of a small town just south of Burgos in north central Spain

cohete *m.* rocket

cojo -a lame, maimed; *m.* cripple

colchón *m.* mattress

colegio *m.* college

cólera *f.* anger, rage

colérico -a angry

colgado -a hanging

colgar hang

colindante bordering

colmo *m.* height

colocación *f.* placement

colocar place

color *m.* color; **so ∾ de** with the pretext of

colorado -a ruddy

colorido *m.* coloring

colosal colossal

columna *f.* column

comandante *m.* commander

combate *m.* combat

combatiente *m.* combatant

combatir fight

combinar combine, join

comedimiento *m.* urbanity

comedor *m.* dining-room

comentar comment, discuss

comentario *m.* commentary

comenzar begin

comer eat, devour; **dar de ∾** give something to eat; **∾se** gobble up

comerciante *m.* merchant

cometer commit

cometido *m.* trust, charge

comida *f.* food

comisión *f.* commission

comitiva *f.* retinue

como as, like, approximately, because, as if, provided, such as; **∾ a** at about; **∾ de** of about; **∾ que** as, as if, so that; **según∾** according to the way in which; **∾ si** as if; **tan pronto . . . ∾** no sooner . . . than, now . . . again; **tanto . . . ∾** not only . . . but also

cómo how, what

cómodamente conveniently

comodidad *f.* comfort

cómodo -a comfortable

compacto -a compact

compadecer pity

compaginar couple, unite

compañero *m.* companion

compañía *f.* company; **∾s 151 11** company

comparable comparable

comparar compare

compás *m.* measure; **al ∾ de** in time with

compasión *f.* compassion

compasivo -a compassionate

complacencia *f.* complacency

completamente completely

completar complete

completo -a complete; por completo completely

componer compose; componérselas arrange matters

comportamiento *m.* deportment

composición *f.* composition, repair

comprar buy

comprender understand, comprise

comprobar confirm

compuesto -a (*p.p. of* componer) compound

común common; *m.* community

comunicación *f.* communication

comunicar communicate, open to communication

con with, by, on, although; ∾todo nevertheless

concavidad *f.* hollow

concebir conceive

conceder allow, grant

concentrar concentrate; ∾se concentrate

concepto *m.* idea, sentiment, reason

conceptuar conceive

conciencia *f.* conscience

concierto *m.* concert, order

concisión *f.* conciseness

conciso -a concise

concluir conclude, end

conclusión *f.* conclusion

concretamente concretely

concretar limit

concurrencia *f.* assemblage

concurrir (a) share (in)

concurso *m.* assemblage

condecoración *f.* decoration

condenado -a confounded; *m. or f.* wretch

condenar condemn

condensar condense

condesa *f.* countess

condescendencia *f.* condescension; tener ∾s make compromises

condición *f.* condition, nature, rank

conducción *f.* conveyance, carrying

conducir conduct, take, lead

conducta *f.* conduct

conducto *m.* conduit, channel

conejo *m.* rabbit

conferenciar hold a conference

confesar confess

confesonario *m.* confessional

confesor *m.* confessor

confiado -a confident

confianza *f.* confidence

confiar confide

confiscación *f.* confiscation

confitura *f.* comfit; ∾s sweets

conforme consistent, conformable

conformidad *f.* conformity

confundir confound, confuse, mingle; ∾se mingle

confusamente confusedly

confusión *f.* confusion; *pl.* confusion

confuso -a confused

conglomeración *f.* conglomeration

congratular congratulate

congreso *m.* congress

conjetura *f.* conjecture

conjunto *m.* whole, ensemble, aggregate

conmemorativo -a commemorative

conmigo with me

conmoción *f.* commotion

conmovedor -ora moving

conmover move, shake

conocedor -ora aware

conocer know, make the acquaintance of; se conoce 103 8 it is clear

conocimiento *m.* knowledge

conque so, so that

conquista *f.* conquest, capture

conquistar conquer, capture

consabido -a before-mentioned

consagrar consecrate

conseguir obtain, attain, gain, succeed in

consejero *m.* counselor

consejo *m.* advice, piece of advice; council; ∿s advice

consentir consent, allow

conserva *f.* preserve

conservar preserve, keep, save, maintain

considerable considerable

consideración *f.* consideration

considerar consider

consignar assign

consigo with him(self), with her(self), with you(rself), with them(selves), with you(rselves)

consiguiente consequent; por ∿ therefore

consistir consist

Consolación *f.* given name

consolar console

constancia *f.* constancy

constante constant

constantemente constantly

constituir constitute

construcción *f.* construction

constructor *m.* builder

construir construct

consuelo *m.* consolation

consumo *m.* consumption

contar count, tell, relate; ∿ con depend upon, expect

contemplar contemplate, observe

contener contain, hold, hold back, check, restrain; ∿se remain

contentar content

contento -a satisfied, pleased; *m.* contentment, joy

contestación *f.* reply

contestar answer, reply

contienda *f.* conflict

contigo with you, with yourself

contiguo -a adjacent

continente *m.* continent

contingente *m.* contingent

continuación *f.* continuation; a ∿ next

continuar continue, remain

continuo -a continuous, continual; acto ∿ at once

contorno *m.* circuit

contra against, contrary to

contradicción *f.* contradiction

contraer contract

contraminar countermine

contrariar vex

contrariedad *f.* obstacle

contrario -a contrary; *m.* opponent; al ∽ on the contrary

contratista *m.* contractor, collector

contribución *f.* contribution, tax

contribuir contribute

contristar sadden

conturbar disturb

contusión *f.* bruise

convecino *m.* neighbor

conveniente convenient, useful, expedient

convenir agree, agree upon, be fitting, be necessary

convento *m.* convent

conversación *f.* conversation

convertir convert

convicción *f.* conviction

convidar invite

convocar summon

convulso -a convulsed

copiar copy

copioso -a copious

copita *f.* small cup

coquetería *f.* coquetry

coraje *m.* courage, anger; dar un ∽ a 68 11 put in a rage

corazón *m.* heart; de mi ∽ my dear

corcho *m.* cork

Corda : Sursum ∽ *see note to* 5 31

cordel *m.* rope

cordial cordial; *m.* cordial

cordillera *f.* ridge

coreográfico -a for dancing

Coridón surname

cornisamento *m.* entablature

coro *m.* choir, chorus

corona *f.* crown, halo

coronar crown

coronel *m.* colonel

corpulento -a stout, thick

corral *m.* yard; ave de ∽ barnyard fowl

correctísimo -a extremely correct

corredor *m.* corridor, gallery

Corregidor : altillo del ∽ name of a hill in Mequinenza

corregir correct

correr run, hasten, pass swiftly, flow; hacer ∽ spread; ∽se run

correría *f.* excursion

corresponder correspond, respond

corrido -a ashamed

corriente *m. or f.* current

corrillo *m.* group, circle

cortadura *f.* breastwork (a defensive barrier hastily erected in a narrow place)

cortar cut, cut down; cortado el aliento 37 23 her breath failing

corte *f.* court, capital; *m.* cut, pattern

cortejo *m.* courtship, lover

cortesía *f.* courtesy

cortina *f.* curtain (part of a wall between two bastions)

corto -a short

corvo -a crooked

cosa *f.* thing, matter; ∽ pública commonwealth

Coso : el ∽ name of a street (*see note to* 2 19)

costa *f.* cost, expense

costado *m.* side

costal *m.* bag, sack

costar cost; **cueste lo que cueste** cost what it may

costumbre *f.* custom

coturno *m.* buskin; **figura de ∾** *see note to* **15** 14

coyuntura *f.* occasion

cráneo *m.* skull

cráter *m.* crater

creación *f.* creation

creador *m.* creator

crear create

crecederito -a susceptible to enlargement

crecer increase

creciente increasing

crédito *m.* credit

creer believe, think, expect; **∾ conveniente** think it expedient

criada *f.* servant

criado *m.* servant

criar breed, raise, bring up

criatura *f.* creature, child

crimen *m.* crime

crisis *f.* crisis

cristalino -a crystalline

cristiano -a *m. or f.* Christian

criterio *m.* judgment, comment

cronista *m.* chronicler

crucifijo *m.* crucifix

crudo -a crude, unfinished, severe; **en ∾** in the rough

cruel cruel

crueldad *f.* cruelty, severity

crujía *f.* hall

crujir crack

cruz *f.* cross; **con las manos en ∾** with one's hands crossed

cruzado -a transverse

cruzamiento *m.* crossing

cruzar cross; **∾se de brazos** fold one's arms

cuaderna *f.* frame; *pl.* framework

cuadra *f.* drawing-room

cuadrado -a square

cuadrar square, fit

cuadrilla *f.* band

cuadro *m.* picture

cuajar ornament

cual like, as; **cada ∾** each one; **el (la, lo) ∾** who, whom, which; **∾ si** as if; **tal ∾** some . . . or other

cuál which, which one; **∾ . . . ∾** some . . . others

cualidad *f.* quality

cualquier *see* cualquiera

cualquiera any, any whatever, any one; **otro ∾** anyone else

cuan how, as; **∾ largo era** at full length

cuando when; **de ∾ en ∾** from time to time; **de vez en ∾** from time to time

cuándo when; **hasta ∾** how long

cuantioso -a abundant

cuanto -a all that, whatever; **en ∾** as soon as; **∾ más . . . más** the more . . . the more; **∾s** all who; **unos ∾s** some, a few

cuánto -a how much, what; **∾s** how many

cuarenta forty

Cuaresma *f.* Lent

cuartel *m.* quarter, barracks; ∿ **general** headquarters

cuarto -a fourth; *m.* quarter, room, name of a coin worth about one fourth of a cent

cuartucho *m.* miserable room

cuatro four; **las** ∿ four o'clock

cuatrocientos -as four hundred

cuba *f.* cask

cubierto -a *p.p. of* **cubrir**; *m.* cover

cubo *m.* cube, tower

cubrir cover, shelter

Cuchillería : **la** ∿ name of a street

cuchillo *m.* knife

cuello *m.* neck

cuenta *f.* account, bill; **caer en la** ∿ **de** realize, remember; **darse** ∿ **de** realize; **por su** ∿ on one's own account; **ser de su** ∿ be one's own affair; **tomar por su** ∿ assume responsibility for

cuento *m.* account, story; **a** ∿ to the purpose; **sin** ∿ numberless

cuerda *f.* cord, rope, chord

cuerno *m.* horn; *an interjection expressing almost any emotion*

cuero *m.* leather

cuerpo *m.* body, force (of troops); ∿ **a** ∿ hand to hand; **a** ∿ **descubierto** without cover; ∿ **de guardia** guardroom, guardhouse

cuesta *f.* hill; **a** ∿**s** on one's back

cuestión *f.* question

cueva *f.* cellar

cuidado *m.* care, worry; ∿ **que** take care that; **estar con** ∿ be worried; **mucho** ∿ **con** be very careful about; **poner en** ∿ occupy (some one's) attention

cuidadosamente carefully

cuidar take care (of); ∿**se (de)** pay attention (to), take the trouble

culatazo *m.* blow with the butt end of a gun

culpa *f.* blame, fault, sin, crime

cumbre *f.* summit

cumplido *m.* compliment

cumplimiento *m.* fulfillment, compliment

cumplir fulfill, carry out; ∿ **con** fulfill

cuna *f.* cradle

cundir spread

cuñada *f.* sister-in-law

cúpula *f.* cupola

cura *m.* priest

curandera *f.* nurse

curar cure, attend (to)

cureña *f.* gun carriage

curiosidad *f.* curiosity

curioso -a curious

curso *m.* course

curtido -a weather-beaten

curtidor *m.* tanner

custodiar guard

cuyo whose, of which, which

chafar rumple

chamuscar scorch

chapa *f.* plate (an ornamented piece of metal put on a uniform to distinguish different branches of the army)

charco *m.* pool, puddle

charlar chatter ; *m.* chattering

charretera *f.* epaulet

chasco *m.* joke ; **llevarse (buen)** ∾ be (greatly) disappointed

chasquido *m.* crack, crash

chico -a small ; *m. or f.* child, boy, fellow, young fellow, girl

chicoleo *m.* joke ; **hacer** ∾**s** a flirt with

chicuela *f.* girl (in depreciation)

chillar scream

chillido *m.* shriek

chillón -ona shrieking

chimenea *f.* fireplace

chiquillo *m.* (small) child

chiribitil *m.* small room

chispa *f.* spark

chisporrotear crackle, seethe

chocar clash, collide

chocolate *m.* chocolate

choque *m.* shock, clash

chupa *f.* jacket

chupador *m.* sucker

chupar suck

churrigueresco -a in the style of Churriguera (Spanish architect of ornate style, 1650–1723), rococo

D. = **don**

dama *f.* lady

Dantzig *m.* Danzig (name of a city on the Baltic Sea, formerly in Germany, now a free city between Germany and Poland)

daño *m.* damage, harm

dar give, strike, make, take, arouse, utter, empty ; ∾ **a** open upon, face ; ∾ **de comer** give something to eat ; ∾ **en** take to, come upon, enter, realize ; ∾ **fin a** come to the end of ; ∾ **frente a** front ; ∾ **fuego a** fire ; ∾ **las buenas noches** say good evening; ∾**lástima** arouse pity ; ∾ **la vuelta a** go around ; ∾ **lo mismo** mean the same thing ; ∾ **los buenos días** say good morning, bid good day ; ∾ **media vuelta** turn (half way) around ; ∾ **miedo a** cause fear to, frighten ; ∾ **muerte a** kill ; ∾ **paso** lead ; ∾ **porrazos** strike blows, knock ; ∾ **razón** give an account; ∾**repetidas vueltas** turn around repeatedly ; ∾ **una batalla** fight a battle ; ∾ **una vuelta** take a walk ; ∾**un coraje a** put in a rage ; ∾**se cuenta de** realize ; ∾**se la mano con** be in touch with ; ∾**se por bien servido 9** 6 consider oneself fortunate ; **dando diente con diente 39** 17 her teeth chattering ; **me dan mucho olor a húmedo 57** 13 they smell very damp to me

de of, from, about, by, with, to, at, in, on, for, than, as

debajo de under

deber owe; *m.* duty; **debo** I owe, ought, must, am to, should; **debe de** it must; **que debe de permanecer 100** 8 which probably remains

débil feeble, slight, weak

debilidad *f.* weakness

débilmente feebly

decaimiento *m.* weakness

decidir decide

décimo -a tenth

decir say, tell, speak; **es** ∽ that is to say; **querer** ∽ mean; **está dicho todo** all is said, that is all there is to say; **mejor dicho** more correctly; **digo mal** I am wrong; **dices bien** you are right; **no te digo nada** there is no telling what will happen; **no hemos dicho nada** there is no use in talking

decisión *f.* determination

declarar declare, avow

decoración *f.* scenery

decorar adorn

dedo *m.* finger

defecto *m.* defect

defender defend

defensa *f.* defense

defensivo -a defensive

defensor -ora defending; *m.* defender

definitivamente definitely

definitivo -a definite

deforme deformed, misshapen

dejar leave, allow; ∽ **(de)** cease (to); ∽ **de la mano** let go, abandon; ∽ **oír** allow to be heard; ∽ **seco** kill instantly; ∽**se de** stop

del = **de** + **el**

delante before, ahead; ∽ **de** before, in front of; **por** ∽ in front

delantero -a front

deleitar delight

deleznable fragile

delgado -a thin, slender

deliberadamente deliberately

delicia *f.* delight

delicioso -a delightful

delirante delirious

delirar be delirious, rave

delirio *m.* delirium

delito *m.* crime

demanda *f.* demand, search

demás rest, other, others

demasiado too, too much

demente insane, mad; *m.* madman

demoler demolish

demolición *f.* demolition

demonio *m.* demon, devil; **qué** ∽**s** what the devil; **Candiola de mil** ∽**s 53** 7 miserable Candiola, damned Candiola; **se le llevarán los** ∽**s** he will get very angry

demostración *f.* demonstration

demudar change

dengue *m.* affectation; ∽**s** affectation

denigrante insulting

denodadamente boldly

denso -a dense

dentelladura *f.* set of teeth

dentro within, inside; ∽ **de** within; **por** ∽ inside

deparar furnish

depositar deposit

depositario *m.* depositary, heir

depósito *m.* deposit, depository, store

derecho -a straight, right; *m.* right

derramar shed

derredor *m.* circuit; **en** ∾ around, round about; **en** ∾ **de** around; **en nuestro** ∾ around us

derretir melt

derribar demolish, knock down, overthrow

derrota *f.* defeat

derrotar defeat

derruir demolish, overthrow

desabrimiento *m.* rudeness, acerbity, coolness

desacreditar discredit

desafiar defy

desaforadamente excessively, vociferously

desagradable disagreeable

desahogo *m.* outlet, unbosoming

desaliento *m.* discouragement

desaliñado -a disordered, disorderly, slovenly

desalojar dislodge, strip, abandon

desamparado -a unprotected

desamparar desert

desangrar bleed; **desangrado -a** having lost blood

desanimar dishearten, discourage; ∾**se** become disheartened

desapacible disagreeable, unpleasant

desaparecer disappear

desarrollar develop; ∾**se** develop

desasir disengage

desastre *m.* disaster

desatar untie

desatinadamente extravagantly

desatinado -a nonsensical

desatino *m.* nonsense, foolish thing

desavenencia *f.* disagreement

desayunarse breakfast, eat breakfast

desayuno *m.* breakfast

desbaratar break, destroy, defeat

desbordamiento *m.* overflow, inundation, flood

desbordar overflow; ∾**se** overflow

descabezar behead; ∾ **un sueño** take a nap

descalabrar break (one's) head, brain

descalzo -a barefooted

descansar rest

descanso *m.* rest, resting-place

descarga *f.* discharge

descargar discharge, relieve

descender descend

descerrajar discharge

desclavar unnail, unfasten

descolorido -a pale

descollar excel, stand out

descompuesto -a bold, unrefined

desconocido -a unknown

desconsolador -ora disconsolate

desconsuelo *m.* affliction

descorrer draw (a bolt)

descoser rip

describir describe, trace

descripción *f.* description

descriptible describable

descriptivo -a descriptive

descubierto -a unprotected, uncovered, bare; **a ∽** unprotected, in the open; **a cuerpo ∽** without cover; **a pecho ∽** unprotected

descubrir discover, make known; **∽se** be visible

descuidado -a careless, heedless

descuidarse be careless

descuido *m.* carelessness

desde from, since, after, from the time of; **∽ luego** at once; **∽ por la mañana** since the morning; **∽ que** since, as soon as; **∽ que no le veo** since I saw him

desdén *m.* disdain

desdeñoso -a disdainful

desdicha *f.* misfortune

desear desire, wish for

desechar put aside, drive away

desembarazo *m.* freedom

desempeñar perform

desencadenar unchain

desencajar disfigure

desenlace *m.* outcome

desenvainar unsheathe, draw (a sword)

deseo *m.* desire

deseoso -a desirous

desesperación *f.* despair

desesperadamente desperately

desesperado -a desperate, in despair, hopeless

desfallecer grow weak

desfallecido -a weak

desfallecimiento *m.* languor, swoon

desfavorable unfavorable

desfigurar disfigure

desfilar march

desgajar tear

desgarrador -ora tearing, heart-rending

desgarrar tear

desgracia *f.* misfortune

desgraciado -a unfortunate

deshacer undo, consume, destroy, melt; **deshecha en lágrimas 157** 30 dissolved in tears; **∽se** get rid

deshonra *f.* dishonor

deshonrar dishonor

desierto -a deserted; *m.* desert

desigual unequal, uneven

desistir desist

desligar extricate, remove

deslindar bound

deslumbrador -ora dazzling

desmadejar enervate

desmayar be dispirited; **∽se** faint

desmayo *m.* faint, faintness

desmontar dismount

desmoronar destroy, molder, decay, ruin; **∽se** molder, fall

Desnouettes *see* **Lefebvre**

desnudar undress; **∽se** undress

desnudez *f.* nakedness

desnudo -a naked, bare

desolación *f.* desolation

desorden *m.* disorder

desordenado -a disorderly

despacio slowly

despaciosamente slowly

despachar dispatch, dispose of, finish

desparramar scatter; ∼se scatter

despavorido -a frightened, terrified

despedazar cut in pieces, tear in pieces, tear, shatter, lacerate, mangle

despedir dismiss, say good-by, give out; ∼se say good-by; ∼se de take leave of, say good-by to

despegar separate

despejado -a smooth

despensa f. pantry

desperfecto m. damage, injury

despertar wake up, awake; ∼se wake up

despierto -a awake

despilfarrador -ora wasteful; m. or f. spendthrift

despilfarrar waste

desplegar display, extend, carry on, deploy; ∼se en guerrillas assume skirmishing order

desplomar push; ∼se sag, fall

desplome m. deviation (from a line), sagging

despojo m. plunder; ∼s spoils, ruins

despreciable contemptible, paltry

despreciar despise

desprecio m. contempt

desprevenido -a unprepared

después afterwards, later, then; ∼ de after

despuntar break

desquiciamiento m. unhinging, instability

desquiciar take the hinges from

destacamento m. detachment

destacar detach, distinguish; ∼se stand out

destemplado -a intemperate

destinar destine, mean, assign, allot

destino m. destiny, post

destrozar destroy, break, injure, defeat, ruin; ∼se break

destrozo m. destruction, havoc; ∼s destruction, havoc

destrucción f. destruction

destruir destroy

desván m. garret

desventura f. misfortune

desvergonzado -a shameless

desviación f. deflection, inclination

desviarse turn off

detalle m. detail

detener hold back, stop; ∼se stop

deterioro m. damage

determinación f. determination

determinar determine, form

detonación f. detonation

detrás behind, to the rear; ∼ de behind

deudor m. debtor

devastador -ora destructive, of destruction

devoción f. devotion

devolver return, restore

devorar devour

devoto -a devout; m. devotee

día *m.* day; **a los pocos ∾s** in a few days; **buenos ∾s** good day, good morning; **el ∾** on the day; **el ∾ de mañana** tomorrow

dialéctico *m.* debater

diálogo *m.* dialogue

diamante *m.* diamond

diariamente daily

diarista *m.* journalist

diciembre *m.* December

dictar dictate

dicho -a the said, the aforesaid, that

dichoso -a happy

diente *m.* tooth

diez ten; **las ∾** ten o'clock

Diezma : **la ∾** name of a street

diezmar decimate

diezmo *m.* tithe (a tax or contribution paid chiefly to the church)

difamación *f.* defamation

diferencia *f.* difference; **a ∾ de** different from, in distinction from

diferenciar differentiate

diferente different

difícil difficult; **lo más ∾** what is most difficult

difícilmente with difficulty

dificultad *f.* difficulty

difundir diffuse, spread

difunto -a deceased, dead

dignamente worthily

dignidad *f.* dignity

digno -a worthy

dilatar expand

diligencia *f.* diligence

diligente diligent

diluvio *m.* flood

dimensión *f.* dimension

diminuir diminish

dineral *m.* fortune

dinero *m.* money

dintel *m.* lintel, threshold

Dios God; **hombre de ∾** my dear man; **∾ mío** my God, good heavens; **por ∾** for God's sake

diputación *f.* deputation

dirección *f.* direction; **en ∾ a** in the direction of; **en ∾ hacia** toward, in the direction of

directo -a direct

dirigir direct; **∾ la palabra a** address; **∾se** proceed; **∾se a** address

discordia *f.* discord; **∾s** discord

discreción *f.* discretion

discreto -a discreet, polite, intelligent

disculpar excuse

discurrir discourse, ramble, go, pass, invent, infer, deduce

discusión *f.* discussion

discutir discuss

disfrazar disguise

disgusto *m.* displeasure, grief

disimular dissimulate, hide, conceal

disimulo *m.* dissimulation

disipar dissipate

disminuir diminish

disparar fire

disparo *m.* shot, firing, discharge

dispensar excuse

dispersión *f.* dispersion

disperso -a scattered

displicente ill-humored

disponer dispose, arrange; ∽se prepare, arrange, prepare one-self

disponible available

disposición *f.* disposition, inclination, attitude, disposal; estar en ∽ de be ready to

dispuesto -a *p. p. of* disponer; disposed, ready

disputa *f.* dispute

disputar dispute

distancia *f.* distance

distante distant

distinción *f.* distinction

distinguir distinguish

distintamente distinctly

distinto -a distinct, different

distraer distract

distribuir distribute, divide

disuadir dissuade

diverso -a different

divertidísimo -a most amusing

divertir amuse; ∽se have a good time

divinidad *f.* divinity

divino -a divine

divisar perceive, discern

división *f.* division

divisorio -a dividing

divorciar separate, liberate

doblar fold, bend, pass around; ∽se bend

doce twelve; las ∽ twelve o'clock

docena *f.* dozen

docente teaching

documento *m.* document

dogal *m.* rope, halter

dolor *m.* grief, pain; ser un ∽ be a pity

dolorido -a sorrowful

doloroso -a sorrowful, painful

domar tame, subdue

domicilio *m.* dwelling, home

dominación *f.* domination

dominar dominate

domingo *m.* Sunday; Domingo Dominic

Dominguito *m.* little Dominic, dear Dominic

dominio *m.* domination

don *m. a title used before the first name*

don *m.* faculty

donativo -a donative; ser de ∽ be donated

doncella *f.* maiden, servant

donde where, in which; de ∽ from where, whence; por ∽ where, through which

dónde where; ∽ demonios where the devil; no tenemos ∽ we have no place in which; por ∽ where

doña *f. a title used before the first name*

Doñana *f.* imaginary place name

dorar gild

dormido -a asleep

dormir sleep; ∽ la mañana sleep late in the morning; ∽se go to sleep

dos two

doscientos -as two hundred

dosis *f*. dose

dote *m. or f*. dowry, endowment; ∾s qualities

dramático -a dramatic

duda *f*. doubt; sin ∾ doubtless

duelo *m*. duel

duende *m*. ghost, goblin; la casa de los ∾s the haunted house

dueña *f*. duenna, housekeeper

dueño *m*. master, owner

dulce sweet

dulzura *f*. sweetness

duque *m*. duke

durante during

durar last, keep on

durísimo -a very hard

duro -a hard; peso ∾ *or* duro *m*. name of a coin worth about a dollar

e and (*for* y *before* i *and* hi)

ea well, come

ebanistería *f*. cabinet work

ebrio -a intoxicated

Ebro *m*. name of a large Spanish river flowing into the Mediterranean Sea

Ecce-Homo *m*. name of a chapel

eclesiástico -a ecclesiastical; *m*. ecclesiastic

eclipsar eclipse

eco *m*. echo

echar throw, cast, hurl, take, dart, emit, drive, drive out, deliver, start, pour; ∾ a begin to; ∾ de menos miss; ∾ el guante a lay hands on; ∾ el resto **91** 18 make the utmost efforts; ∾ en

cara a cast in (some one's) teeth; ∾ la zarpa a grab, clutch; ∾se encima **8** 10 attack

edad *f*. age

edificar build

edificio *m*. building

educación *f*. education

educar educate

efectivamente really, in short, in fact

efecto *m*. fact, effect; en ∾ in fact; ∾s goods, belongings

efervescencia *f*. effervescence

eficaz effective

egoísta *m*. egoist

eh eh, oh, hallo, well

ejecución *f*. execution (seizure at the judge's command of the property of a delinquent debtor to satisfy his creditors)

ejecutar execute, carry out

ejemplar exemplary

ejemplo *m*. example

ejercer exercise

ejercicio *m*. exercise

ejército *m*. army

el the; ∾ de that of; ∾ que who, which, that, the one who, he who, whoever

él he, him; ∾ mismo (he) himself

elaborar elaborate, produce

elección *f*. choice

elegancia *f*. elegance

elegante elegant

elemento *m*. element, force

elevar elevate, raise

elipsis *f.* ellipsis
elocuencia *f.* eloquence
elocuente eloquent
elogiar praise, extol, eulogize
elogio *m.* eulogy; hacer ∽s deliver eulogies
Elzevirius surname (*see note to* 22 15)
ella she, it, her; ∽ misma (she) herself
ellas they, them
ello it, that; ∽ es que the fact is that
ellos they, them
embarazo *m.* embarrassment
embarcación *f.* vessel
embargar (a) attach, seize (from)
embargo : sin ∽ however, yet
embaucador *m.* deceiver
embestida *f.* attack
embestir attack
emblema *m.* emblem
embobar fascinate
embocadura *f.* mouth (of a river)
embocar enter, dispatch, direct
embozar muffle
embuste *m.* fiction
embutidos *m. pl.* stuffed sausages
eminente eminent
emoción *f.* emotion
empapar drench
empedernir harden
empeñar join, engage in; ∽se insist
empeño *m.* earnestness, perseverance, insistence, boldness, attempt
empezar begin

empinado -a lofty
emplazar set, place (artillery)
emplear employ, spend
empleo *m.* use
empotrar splice, drive in, insert
emprender undertake; ∽la con join issue with
empresa *f.* enterprise
empujar push
empuje *m.* push, ardor
empujón *m.* shove
empuñar grasp
en on, upon, at, in, into, to, within, about, as
enamorado -a in love
enardecer kindle
encajar fix, insert; ∽se put on
encaminar direct
encantado -a charmed, delighted
encantar delight, charm
encanto *m.* enchantment, charm
encaramar climb
encarar con face
encargar charge, commission; ∽se (de) undertake
encargo *m.* charge, commission, request
Encarnación : la ∽ name of a convent
encarnado -a red
encarnizadamente furiously
encarnizado -a furious, desperate
encarnizamiento *m.* fury
encender kindle, light
encendido -a blushing, red
encerrar inclose, contain, imprison, shut up

encima above, over, upon, on top (of), at hand; ∽ **de** above; **por** ∽ **de** over; **echarse** ∽ 8 10 attack

encoger contract; ∽**se de hombros** shrug one's shoulders

encolerizar anger

encomendar commend, intrust

encontrar find, meet; ∽**se** be; ∽**se con** meet

encorvado -a bent, stooping

encorvar bend

encuentro *m.* encounter, meeting; **salir al** ∽ **(a** *or* **de)** come out to meet

endeble feeble, weak, flimsy

endemoniado -a devilish

endulzar sweeten

Eneida *f.* Æneid

enemigo -a enemy, hostile, opposing; *m.* enemy

energía *f.* energy

enérgicamente energetically

enérgico -a energetic

enero *m.* January

enfadar anger; ∽**se** become angry

enfático -a emphatic

enfermedad *f.* sickness

enfermito -a slightly ill; **muy** ∽ quite ill

enfermizo -a sickly

enfermo -a sick, ill

enfilar enfilade, rake (with cross fire), place in line, point

enfrente in front, opposite, facing; ∽ **de** opposite

enfriarse grow cold

engañar deceive; ∽**se** be mistaken

engañoso -a deceitful

engendrar engender

engordar grow fat

Engracia *f.* given name; **Santa** ∽ name of a monastery

engrasar oil

enjambre *m.* swarm

enjuague *m.* rinsing; **11** 28 finger bowl

enjuto -a slender

enlazar connect, bind, join; ∽**se** connect

Enmedio name of a street

enmendarse reform

ennegrecer blacken

enojadamente angrily

enojo *m.* anger

enorme enormous, horrible

enredar entangle

enriquecer enrich

enrojecer redden

ensangrentado -a blood-stained, bloody

ensartar string, impale

enseñar show, teach

entablar begin

entalle *m.* intaglio, carving

ente *m.* being

entender understand; *m.* understanding; ∽**se** come to an understanding; **cómo se entiende 159** 17 what does this mean

entendimiento *m.* understanding, intelligence

enterado -a informed, aware

enteramente entirely

enterar inform; ∽se find out

entereza *f.* fortitude

entero -a entire, whole, firm

enterrar bury

entonces then

entorchado *m.* fringe, cord (used on a general's uniform)

entrada *f.* entry, entrance

entrambos -as both

entraña *f.* entrail; ∽s **79** 19 recesses; **cuando presta saca las ∽s 20** 15 when he lends (money) he takes your heart's blood

entrar enter, go, take in; ∽ **en** enter; **el mes que entra** the coming month; **le entraron por el ojo derecho 173** 23 he took a fancy to them

entre between, among, amid, amidst; ∽ **cuatro** (among) four (of us); ∽ **tanto** meanwhile; ∽ . . . **y 78** 21 half . . . half

entregar deliver, hand over, give up, devote; ∽se surrender

entretener busy, occupy, amuse

entristecer sadden

entrometido -a meddling; *m. or f.* meddler, busybody

entusiasmado -a enthusiastic

entusiasmar enthuse, fire

entusiasmo *m.* enthusiasm

entusiasta enthusiastic

envalentonar embolden

envenenar poison

enviar send

envidia *f.* envy

envilecer debase

envilecimiento *m.* debasement

envolver wrap, envelop

envuelto -a *p.p. of* **envolver**

enyesar plaster

epidemia *f.* epidemic

episodio *m.* episode

epopeya *f.* epic

equilibrio *m.* equilibrium

era *f.* threshing ground; ∽ **de San Agustín** name of a piece of ground in Saragossa; **las Eras** name of a field southwest of the city limits of Saragossa

erectivo -a erective, making erect, stimulating

erguir erect, raise; ∽se rise (proudly)

erizado -a bristling

error *m.* mistake

erupción *f.* eruption

esbelto -a graceful

escala *f.* ladder

escalar climb

escalera *f.* stairs, stairway, ladder; ∽ **de mano** (portable) ladder

escalerilla *f.* little staircase

escalón *m.* step

escalonar arrange at intervals, arrange in rows, arrange in terraces

escándalo *m.* scandal

escandaloso -a scandalous

escapar escape; ∽se escape

escape *m.* escape; **a todo** ∽ at full speed

escapulario *m.* scapular

escaramuza *f.* skirmish

escarmentar teach a lesson to, warn, take warning

escasear be scarce

escasez *f.* scarcity

escaso -a scanty, slight

escena *f.* scene

Escobar surname of a captain in Saragossa

escolapio -a name of an order of priests devoted to teaching in the Escuelas Pías

escolástico -a scholastic

escombro *m.* rubbish, piece of rubbish; ∽s rubbish, ruins

esconder hide; ∽se hide

escondido -a hidden, remote; lo más ∽ the most hidden parts; a escondidas de without the knowledge of

escondrijo *m.* hiding-place

escopetero *m.* musketeer

escorpión *m.* scorpion

escozor *m.* smarting

escribano *m.* notary (public)

escrúpulo *m.* scruple

escuadra *f.* squad (one fourth of a company)

escuadrón *m.* squadron

escuálido -a squalid

escucha *f.* sentry

escuchar hear, listen to

escudo *m.* shield, crown, medal

escuela *f.* school; Escuelas Pías name of schools for the education of the poor; las Escuelas Pías name of a street

escultura *f.* sculpture, work of sculpture

escupir spit, discharge

escurrirse drip, slip, slip out

ese -a that; esos -as those

ése, ésa, eso that (one), he, she, him, her; ésos -as those, they, them; a eso de at about; eso de that matter of, that affair of; por eso for that reason, therefore

esfuerzo *m.* effort

eslabonar link

esmeralda *f.* emerald

esmero *m.* zeal, pains

eso *see* ése

espacio *m.* space

espacioso -a spacious

espada *f.* sword

espadaña *f.* spire

espalda *f.* back; a ∽s at the back, to the rear, in the rear; de ∽s with one's back turned

espantajo *m.* scarecrow

espantar terrify

espanto *m.* terror, fright

espantoso -a frightful

España *f.* Spain

español -ola Spanish

esparcir scatter; ∽ la vista extend one's gaze

especial special

especialmente especially

especie *f.* sort

espectáculo *m.* spectacle

espectador *m.* spectator

espectro *m.* specter

especular speculate

espejo *m.* mirror

espera *f.* wait, delay

esperanza *f.* hope

esperar hope, wait, await, expect;
era de ∽ it was to be expected

espeso -a thick

es(x)pirar expire

espíritu *m.* spirit; **Espíritu Santo**
Holy Ghost

espiritual spiritual

esplendor *m.* splendor

espontáneamente spontaneously

esposa *f.* wife, betrothed

esqueleto *m.* skeleton

esquilón *m.* (small) bell

esquina *f.* corner; ∽ a on the
corner of

establecer establish

estación *f.* season

estado *m.* state, condition

estallar burst, explode

estallido *m.* crash, explosion

Estallo surname of a citizen of
Saragossa

estampa *f.* print, picture

estampar print

estampido *m.* report, crash

estancia *f.* room, chamber

estar be, stand, stay, be at home,
be on hand; ∽ a punto de be
on the point of; ∽ bien be well
off; ∽ con cuidado be worried;
∽ en disposición de be ready
to; ∽ en el caso de que be in
such a condition that; ∽ más
para 169 30 be fitter to, be fitter for; ∽ por be disposed to;
∽se stand, stay

estatua *f.* statue

estatura *f.* stature

este -a this; estos -as these

éste, ésta, esto this (one), the
latter, he, him, she, her, it;
éstos -as these, the latter, they,
them; esto de this matter of,
this affair of; en esto here-
upon; por esto through this,
therefore

Esteban *m.* Stephen

estera *f.* mat

estéril sterile

estilo *m.* style; por el ∽ of the
kind

estipular stipulate

estirado -a stretching, extend-
ing

estocada *f.* sword-thrust

estoicamente stoically

estómago *m.* stomach

estopa *f.* tow

estorbar disturb, be in the way

estorbo *m.* crowding, embarrassment

estrago *m.* havoc

estratagema *f.* stratagem

estrategia *f.* strategy

estratégico -a strategic

estrechar press, clasp, make narrow; ∽se crowd

estrecho -a narrow

estrella *f.* star, destiny

estrellar dash to pieces, fry

estremecer shake, shudder, tremble; ∽se shiver, tremble, quiver

estremecimiento *m.* trembling,
shiver

estrépito *m.* noise

estrepitoso -a boisterous

Estrevedes name of a square

estribo *m.* stirrup; **perder los** ∾**s** lose one's temper

estropear injure, damage

estruendo *m.* noise, uproar

estudiar study; ∾ **para** study to be

estudio *m.* study

estupefacción *f.* stupefaction

estupendo -a stupendous

estúpido -a stupid

estupor *m.* stupor

eternamente eternally

eternidad *f.* eternity

eterno -a eternal

etiqueta *f.* etiquette

Eucaristía *f.* Eucharist

Europa *f.* Europe

evasión *f.* escape

evasiva *f.* evasion

evitar avoid

exabrupto *m.* sudden outburst

exageración *f.* exaggeration

exagerar exaggerate

exaltación *f.* exaltation

exaltar exalt

examinar examine

exánime lifeless, weak, feeble, without strength

exasperar exasperate

excavación *f.* excavation

exceder exceed

excelente excellent

excelentísimo -a most excellent (applied to persons of high rank)

excentricidad *f.* eccentricity

excéntrico -a eccentric

excepción *f.* exception

excepto except

excesivamente exceedingly

exceso *m.* excess

exclamación *f.* exclamation

exclamar exclaim

exclusivamente exclusively

ex(s)crutar scrutinize

excusa *f.* excuse

excusado -a useless, needless

excusar excuse

execrable execrable

exhalar exhale

exhortación *f.* exhortation

exhortar exhort

exigir demand, require

existencia *f.* existence

existir exist, be

éxito *m.* outcome, success

expedición *f.* expedition

expedicionario *m.* member of an expedition

experimentar experience, feel

explicar explain; ∾**se** understand

explorar explore

explosión *f.* explosion

exponer expose, make known, explain

expresar express

expresión *f.* expression

expuesto -a *p.p. of* **exponer**

expulsar expel

expulsión *f.* expulsion

extender extend; ∾**se** extend

extensión *f.* extent

extenuado -a weak

extenuar extenuate, weaken

exterior outer; *m.* exterior

exterminar exterminate

externo -a external

extinguir extinguish

extraño -a strange, foreign; 164 21 other's; *m. or f.* stranger; persona extraña stranger

extraordinario -a extraordinary

extravagancia *f.* extravagance

extraviado -a lost

extravío *m.* folly

Extremadura *f.* name of a province in western Spain, and applied to a body of troops from that province

extremo -a extreme; *m.* extreme, end, extremity; en ∼ extremely

fábrica *f.* factory, structure

fabricar manufacture, build

fabuloso -a fabulous

faceta *f.* face, side

fácil easy

facilidad *f.* ease; con ∼ easily

facilitar facilitate

fácilmente easily

facistol *m.* chorister's stand (where hymn-books are placed)

facultad *f.* faculty

facultativo -a expert; *m.* expert, medical man

fachada *f.* façade, front

faena *f.* task, labor

falaz deceitful

falda *f.* skirt

falta *f.* lack, need, want, fault; a ∼ de in the absence of; hacer ∼ be lacking, be needed

faltar fail, lack, be lacking, be absent; ∼ a be false to; le faltaba he lacked

falto -a (de) wanting (in), deficient (in)

faltriquera *f.* pocket

fama *f.* reputation

familia *f.* family

familiar familiar

familiaridad *f.* familiarity

famoso -a famous

fanático -a fanatical

fanfarronería *f.* braggadocio

fango *m.* mud

fangoso -a muddy

fantasía *f.* fancy

fantasma *m.* phantom

farol *m.* lantern

farolito *m.* small lantern

fase *f.* phase

fastidio *m.* weariness

fatiga *f.* fatigue

fatigadísimo -a extremely tired

fatigado -a weary, tired

fatigar weary

favor *m.* favor

favorecer favor, help

faz *f.* face

fe *f.* faith, testimony; a ∼ in truth, indeed; Santa Fe name of a church and street

febrero *m.* February

febril feverish

Fecetas : los ∼ name of a convent

fecundo -a fecund, fertile

fecha *f.* date

felicidad *f.* happiness, good fortune

felino -a feline

Felipe Philip; **San** ∽ name of a church and square

feliz fortunate, successful, happy

felizmente fortunately

femenino -a feminine

fenomenal phenomenal

feo -a ugly

Fernando *m.* Ferdinand

ferocidad *f.* ferocity

feroz fierce

ferozmente ferociously

férreo -a iron

fervor *m.* fervor

fervoroso -a fervid, ardent

festín *m.* banquet, feast

festivo -a festive, jovial

fiambre cold

fiarse de trust

fiebre *f.* fever

fiel faithful

fiera *f.* beast, wild beast

fiesta *f.* feast, festival

figura *f.* figure, shape, face

figurarse imagine

fijamente fixedly

fijar fix

fijeza *f.* firmness

fijo -a fixed, firm

fila *f.* rank, row, line

filfa *f.* trick; **47** 10 fake

filial filial

filo *m.* edge

fin *m.* end; **al** ∽ at last, finally; **en** ∽ in short; **por** ∽ finally

finca *f.* farm, estate

fingir pretend

fino -a fine

finura *f.* fineness; ∽s delicacy

firma *f.* signature

firmamento *m.* firmament

firmar sign

firme steady

firmeza *f.* firmness

físico -a physical

fisonomía *f.* physiognomy, countenance

flaco -a lean, frail

flamígero -a flaming

Flandro name of a street

flanquear flank, outflank

flaqueza *f.* weakness

flecha *f.* arrow

flojo -a feeble, lax

flor *f.* flower; ∽ **de mayo** mayflower

foco *m.* origin

fogonazo *m.* flash (of a gun)

fogosidad *f.* fire, passion

fogoso -a fiery

follaje *m.* foliage, leafy ornament

fonda *f.* inn, hotel

fondo *m.* bottom, rear, depths, background, essential character, fund; **del** ∽ rear

Fontibre *m.* name of a place in north-central Spain where the Ebro rises

forastero *m.* stranger

forcej(e)ar struggle, push

forma *f.* form

formal formal, respectable

formalmente formally, genuinely

formar form; **15** 22 enlist

formidable formidable

formulario *m.* etiquette

forrar line

fortalecer strengthen

fortaleza *f.* fortress

fortificación *f.* fortification

fortificar fortify

fortín *m.* small fort

fortísimo -a very strong

fortuna *f.* fortune

forzar force

forzoso -a necessary

fosa *f.* ditch, pit, moat

frágil fragile

fragor *m.* clamor

fraile *m.* friar

frailito *m.* little friar

francamente frankly

francés -esa French; *m.* Frenchman

Francia *f.* France

franciscano *m.* Franciscan (friar)

Francisco Francis; San ~ name of a convent

franquear clear, pass, descend

franqueza *f.* frankness, liberality

frasco *m.* flask, bottle

frase *f.* phrase

Fray *m.* Brother (used before first name of a friar)

frecuencia *f.* frequency; con ~ frequently

frecuentemente frequently

freír fry

frenesí *m.* frenzy

frenéticamente with frenzy

frenético -a frenzied

frente *m.* front, head; *f.* forehead; ~ a in front of, facing;

dar ~ a front; de ~ in front, facing, with one's face

fresco -a fresh, new, disappointed; quedarse tan ~ 95 24 act as if nothing had happened

frescor *m.* freshness

frescura *f.* coolness; 173 19 'nerve'

frialdad *f.* cold

fríamente coldly

friega *f.* rubbing

frío -a cold; *m.* cold

friolera *f.* trifle

frondoso -a leafy

fruncir contract, knit; ~ el ceño frown

fruto *m.* fruit, result

fuego *m.* fire; boca de ~ cannon; dar ~ a fire; hacer ~ fire; polvo de ~ 79 17 fire-dust; romper ~ begin firing; ~s fire

fuera out, outside, away with; ~ de beside, out of, outside of, away from; parte de ~ outer part

fuerte strong, loud; *m.* fort; hacer(se) ~ intrench (oneself); plaza ~ stronghold

fuertemente firmly

fuertísimo -a very strong, very loud

fuerza *f.* force

fuga *f.* flight, escape

fugitivo *m.* fugitive

Fulano *m.* So-and-So

fulgor *m.* gleam

fulminante fulminating, deadly

fulminar emit, flash

función *f.* performance

funda *f.* case

fundamental fundamental

fundar found

fundir melt; ∽se melt, merge

fúnebre funereal

funesto -a mournful, deadly

furia *f.* fury

furioso -a furious

furor *m.* fury

fusil *m.* gun; **a tiro de** ∽ with gunfire

fusilar shoot

fusilazo *m.* gunshot

fusilera *f.* markswoman

fusilería *f.* musketry

fusilero *m.* fusileer

futuro -a future

gabacho *m.* contemptuous name applied to the French

gabela *f.* gabelle (government tax)

Gabriel *m.* Gabriel

Gaceta *f.* Gazette (name of a newspaper)

gala *f.* gala; **de** ∽ gala

galería *f.* gallery

Gallart surname of a patriot of Saragossa

gallina *f.* hen, chicken

gallinero *m.* chicken-yard

gallo *m.* cock, chicken

Gallur *m.* name of a town about thirty miles northwest of Saragossa

gamo *m.* buck, deer

gana *f.* desire, pleasure; **tener** ∽ **de** feel inclined to, feel like

ganar earn, win, take

garabatear scrawl (on), mark

garantizar guarantee

garbanzada volley of garbanzos

garbanzo *m.* chick pea (a large coarse pea)

Garcés *m.* given name

garganta *f.* throat

garra *f.* claw, clutch

Garrapinillos *m.* name of a rural suburb of Saragossa

garrote *m.* stick

garrulería *f.* garrulity, chattering

gastar expend, use, waste, spoil

gasto *m.* expense

gata *f.* cat; **a** ∽**s** on all fours

gatillo *m.* trigger

gato *m.* cat

gaudeamus *m.* feast (*literally Latin* let us rejoice)

gemido *m.* groan

generación *f.* generation

general general; *m.* general; **cuartel** ∽ headquarters; **por lo** ∽ generally; **verle de** ∽ **47** 28 see him a general

generala *f.* general call to arms

generalidad *f.* majority

género *m.* race

generosamente generously

generosidad *f.* generosity

generoso -a generous

geniecillo *m.* little genius

genio *m.* nature, disposition, character, genius

Genis : San ∽ name of a colonel of engineers in Saragossa gente *f.* people

gentío *m.* multitude, crowd

Gerona *f.* name of a city in north-eastern Spain

gesto *m.* gesture, grimace

Gibraltar *f.* name of a British city and stronghold in southern Spain

gigante *m.* giant

Gil : San ∽ name of a church and street

Gila surname

gimnasia *f.* gymnastics

girón *or* jirón *m.* tear, tatter, piece

gladiador *m.* gladiator

globo *m.* globe

gloria *f.* glory

Glorieta : la ∽ name of a park

gloriosísimo -a most glorious

glorioso -a glorious

gobernar govern

gobierno *m.* government

goce *m.* joy

Goicoechea name of a mill

golpe *m.* blow, stroke; ∽ de mano surprise attack; ∽ de vista panorama

golpear hit, kick; *m.* beating

González name of a house

gordo -a stout, big

gorrón *m.* parasite

gota *f.* drop

gozar enjoy; ∽ de enjoy

gozne *m.* hinge

gozo *m.* joy

grabar engrave

gracejo *m.* wit

gracia *f.* grace; ∽s thanks, thank you ; ∽s a que thanks to the fact that; ∽s que 96 8 I am thankful that

graciosísimo -a very beautiful

gracioso graceful, pretty, funny

grado *m.* step, grade, rank, de-gree, liking; de ∽ willingly, vol-untarily ; mal de su ∽ against one's will

graduación *f.* rank

gran *see* grande

grana *f.* grain, scarlet grain, cochineal ; como una (la) ∽ like scarlet; encendido como la ∽ blushing scarlet

granada *f.* grenade

granadero *m.* grenadier

grande great, large, long

grandioso -a grandiose

grandísimo -a very great

graneado -a incessant

granero *m.* granary

granizo *m.* hail

granuja *m.* (little) rogue

gratitud *f.* gratitude

grato -a pleasing

grave grave, serious

gravedad *f.* gravity, seriousness ; de ∽ serious

gravemente seriously

grieta *f.* crack

grillos *m.pl.* irons, chains

gritar cry, shout; *m.* shouting

griterío *m.* shouting

grito *m.* cry, shout

gritón -ona vociferous

grosero -a coarse

grotesco -a grotesque

grueso -a thick, large

gruñir grumble, snarl

grupo *m.* group

gruta *f.* grotto, cavern

guante *m.* glove; **echar el ∽ a** lay hands on

guapillo -a quite attractive

guapo -a handsome, beautiful, good •

guarda-almacén *m.* caretaker

guarda-polvo *m.* dust-guard

guardar guard, keep, save, put away

guardia *f.* guard; **cuerpo de ∽** guard-room, guard-house

guarecer protect; **∽se** take refuge, take shelter

guarida *f.* lair

guarnecer garrison

guarnición *f.* garrison

Guedita *f.* given name (*really diminutive of* **Águeda** Agatha)

guerra *f.* war, fighting

guerrear fight

guerrero -a warlike; *m.* warrior

guerrilla *f.* small body, patrol, skirmish; **desplegarse en ∽s** assume skirmishing order

guiar guide

guijarro *m.* smooth stone, pebble, cobblestone

guisa *f.* guise; **a ∽ de** by way of

guitarra *f.* guitar

gusano *m.* worm

Guspide surname of a merchant patriot of Saragossa

gustar please, like; **me gusta** I like

gustazo *m.* great pleasure

gusto *m.* liking, taste, pleasure; **tener ∽** be glad

haber have, be; **∽ de** have to; **he de** I have to, am to, must, shall, can, am going to, *etc.*; **hay** there is, there are; **hay que** it is necessary to; **qué hay de grados** what's this about ranks; **habérselas** have to deal

hábil skillful

hábilmente skillfully

habitación *f.* room, house

habitador -ora (de) inhabiting

habitante *m.* inhabitant

habitar inhabit, live, dwell

hábito *m.* habit, robe

habituar accustom

hablador -ora talkative; *m.* talker

hablar speak, talk; **129** 12 say; *m.* talking; **∽ en sueños** talk in one's sleep; **oír ∽ de** hear about

hacer make, do, commit, perform, produce, deliver, construct, act, have; **∽ burla** make fun; **∽ caso a** *or* **de** pay attention to; **∽ como que** pretend that; **∽ compañía a** keep company; **∽ correr** spread; **∽ cuentas** cast up accounts; **∽ de** act as; **∽ el papel** play the part; **∽ falta** be lacking, be needed; **∽ fuego** fire; **∽ (se) fuerte** intrench (oneself);

∾ la guardia stand on guard;
∾ pedazos break into pieces;
∾ preguntas ask questions;
∾ presa a take hold of; ∾que
bring it about that; ∾ trizas
tear to pieces; ∾ visitas pay
visits; ∾se become; ∾se a
accustom oneself to; ∾se cargo
de observe, realize; lo que
me hago what I am doing;
hace ago; hace treinta años
thirty years ago; hace treinta
años que no le veo 3 20 it is
thirty years since I have seen
him; haga(n) el favor de please;
no haya prisa don't be hasty;
hecho -a made into, converted
into

hacia toward, in the direction of,
over, in

hacienda f. estate, farm, property,
fortune

hacinar pile

hacha f. ax

hachazo m. blow with an ax

halagar flatter

hallar find; ∾se be

hallazgo m. find, discovery

hambre f. hunger

hambriento -a hungry

haragán -ana idle; m. lounger,
loafer

harapo m. rag

harina f. flour

harto satiated, full, enough, very,
very well; ∾s many, sufficient; ∾ de sangre 53 5 blood-
sucker

hasta until, up to, as far as, to,
even; ∾ cuándo how long;
llegar ∾ get so far as to; ∾
que until; ∾ que . . . no until

hay see haber

hazaña f. exploit

he aquí lo and behold

hecatombe f. hecatomb

hecho m. fact, feat, deed

hechura f. product

helado -a icy

hembra f. female, woman

hemorragia f. hemorrhage, flow
of blood

hender crack

heredad f. piece of property

heredar inherit

heredero m. heir

herida f. wound

herido m. wounded man

herir wound, strike

hermana f. sister

hermano m. brother

hermosísimo -a very beautiful,
very handsome

hermoso -a beautiful, handsome

hermosura f. beauty

héroe m. hero

heroico -a heroic

heroísmo m. heroism

herramienta f. tool

hervir boil

hierro m. iron

higo m. fig; de peras a ∾s from
time to time

hija f. daughter

hijo m. son; ∾s sons, children

hila f. dressing (for a wound)

Hilario *m.* Hilary

Hilarza : la ∾ name of a street

hilera *f.* row

hilo *m.* thread

hinchar swell ; ∾se swell

hiperbólico -a hyperbolical

hipócrita hypocritical

historia *f.* history, story

histórico -a historical

hogar *m.* hearth, home

hoguera *f.* bonfire

hoja *f.* leaf, blade

holgadamente amply ; **estar muy** ∾ be very snug

holgadito -a a little wide

holgazán -ana idle ; *m.* idler

hombrada *f.* manly act

hombre *m.* man, fellow ; ∾ **de Dios** my dear man ; ∾ **para todo** ready for everything

hombro *m.* shoulder

Homero *m.* Homer

honda *f.* sling

hondo -a deep

hondonada *f.* valley

honestidad *f.* purity

honor *m.* honor

honra *f.* honor

honrado -a honest, honorable

honrosamente honorably

honroso -a honorable

hora *f.* hour, time ; ∾s time ; **a buenas** ∾s **68** 12 a fine time (to come)

Horacio *m.* Horace (famous Latin lyric poet, 65–8 B.C.)

horadar bore through

horca *f.* gallows

hornillo *m.* (small) mine

horno *m.* furnace, oven (*see note to* **60** 29)

horrendo -a dreadful

horrible horrible

horrísono -a sounding dreadfully, appalling

horror *m.* horror

horroroso -a horrible

hortelano *m.* gardener

hosco -a dark, stern

hospital *m.* hospital ; ∾ **de sangre** hospital for the wounded

hospitalidad *f.* hospitality

hostigar harass

hostil hostile

hostilidad *f.* hostility

hostilizar attack

hoy today

hoyo *m.* hole

hueco *m.* hollow, hole, opening, room

huella *f.* trace

huérfana *f.* orphan

huerfanita *f.* little orphan

huérfano *m.* orphan

huerta *f.* garden

Huerva *f.* name of a river

Huesca *f.* name of a province and city in Aragon in northeastern Spain

hueso *m.* bone

huesoso -a bony

hueste *f.* army, host

huevo *m.* egg

huir flee

humanidad *f.* humanity

humanista *m.* humanist

humanitario -a humane, humanitarian

humano -a human; lo ∽ the human thing

humeante smoking

humear smoke

humedad *f.* dampness

húmedo -a damp; me dan mucho olor a húmedo 57 13 they smell very damp to me

humildad *f.* humility

humilde humble, unpretentious

humillar humble, lower, humiliate; humillado a humbled before

humo *m.* smoke, fancy

hundido -a sunken; ∽ de mejillas with sunken cheeks

hundimiento *m.* sinking, fall, collapse

hundir sink, fall; ∽se fall

husmear sniff at, pry

ida *f.* going

idea *f.* idea

ideal ideal, imaginary; *m.* ideal

idealidad *f.* ideality

idear contrive, conceive

identificar identify

ídolo *m.* idol

iglesia *f.* church

Ignacio *m.* Ignatius

ignominia *f.* ignominy

ignorante ignorant

ignorar be ignorant (of), not know

igual equal, similar, the same, such; sin ∽ unequaled

igualar equal

igualmente equally, similarly

ileso -a uninjured, unhurt

iluminar illuminate, illumine, light

ilustre illustrious

imagen *f.* image

imaginación *f.* imagination

imaginar imagine

imaginario -a imaginary

impaciencia *f.* impatience

impaciente impatient

impasibilidad *f.* impassibility

impávido -a unafraid

impedir prevent

impeler impel

imperdonable unpardonable

imperial imperial; ∽es *m. pl.* imperialists (soldiers of Napoleon or of the French Empire)

imperio *m.* empire

imperturbable imperturbable

ímpetu *m.* impetus, violence, attack

impetuosamente impetuously

impetuoso -a impetuous

impíamente impiously, pitilessly

implorar implore

imponente imposing

imponer impose

importancia *f.* importance

importante important

importantísimo -a very important

importar matter, be important; no ∽ nada be of no importance

importuno -a unseasonable, untimely

imposibilidad *f.* impossibility

imposible impossible; *m.* **121** 22 impossibility

Imprenta : la ∽ name of a street

impresión *f.* impression

impresionar impress

imprevisor -ora short-sighted

imprevisto -a unforeseen

impropio -a (de) unbecoming (to), unsuited (to)

improvisar improvise

improviso -a unforeseen; **de improviso** suddenly

impulsar impel

impulso *m.* impulse

impulsor *m.* impeller

inapreciable inestimable, invaluable

inaudito -a unheard-of

incansable indefatigable

incapaz incapable

incendiar fire, set on fire, set fire to ; ∽se catch fire

incendio *m.* fire

incesante incessant, unceasing

incesantemente incessantly

inclinación *f.* inclination

inclinado -a leaning

inclinar incline, bow ; ∽se bend over, lean

incluir include

incluso -a *p.p. of* **incluir** ; including

incólume uninjured

incomparable incomparable

incompatible incompatible

incompetencia *f.* incompetence

incompleto -a incomplete

inconcebible inconceivable

inconmensurable immeasurable

inconquistable unconquerable

incontestable incontestable

incontrastable irresistible

incontrovertible indisputable

inconveniente *m.* inconvenience, impediment

incorporar incorporate

incredulidad *f.* incredulity

incrédulo -a incredulous

increíble incredible

increpar reproach

incumbir (a) be incumbent (upon), concern

indagar investigate

indecisión *f.* indecision

indeciso -a undecided, fitful

indefinible indefinable

indeleble indelible

independencia *f.* independence

indestructible indestructible

indicar indicate, show, declare, remark

indiferencia *f.* indifference

indiferente indifferent, unimportant

indigestión *f.* attack of indigestion

indignado -a indignant

indigno -a unworthy

indispensable indispensable

individual individual

individuo *m.* individual, member

indomable indomitable, unconquerable

indudable unquestionable

indudablemente undoubtedly

inerte inert

inexorable inexorable
inexperto -a inexperienced
inexplicable inexplicable
inextricable inextricable
infalible infallible
infamar defame
infame infamous, degrading; *f.*
 infamous girl
infamia *f.* infamy
Infantado : del ∽ title of a
 Spanish duke and general
infante *m.* foot-soldier; Salas de
 los Infantes *m.* name of a town
 in Old Castile near Burgos
infantería *f.* infantry
Infanzón *m.* nobleman; Infan-
 zones name of a military order
infatigable indefatigable
infecto -a infected, tainted
infeliz unhappy, unfortunate; *m.*
 wretch; *f.* 93 29 unhappy girl
infernal infernal
infierno *m.* inferno, hell
infinito -a infinite; hasta lo ∽
 to infinity
inflamar inflame
influencia *f.* influence
influyente influential
informe shapeless
infortunio *m.* misfortune
infranqueable unsurmountable
infundir infuse
ingeniero *m.* engineer
ingenio *m.* genius
ingenioso -a ingenious
ingénito -a innate, congenital
ingenuo -a frank
Inglaterra *f.* England

inglés -esa English
ingreso *m.* entry
inhumación *f.* burial
inhumano -a inhuman
inhumar bury
iniciar initiate
iniciativa *f.* initiative
injuria *f.* injury, insult
injuriar injure, insult, wrong
injustamente unjustly
inmediación *f.* neighborhood;
 inmediaciones neighborhood,
 vicinity
inmediatamente immediately
inmediato -a adjoining, neighboring; ∽ a beside, adjoining,
 close by
inmensidad *f.* immensity
inmenso -a immense
inminencia *f.* imminence
inminente imminent
inmolar sacrifice
inmoral immoral
inmortal immortal
inmóvil motionless
inmovilidad *f.* immobility
inmundo -a unclean, filthy
inmutable immutable
inmutar alter, disturb; ∽se be
 disturbed, change appearance
innecesario -a unnecessary
innumerable innumerable
inocencia *f.* innocence
inocente innocent
inoportuno -a untimely
inquieto -a restless
inquietud *f.* restlessness, uneasi-
 ness

inquilino *m.* tenant
inscripción *f.* inscription
inseguro -a insecure
insensato *m.* madman
insensible unfeeling
insepulto -a unburied
inservible unserviceable
insigne notable, famous, remarkable
insignificante insignificant
insistir insist
insolencia *f.* insolence, insolent thing
insolente insolent
insomnio *m.* loss of sleep
insoportable insupportable, intolerable
inspiración *f.* inspiration
inspirar inspire
instalar install
instante *m.* instant, moment; **al ∾** at once, immediately
instintivo -a instinctive
instinto *m.* instinct
insuficiente insufficient
insultante insulting
insultar insult
insulto *m.* insult
intacto -a intact
intelectual intellectual
inteligencia *f.* intelligence
inteligente intelligent
intemperie *f.* bad weather; **a la ∾** exposed to the elements
intención *f.* intention, intentness
intensidad *f.* intensity
intenso -a intense

intentar try, attempt
intento *m.* intention
intentona *f.* rash attempt
interceder intercede
interés *m.* interest
interesante interesting
interesar interest
interior interior, inner; *m.* interior
interlocutor *m.* interlocutor
intermedio -a intervening
interminable interminable
internar intern, withdraw; **∾se** penetrate (into the interior), enter, go in
interrumpir interrupt, cut off
intervenir intervene
intimación *f.* intimation
intimar intimate
íntimo -a intimate, internal; **lo ∾** the inside
intransitable impassable
inútil useless
inutilizar render useless, make useless, neutralize
inútilmente uselessly
invadir invade
inválido -a invalid, feeble
invasor -ora invading; *m.* invader
invectiva *f.* invective
invencible invincible
invención *f.* invention, ruse
inventar invent
invierno *m.* winter
invisible invisible
Ipas surname of a patriot of Saragossa

ir go, go on, be; ∽ de veras be serious; ∽ para be on the way to become; ∽ por sus pasos contados go according to arrangement; ∽se go away, go, go on, proceed; iban a caer 42 13 landed; de tal modo se le fué la mano 9 29 he went to such lengths; se me fué la mano 127 28 I went too far; vaya come, indeed; vaya unas horas de venir 66 20 this is a fine time to come

ira f. anger

ironía f. irony

irregular irregular

irremisiblemente inescapably, beyond recall

irresistible irresistible

irreverente irreverent

irrevocable irrevocable

irritar irritate

isósceles isosceles

izquierdo -a left; la izquierda the left bank; a la izquierda at (to) the left

ja, ja, ja ha, ha, ha

jácara f. merriment

jactancia f. boasting

jactancioso -a boastful

Jaime m. James

jaleo m. uproar

jamás never, ever

jamón m. ham

jardín m. garden

jarro m. jug, pitcher; a boca de ∽ at close quarters, at close range

jaula f. cage, cell

jefe m. chief, leader, commander; en ∽ in command

jerarquía f. hierarchy

jerárquico -a hierarchical

Jeremías m. Jeremiah

jergón m. (coarse) mattress

Jerónimo m. Jerome

Jerusalén m. Jerusalem (name of a convent)

Jesucristo m. Jesus Christ

Jesús m. Jesus

jirón see girón

jolgorio m. jollity

jornada f. day, march, action

José m. Joseph

jota f. name of an Aragonese dance

joven young; m. youth, young man; f. young girl, young woman

jovial jovial

jovialidad f. joviality

Juan m. John

júbilo m. joy, rejoicing

judío m. Jew

juego m. game

juez m. judge

jugar play; ∽ a play (a game)

juguete m. plaything

juicio m. judgment

julio m. July

junio m. June

Junot surname of a French general (1771–1813)

junta f. council, assembly, committee

juntamente together

juntar join, unite; ∾**se** meet; ∾**se a** join

junto -a united, near; ∾ **a** near, beside; **por** ∾ **a** beside; ∾**s** together

juramento *m.* oath

jurar swear

Juslibol *m.* name of a town north of Saragossa

justamente exactly

justicia *f.* justice

justificar justify

justo -a just, exact

juvenil juvenile, boyish

juventud *f.* youth, young people

juzgar judge

la the; *pron.* her, to her, it; ∾ **de** that of; ∾ **que** who, which, that, the one who, the one that, she who, whoever

La Casa surname of a patriot priest of Saragossa

laberíntico -a labyrinthine

laberinto *m.* labyrinth

labio *m.* lip

labor *f.* work

laboriosidad *f.* toil, application

laborioso -a laborious

labrador *m.* farmer, land-owner

labrar construct

labriego *m.* peasant

lacónicamente laconically

ladito *m.* side (*see note to* 116 24)

lado *m.* side, direction; **al** ∾ **de** beside; **de al** ∾ **106** 17 next door

ladrar bark, snarl

ladrillo brick

ladrón *m.* thief; ∾ **de caminos** highwayman

ladronzuelo *m.* miserable thief

Lafuente surname of a patriot of Saragossa

lagartijero -a that hunts newts; **pájaro** ∾ butcher-bird

lágrima *f.* tear

Lamberto: San ∾ name of a small place west of Saragossa

lamentable lamentable

lamentación *f.* lamentation

lamentar lament; ∾**se** lament, grieve

lamento *m.* lament, lamentation

lámpara *f.* lamp

lana *f.* wool

lance *m.* affair, adventure

Lannes surname of one of Napoleon's marshals (1769–1809)

lanza *f.* lance

lanzar hurl, cast, impel, utter; ∾ **al aire** cast to the breeze; ∾**se** plunge, rush

largo -a long; **a lo** ∾ **de** along; **cuan** ∾ **era** at full length; ∾ **de 10** 22 get out of; **de** ∾ **a** ∾ up and down

Larripa surname of a colonel in Saragossa

las the; *pron.* them, to them, any; ∾ **de** those of; ∾ **que** who, which, that, those who

Lasartesa surname of a priest in Saragossa

Laste surname of a patriot of Saragossa

lástima *f.* pity

lastimero -a mournful, doleful

lastimoso -a pitiable, pitiful

lata *f.* tin

lateral lateral, side

latido *m.* beating

latín *m.* Latin (the Latin language)

latino -a Latin

laurel *m.* laurel

Lazán title of a marquis, elder brother of Palafox

Lázaro *m.* Lazarus

le to him, him, to it, it

lealtad *f.* loyalty

lector *m.* reader, lecturer

lecho *m.* bed

lechuzo *m.* debt-collector

leer read

Lefebvre-Desnouettes surname of a French general (1773–1822)

lego -a lay

legua *f.* league (nearly four miles); **ni a cien ∼s** not by a long shot

Leiva surname of a colonel in Saragossa

lejano -a distant

lejos far (away), afar; **a lo ∼** in the distance

lengua *f.* tongue

lenguaje *m.* language

lenguaza *f.* (vile) tongue

lentamente slowly

lento -a slow

leña *f.* (fire)wood

Leocadia *f.* given name

leona *f.* lioness

Lerma *f.* name of a town in Old Castile south of Burgos

les to them, them

letargo *m.* lethargy

letra *f.* letter; **∼ de molde** printed letter; **∼s** learning

letrero *m.* sign

levantado -a up, out of bed

levantar raise, erect; **∼se get up; levantado -a de cascos** flighty

Levante *m.* Levant, east

levemente slightly

ley *f.* law

leyenda *f.* legend

liar knot

libertador -ora liberating

libertar liberate

libertino *m.* libertine

libra *f.* pound

librar free; fight (a battle)

libre free

libremente freely

libro *m.* book

licencia *f.* permission, leave

lienzo *m.* linen, cloth, curtain (*i.e.* part of a wall between two bastions); **∼s** clothes

ligerísimo -a very quick

ligero -a swift, nimble, slight, hasty; **a la ligera** hastily

límite *m.* limit

limosna *f.* alms, charity; **una ∼** alms

limpiar clean, wipe away

limpio -a clean, clear, stripped

lindar (con) border (upon)

Lindener surname

lindeza *f.* elegance

lindo -a pretty, fine

línea *f.* line

linterna *f.* lantern

lío *m.* bundle

lisiado *m.* cripple

liviandad *f.* levity, imprudence

lívido -a livid

lo the, so, how; *pron.* it, him; ∽ **de** the affair of, the matter of; ∽ **que** that which, what; ∽ **que es** as for; ∽ **que es ahora** as for the present moment

lobo *m.* wolf

lóbrego -a murky, gloomy

local *m.* place (refers to a covered place or shelter)

loco -a mad, crazy, insane; *m.* madman

locuacidad *f.* loquacity

locuaz loquacious

locura *f.* madness, mad thing; ∽**s** madness

locutorio *m.* locutory (parlor in a convent for receiving visitors)

lodo *m.* mud

lógica *f.* logic

lograr succeed in, manage (to)

lomo *m.* chine

lonja *f.* slice

López surname of a patriot of Saragossa

Lorenzo *m.* Lorenzo, Lawrence

los the; *pron.* them; ∽ **de** those of; ∽ **que** who, which, that, those who

Loshoyos surname

loza *f.* earthenware

lucir shine

lucha *f.* struggle

luchar struggle

luego then; **desde** ∽ at once; ∽ **que** as soon as

Luengo surname

lugar *m.* place, position

lúgubre mournful

lujo *m.* luxury

luna *f.* moon

luto *m.* mourning

luz *f.* light

llama *f.* flame, fire

llamada *f.* call, call to arms

llamar call, summon, attract; ∽ **al sueño** try to go to sleep

llaneza *f.* sincerity

llano -a plain

llanto *m.* weeping, tears

llanura *f.* plain

llave *f.* key; **ama de** ∽**s** housekeeper

llegada *f.* arrival

llegar arrive; ∽ **a** reach, penetrate, come to, reach the point of; ∽ **a salir** turn out; ∽ **hasta** get so far as to; ∽**se** come (up)

llenar fill

lleno -a full

llevar carry, take, lead, convey, raise, pass, keep, bear, wear, have; ∽ **a cabo** carry out; ∽**se** take away; ∽**se (buen) chasco** be (greatly) disappointed; **se le llevarán los demonios** he will get very angry

llorar weep, mourn

llover rain, rain down

lluvia *f.* rain, torrent

Macabeos *m. pl.* Maccabees (a distinguished military Jewish family of the second century B.C.)

Macelo: el ∾ name of a building used formerly as a slaughter-house

macilento -a extenuated, feeble

macizo -a massive

machón *m.* buttress (a projecting structure used to help support a wall or building)

madera *f.* wood, timber, stamp; **131** 23 stock

maderamen *m.* framework

madero *m.* beam

madre *f.* mother

Madrid *m.* Madrid

madriguera *f.* burrow

madrugada *f.* dawn, morning

madrugador *m.* early riser; **buen ∾** early riser

maestro -a main; *m.* teacher; **obra maestra** masterpiece

Magdalena *f.* Magdalen; **la ∾** name of a church and square

magistrado *m.* magistrate

magnánimo -a magnanimous

magnífico -a magnificent

magra *f.* slice of ham

magro -a meager

magullar bruise

maitines *m. pl.* matins (name of a church service, said some-times at midnight, sometimes at daybreak)

majestad *f.* majesty

majestuosamente majestically

majestuoso -a majestic

mal *m.* trouble, harm, wrong; *adv.* ill, badly, poorly; *adj.* **malo**

maldecir curse

maldito -a cursed; *m.* cursed fellow

malecón *m.* embankment

malestar *m.* indisposition

malicia *f.* malice, trickery

malo -a bad, evil, poor, wrong; **mal nombre** nickname

maltratar ill-treat

malva *f.* mallow

malvado -a wicked

Mallorca *f.* Majorca (name of one of the Balearic Isles in the Mediterranean Sea, belonging to Spain)

mallorquín -ina Majorcan

mampostería *f.* masonry

manantial *m.* source

mancebo *m.* youth

mancha *f.* stain

manchar stain

mandar command, order, direct, tell, send

mando *m.* command

manejar handle

manga *f.* sleeve

manía *f.* mania

manifestación *f.* manifestation

manifestar manifest, declare, display

manifiesto -a manifest

mano *f.* hand; **a ∾** in one's hand; **de ∾s a boca** suddenly; **darse la ∾ con** be in touch with; **dejar de la ∾** let go; **golpe de ∾** surprise attack; **∾ sobre ∾** with idle hands; **de tal modo se le fué la ∾ 9** 29 he went to such lengths; **se me fué la ∾ 127** 29 I went too far; **tener buena ∾** be skillful

mansión *f.* abode

Manso surname of a marshal (major-general) of Saragossa

manta *f.* blanket, mantle

manteca *f.* butter

mantener maintain

mantequilla *f.* butter; *see note to* **7** 1

manto *m.* mantle

Manuel *m.* Emanuel

Manuela *f.* given name

Manuelilla *f.* (dear *or* little) Manuela; **39** 27 my dear Manuela

manzana *f.* apple, block

maña *f.* cleverness, habit

mañana *f.* morning; *adv.* tomorrow; **dormir la ∾** sleep late in the morning; **el día de ∾** tomorrow; **∾ mismo** not later than tomorrow

máquina *f.* machine

maquinalmente mechanically

mar *m.* sea

maravedí *m.* name of an old Spanish coin worth about one sixth of a cent

maravilla *f.* marvel; **a las mil ∾s** marvelously

maravilloso -a marvelous

Marcos *m.* Mark

marcha *f.* march

marchar march; **∾ se** go away

marfil *m.* ivory

María *f.* Mary

Mariano *m.* given name

marido *m.* husband

Marijuán surname

marino -a marine

mariposa *f.* butterfly

Mariquilla *f.* (dear *or* little) Mary

mariscal *m.* marshal, major-general

mariscalazo *m.* great marshal (*see note to* **173** 18)

mármol *m.* marble

marmota *f.* marmot; **dormir como una ∾** sleep like a top

marqués *m.* marquis

Marraco surname of a patriot of Saragossa

Martín *m.* Martin

Martínez surname of a patriot priest of Saragossa

mártir *m.* martyr

martirizar torture

Marzo *m.* March

mas but

más more, most, better; **∾ bien** rather; **cuanto ∾ . . . ∾** the more . . . the more; **∾ de media noche** after midnight; **las ∾ de las veces** the majority of times; **los ∾** the majority; **nada ∾ que** only; **no . . . ∾**

que only; **no tener a nadie ∾ que** have no one else but; **por ∾que** however much, although; **∾ que de prisa** very quickly; **sin ∾ ni ∾** without further ado

masa *f.* mass, quantity

Masas or **Massas** name given to some Christian martyrs (*see note to* **72** 23)

mata *f.* shrub

matar kill, allay

mate unpolished

matemáticas *f. pl.* mathematics

Mateo *m.* Matthew

materia *f.* matter, material

material material; *m.* material(s)

materialmente materially, literally

materno -a maternal

matrimonio *m.* matrimony

maullar mew

mayo *m.* May; **flor de ∾** mayflower

mayor greater, greatest, older, oldest, principal; **∾ parte** majority

mayormente especially

mazapán *m.* marchpane (a sweet paste of crushed almonds, sugar, etc.)

mazmorra *f.* underground dungeon, underground vault

me me, to me, for me, myself, to myself

mecha *f.* fuse, match

mechero *m.* burner (of lamp), socket (of candlestick); **candil de dos ∾s** two-burner lamp

media *f.* stocking

medianero -a intervening; **pared medianera** partition wall

mediano -a moderately large

médico -a medical; *m.* doctor

medida *f.* measure; **a ∾ que** accordingly as

medio -a half; *m.* middle, measure, means; **medio** *adv.* half; **media noche** midnight; **más de media noche** after midnight; **a medias** half way; **en medio de** in the middle of, in the midst of; **por medio de** by means of; **medios** means

Mediodía *m.* midday, south

medir measure

meditabundo -a thoughtful, meditative

meditar meditate

medroso -a fearful, timid

mejilla *f.* cheek

mejor better, best; **a lo ∾** at best, when least expected; **∾ dicho** more correctly; **estar ∾** be better off; **lo ∾** the best part

melancólico -a melancholy

melindre *m.* nicety; **∾s** fastidiousness, affectation; **nada de ∾s 11** 16 don't be shy

melocotón *m.* peach

memorable memorable

memoria *f.* memory, record

mención *f.* mention

mencionar mention

Mendieta surname of a soldier in Saragossa

mendigo *m.* beggar

mendrugo *m.* fragment (of bread)

menester necessary

menesteroso -a needy

menor lesser, least, slightest; ∽ número minority

menos less, fewer, least, except; **al** ∽ at least; **echar de** ∽ miss; **lo** ∽ at least; **poco** ∽ almost, nearly, almost the same; **por lo** ∽ at least

mentalmente mentally

mente *f.* mind

mentir lie

mentira *f.* lie, falsehood; **ser** ∽ be false; **parecer** ∽ seem impossible

menudencia *f.* detail

menudo -a minute, small; **12** 10 easy (ironical); **a** ∽ often

Mequinenza *f.* name of a small town about sixty miles east of Saragossa

mercader *m.* merchant

mercado *m.* market

merced *f.* mercy, grace, honor

merecer deserve

merecido *m.* deserts

mérito *m.* merit, excellence

mermar diminish, dwindle

merodear pillage

mes *m.* month; **al** ∽ a month

mesa *f.* table, fare

metal *m.* metal, quality

meter put, station, set; ∽ **ruido** make a noise; ∽se make one's way, go; ∽se a begin to; ∽se en pleito enter upon a lawsuit

metralla *f.* grapeshot

metrópoli *f.* metropolis

Metz *m.* name of a city in Lorraine, now eastern France

mezclar mix, mingle, make up; ∽se mingle

mezquino -a poor, wretched

mi my; **aquél** ∽ that . . . of mine

mí me, myself

miaja *f.* crumb

miedo *m.* fear; **qué** ∽ how terrible

miembro *m.* limb

mientras while, as long as, until; ∽ **no** until

migaja *f.* crumb

Miguel *m.* Michael; **San** ∽ name of a square; **San** ∽ **de los Navarros** name of a church and parish

mil (a) thousand

milagro *m.* miracle

milicia *f.* militia; ∽s militia

militar military; **9** 28 *used for* **militarmente** from the military point of view; *m.* soldier

millón *m.* million

mina *f.* mine

minador *m.* miner, sapper

minar mine

minarete *m.* minaret (a high, slender tower rising from a mosque)

miniatura *f.* miniature

mínimo -a least; **Mínimo** a monk of an order founded by St. Francis of Paula in 1435

minucioso -a detailed

minuto *m.* minute

mío -a my, mine; el ∿, la mía, *etc.* mine

mirada *f.* glance, look

mirador *m.* balcony (large, and sometimes built high)

miramiento *m.* consideration

mirar look, look at, see; *m.* look; ∿ con tan malos ojos look upon so unfavorably

misa *f.* mass

miserable miserable; *m.* wretch

miseria *f.* misery, miserable thing, trifle

misericordia *f.* mercy

misericordioso -a merciful

misión *f.* mission

mismo -a same, very, self; ahora ∿ right now; allí ∿ right there; hoy ∿ this very day; lo ∿ the same thing; lo ∿ (. . .) que as well as; mañana ∿ not later than tomorrow; un(o) ∿ one and the same

misterio *m.* mystery

misterioso -a mysterious

místico -a mystical; *m.* mystic

mitad *f.* half, middle

moda *f.* style, fashion

modales *m. pl.* manners

modelar *m.* model

modelo *m.* model

moderno -a modern

modesto -a modest

módico -a moderate

modo *m.* manner, way; de ∿ (que) so (that)

mofa *f.* ridicule

mofarse scoff

mohina *f.* peevishness

molde *m.* mold, shape; letra de ∿ printed letter

mole *f.* mass .

moler grind, weary

molestar annoy, trouble

molestia *f.* trouble

molesto -a annoying

molino *m.* mill

momentáneamente momentarily

momentáneo -a momentary

momento *m.* moment; al ∿ at once; ∿s antes a few moments before; por ∿s every minute

monaguillo *m.* altar boy

monarca *m.* monarch

Monas: las ∿ name of a house in Saragossa

monasterio *m.* monastery

Moncayo: el ∿ name of a high mountain some forty to fifty miles west of Saragossa

Moncey surname of one of Napoleon's marshals (1754–1842)

mondo -a neat; 62 21 whole

moneda *f.* coin

Mónicas: las ∿ name of a convent in Saragossa

monja *f.* nun

monje *m.* monk

mono *m.* monkey

monstruoso -a monstrous

monta *f.* importance

montaña *f.* mountain

monte *m.* mountain, mount

montón *m.* pile, heap

Montoria surname

Montorilla *see note to* 55 6

monumento *m.* monument

Monzalbarba *f.* name of a small town near Saragossa

morada *f.* dwelling, abode

moral moral

morar dwell, abide

moratoria *f.* moratorium (a period of delay for payment of a debt)

morder bite

mordisco *m.* bite

moreno -a dark, swarthy

moribundo -a dying

morir die; ∾se die, be dying

morrión *m.* helmet

mortal mortal; *m.* human being

mortero *m.* mortar

mortífero-a death-dealing, deadly

mortificar annoy, afflict, trouble

mosca *f.* fly

Moscas: las ∾ name of a street

mosco *m.* gnat

Mosén *m.* Father (Aragonese title for clergyman)

mostrador *m.* counter

mostrar show

mote *m.* nickname, name

motivo *m.* reason

mover move; ∾se move

movible movable, fickle

móvil moving

movilidad *f.* mobility

movimiento *m.* movement; **ponerse en** ∾ move along

Mozart surname of a famous German musical composer (1756–1791)

mozo -a young; *m.* young fellow, youth; *f.* girl

muchacha *f.* girl

muchacho *m.* boy, fellow

muchedumbre *f.* multitude

muchísimo -a very much; ∾s very many; **muchísimo** *adv.* very much

mucho -a much; ∾s many; **mucho** *adv.* much, very much, very, a great deal; ∾ **ruido** a loud noise; ∾ **tiempo** a long time; **mucha gente** many people; **la mucha tropa** the great number of troops

mudar change, move; ∾se move

mudo -a mute

mueble *m.* piece of furniture; ∾s furniture

Muela: la ∾ name of a small town near Saragossa

muerte *f.* death

muerto -a *p.p. of* **morir**; dead, killed

muestra *f.* sign

mugir *f.* roar

mujer *f.* woman, wife

muleta *f.* crutch

multa *f.* fine

multiplicación *f.* multiplication

multiplicidad *f.* multiplicity

multitud *f.* multitude, great number

mundano -a worldly

mundo *m.* world; **todo el** ∾ everybody

municiones *f. pl.* munitions

muralla *f.* wall, rampart

Murcia *f.* name of a province and seaport in southeastern Spain murciélago *m.* bat

murmullo *m.* murmur

murmurar murmur

muro *m.* wall

muscular muscular

música *f.* music, song, band; 55 15 nonsense; ∾s 53 30 nonsense

músico *m.* musician

mutuo -a mutual

muy very, very much; ∾ amigo (an) intimate friend

nacer be born, grow; *m.* birth

nación *f.* nation

nacional national

nacionalidad *f.* nationality

nada nothing, anything; ∾ de no; ∾ de eso nothing like that; ∾, ∾ no, no; *see note to* 59 12

nadie no one, anyone

naipe *m.* card

Napoleón *m.* Napoleon

nariz *f.* nose, nostril

narración *f.* narration

narrador *m.* narrator

narrar narrate

natural natural; *m.* native

naturaleza *f.* nature, kind, existence

naturalismo *m.* naturalism

navaja *f.* knife, razor

navarro -a Navarrese; Navarro -a Navarrese; San Miguel de los Navarros name of a church and parish

nave *f.* nave

Nazareno -a of Nazareth

necesario -a necessary

necesidad *f.* necessity

necesitar (de) need

negar deny, refuse; ∾se refuse

negociante *m.* merchant

negocio *m.* business, business affair

negro -a black

negror *m.* blackness

nervio *m.* nerve

nervioso -a nervous

Ney surname of one of Napoleon's marshals (1769–1815)

ni neither, nor, not, even, not even

nicho *m.* niche

niebla *f.* mist

nieto *m.* grandchild, grandson

nieve *f.* snow

nimbo *m.* halo

ningún *see* ninguno

ninguno -a none, not any, no, any, no one; el ∾ the absence of

niña *f.* girl; 4 22 pupil (of the eye); muy ∾ very young

niñito *m.* child, little boy

niño *m.* child, boy

nivel *m.* level

no no, not

noble noble

nobleza *f.* nobility

noción *f.* notion

noche *f.* night, evening; buenas ∾s good evening; de ∾ at night; media ∾ midnight; ser de ∾ be evening, be night

nombrar name, mention

nombre *m.* name; **mal ∽** nickname

noramala to the devil, to the dickens

normal normal

norte *m.* north, rule

nos us, to us, ourselves, to ourselves, each other, to each other

nosotros -as we, us

nota *f.* note

notar notice

noticia *f.* notice, piece of news, news; **tener ∽ de 5 18** have heard about; **∽s** news

novedad *f.* novelty

noventa ninety

novia *f.* sweetheart

novio *m.* sweetheart

nube *f.* cloud

nublar cloud; **∽se** become clouded

nuera *f.* daughter-in-law

nuestro -a our, ours; **el nuestro, la nuestra,** *etc.* ours; **los nuestros** our men

nueve nine; **las ∽** nine o'clock

nuevo -a new; **de ∽** again

Numancia *f.* Numantia (an ancient stronghold in the province of Soria, Old Castile)

numantino -a Numantian: **Numantino** Numantian

número *m.* number; **menor ∽** minority

numeroso -a numerous

nunca never, ever

nutrir nourish; **fuego nutrido** heavy fire

o or

obedecer (a) obey

obispo *m.* bishop

objeto *m.* object

oblicuo -a oblique, slanting

obligación *f.* obligation

obligar oblige

obra *f.* work, task, act, deed, fact, fortification; **de ∽** in reality; **∽ de** about; **∽ maestra** masterpiece

obrar act

obscurecer obscure, grow dark; **∽se** become dark, grow dim

obscuridad *f.* darkness

obscuro -a dark; **a obscuras** in the dark

obsequiar treat, present

obsequio *m.* civility, act of civility; **en ∽ de** for the sake of

observación *f.* observation

Observante Observant (part of name of certain religious orders)

observar observe

obstáculo *m.* obstacle

obstante : no ∽ nevertheless

obstinación *f.* obstinacy

obstinarse be obstinate, insist

obstruir obstruct, block

obtuso -a obtuse

obús *m.* shell

ocasión *f.* occasion, opportunity

ocasionar occasion

occidental western

océano *m.* ocean

ocioso -a idle

octogenario -a octogenarian

octubre *m.* October

ocultación *f.* concealment

ocultar hide, conceal; ∽se hide

ocupación *f.* occupation

ocupador *m.* occupant

ocupar occupy, busy; ∽se de busy oneself about, attend to

ocurrencia *f.* event, idea

ocurrir occur, happen; ∽se occur; lo ocurrido 55 3 what had happened

ochavo *m.* farthing (an old Spanish coin worth two maravedis)

ocho eight; las ∽ eight o'clock

odiar hate

odio *m.* hatred

odioso -a odious

ofender offend, harm

ofensa *f.* offense, injury

ofensiva *f.* offensive (military)

ofensivo -a offensive

oferta *f.* offer

oficial *m.* officer

oficio *m.* service

ofrecer offer

ofrenda *f.* offering

oh oh

oído *m.* hearing, ear; poner atento el ∽ listen attentively

oír hear, listen, listen to; ∽ hablar de hear about

ojalá oh that, would that

ojo *m.* eye; le entraron por el ∽ derecho 173 24 he took a fancy to them

ola *f.* wave

oleada *f.* wave

oler smell

Oliva surname of a patriot of Saragossa

olivar *m.* olive grove

olivo *m.* olive tree

olmo *m.* elm

olor *m.* odor; agua de ∽ perfume; *see* húmedo

olvidar forget; ∽se (de) forget

once eleven

O'Neille *or* O'Neilly surname of a general in Saragossa

O'Neilly *see* O'Neille

onza *f.* ounce (a gold coin worth about sixteen dollars)

operación *f.* operation

operario *m.* laborer

opinar express the opinion, think

opinión *f.* opinion

oponer oppose; ∽se (a) oppose

oportuno -a opportune, timely, advisable

optimismo *m.* optimism

opuesto -a *p. p. of* oponer; opposite

ora now

oración *f.* prayer

orar pray

orden *m.* order, arrangement; *f.* order, command, body; el ningún ∽ the absence of order

ordenar order, arrange, command

ordinario -a ordinary; lo ∽ ordinary affairs

oreja *f.* ear

orejón *m.* slice of dried peach; orejones dried peaches

orfandad *f.* orphanage

organismo *m.* organism

organización *f.* organization

organizar organize

órgano *m.* organ; **el Órgano** name of a small street

orgullo *m.* pride

orgulloso -a proud

oriental Oriental, eastern

oriente *m.* east

origen *m.* origin

Orihuela *f.* a city in the province of Alicante in southeastern Spain

orilla *f.* bank

oro *m.* gold

os you, to you, yourselves, to yourselves, each other, to each other

osadía *f.* daring, audacity

osado -a daring

osamenta *f.* skeleton

oscilación *f.* oscillation

osificar ossify, harden

ostentar display

otro -a other, another; **uno y ∽** both; **un lado y ∽** both sides; **unos a otros** (to) each other; **unas contra otras** against each other, against one another

oxidar oxidize, rust

Pablo *m.* Paul; **San ∽** name of a church, street, and parish

Pabostre name of a street

paciencia *f.* patience

paciente *m.* patient

pacífico -a pacific, peaceful

padecer suffer; *m.* suffering

padre *m.* father, priest; **∽s** parents

Padrenuestro *m.* Our Father

pagar pay (for)

página *f.* page

pago *m.* payment

país *m.* country

paisano *m.* fellow-countryman, peasant, civilian

Paja: **la ∽** name of a street

pájaro *m.* bird; **∽ gordo** *see note to* **118** 26

pala *f.* shovel

palabra *f.* word, speech; **dirigir la ∽ a** address; **tomar la ∽ 129** 19 take up the conversation

palabreja *f.* big word, fine word

palabrilla *f.* little word, lovely word

palacio *m.* palace

paladar *m.* palate

Palafox surname of the captain general of Saragossa

paletada *f.* shovelful, blow with a shovel

pálido -a pale

palillo *m.* small stick; **∽ de diente** toothpick

palma *f.* palm; **batir ∽s** clap one's hands; **Palma** name of the capital city of the Balearic Isles, on the island of Majorca

palmada *f.* handclapping

palmatoria *f.* candlestick

palmo *m.* span

palo *m.* stick, pole; **de tal ∽ tal astilla 132** 2 a chip of the old block; **pegar ∽s** administer a beating

Palomar name of a street

palpitante palpitating

palpitar palpitate
Pallejas surname
pan *m.* bread, loaf (of bread)
panegírico *m.* panegyric
Panetes: San Juan de los ∼ name of a church
pánico *m.* panic
pañizuelo *m.* small cloth
paño *m.* cloth; ∼s **menores** underclothes, night clothes
pañuelo *m.* handkerchief
papá *m.* father, papa
papaíto *m.* dear father, dear papa
papanatas *m.* ninny, sissy
papel *m.* paper, rôle, part
par equal; *m.* pair, couple
para for, to, in order to, by; ∼ **que** in order that; ∼ **qué** for what purpose, why
parada *f.* stop, halt
paradero *m.* whereabouts
paraje *m.* place
paralelo -a parallel; *m.* parallel; *f.* parallel (*see note to* **33** 2)
paralizar paralyze
parapetarse take shelter (behind a parapet); **parapetado -a** sheltered
parapeto *m.* parapet
parar stop, end, land; ∼se stop
parcial partial
parche *m.* plaster
parecer appear, seem; *m.* opinion; **al** ∼ apparently; **a lo que parece** it appears, apparently; **qué os parece** what do you think of; ∼se **a** resemble
parecido -a similar

pared *f.* wall
paredón *m.* thick wall
pareja *f.* couple, partner
pariente *m.* relative, relation
parir give birth to
París *m.* Paris
parlamentario *m.* envoy
párpado *m.* eyelid
parque *m.* park
Parra: la ∼ name of a street
parroquia *f.* parish
parte *f.* part, side, place, direction; *m.* dispatch; **alguna** ∼ somewhere; **a todas** ∼s everywhere; **de algunas noches a esta** ∼ **25** 13 for some nights past; **de una y otra** ∼ from both sides; **en alguna** ∼ somewhere; **en otra** ∼ elsewhere; **en todas** ∼s everywhere; **hacia aquella** ∼ in that direction; **mayor** ∼ majority; **no . . . en ninguna** ∼ not anywhere; **por todas** ∼s on all sides, everywhere
participar (de) share, inform
partícula *f.* particle
particular strange; *m.* matter; **no tenía nada de** ∼ **134** 31 was not at all strange
partida *f.* party, troop
partidario *m.* supporter; **ser** ∼ **de** be in favor of
partido *m.* party (political)
partidor *m.* dividing line
partir depart, go, start, branch off, sever, divide, cut in two; ∼se break

pasa *f.* raisin

pasadizo *m.* passage

pasado -a last

pasar pass, spend, hand, cross, proceed, go on, happen; ∽lo get along; ∽se sin do without

pasear walk; ∽se walk, pass

paseo *m.* walk; **sacar a ∽** take out walking

pasillo *m.* passage, hall

pasión *f.* passion

pasito *m.* (short) step (*see note to* **77** 24)

paso *m.* step, walk, way, rate, passage; ∽s advance; **al ∽ in one's way, on the way; andar en malos ∽s** follow evil ways; **ir por sus ∽s contados** go according to arrangement; **salir al ∽ a** come out to meet

pasta *f.* paste, consistency

pastel *m.* pie

pastoso -a soft, mellow

patada *f.* kick

patear kick

paternidad *f.* paternity; **Paternidad** Reverence (a title given to priests)

paterno -a paternal

patético -a pathetic

patiecillo *m.* small court(yard)

patio *m.* court(yard)

patria *f.* fatherland, (native) country

patriarcal patriarchal

patrio -a native, patriotic

patriota *m.* patriot

patriótico -a patriotic

patriotismo *m.* patriotism

patrona *f.* patroness

patrono *m.* patron

Paúl surname of a captain in Saragossa

paulatinamente gradually

pauta *f.* pattern

pavimento *m.* pavement, floor

pavor *m.* fear

pavoroso -a fearful, awful

paz *f.* peace, rest

pecadillo *m.* peccadillo

pecado *m.* sin; **de mis ∽s** *see note to* **50** 31; **mal ∽** good Lord (*an exclamation expressing displeasure or sorrow*)

pecho *m.* breast, bosom, heart, courage; **a ∽ descubierto** unprotected; **tomar a ∽s** take seriously

pedacito *m.* small piece, patch

pedazo *m.* piece, fragment

pedir ask, ask for, beg, pray; **a ∽ de boca** as well as could be desired; **∽ de comer** ask for something to eat

pedrada *f.* stone-throwing

pedrería *f.* collection of precious stones; ∽s jewels

pedrisco *m.* hail (*see note to* **34** 18)

Pedro *m.* Peter; **Peñas de San ∽** *see* **Peñas**

pegado -a a close to, adjoining

pegar join, fasten, place, set; **∽ palos** administer a beating

peldaño *m.* step

pelear fight

peligro *m.* danger

peligroso -a dangerous

pelo *m.* hair, nap

pelotón *m.* platoon, group (of soldiers)

peluca *f.* wig

pelucona *f.* large wig; **99** 20 *a colloquial term for* **onza** ounce

pellejo *m.* skin

pena *f.* pain, sorrow, trouble; **valer la ∽ (de)** be worth while, be worth the trouble of, deserve to

pender hang

penetración *f.* penetration

penetrar penetrate

península *f.* peninsula

penitencia *f.* penitence, penance

penoso -a laborious

pensador -ora thoughtful

pensamiento *m.* thought

pensar think, expect; *m.* thoughts, mind

penumbra *f.* shadow

peña *f.* cliff, rock; **Peñas de San Pedro** *m.* name of a town in the province of Albacete in southeastern Spain

peor worse, worst

Pepa *f.* Josie (*familiar for* **Josefa** Josephine)

Pepe *m.* Joe (*familiar for* **José** Joseph)

Pepillo *m.* Joe

pequeñez *f.* smallness

pequeñito -a rather small

pequeño -a small, little

pera *f.* pear; **de ∽s a higos** from time to time

peral *m.* pear tree

percatar consider; **∽se** become aware

percibir perceive, detect

perder lose, ruin

pérdida *f.* loss

perdón *m.* pardon

perdonar pardon

perdoncito *m.* pardon (*see note to* **128** 26)

perecer perish

pereza *f.* laziness

perezosamente lazily

perfectamente perfectly

perfecto -a perfect

pérfido -a perfidious

perfumar perfume

pericia *f.* skill

perilla *f.* small pear; **venir de ∽s (a)** come at the right time (to), suit exactly

período *m.* period

peripecia *f.* vicissitude

perjudicial harmful

permanecer remain

permanencia *f.* permanence

permitir permit, allow

perniquebrar break the leg of

pero but, however

perpetuamente perpetually

perplejidad *f.* perplexity

perrillo *m.* little dog

perro *m.* dog; **∽ con rabia** mad dog; **∽ de presa** bulldog

persecución *f.* pursuit

perseguir pursue

persistir persist

persona *f.* person

personaje *m.* personage
personal personal
personalidad *f.* personality
perspectiva *f.* perspective
perspicaz perspicacious, acute
persuasión *f.* persuasion
pertenecer belong
pertrechar supply
perturbar disturb, unbalance
Perú (el) Peru
perverso -a perverse
pesadilla *f.* nightmare
pesado -a heavy
pesadumbre *f.* grief
pesar weigh, grieve; *m.* sorrow;
a ∿ de in spite of
pescar fish; **101** 25 pick up
peseta *f.* name of a coin worth
about twenty cents
peso *m.* weight; ∿, ∿ **duro**, ∿
fuerte names of a coin worth
about a dollar
pestañear blink
pestilente pestilential
piadoso -a pious, charitable
picar prick; **99** 16 chop
pico *m.* beak, peak, top, pickax;
trece mil y (un) ∿ thirteen
thousand odd
picudo -a pointed
pie *m.* foot; a ∿ on foot; a ∿
firme firmly; **en** ∿ standing;
en punta de los ∿s on tiptoe
piedad *f.* pity
piedra *f.* stone
Piedrafita surname of a colonel
in Saragossa
piedrecilla *f.* small stone

piedrecita *f.* small stone
piel *f.* skin, fur
pienso *m.* thought; **ni por** ∿ by
no means
pierna *f.* leg
pieza *f.* piece, article, specimen,
piece (of artillery), room, floor;
buena ∿ *see notes to* **21** 6 *and*
131 23; ∿ **de a ocho** piece of
eight (a coin worth about a
dollar)
pilar *m.* pillar; **el Pilar** name of
a cathedral (*see note to* **14** 6)
piltrafa *f.* scrap (a piece of meat
almost entirely skin)
pingajo *m.* rag
pino *m.* pine; **el Pino** name of
a tower
Pino-Hermoso surname
pintar paint, describe
pintoresco -a picturesque
pío -a pious; **Escuela Pía** *see
note to* **1** 20
piqueta *f.* pick, pickax
piquete *m.* picket
piquillo *m.* small quantity
pira *f.* (funeral) pile
Pirli surname
pisar tread upon
pisaverde *m.* dude
piso *m.* floor; ∿**bajo** ground floor
pisotear trample upon
pistola *f.* pistol
pizca *f.* whit, trace
Pizueta surname
placer *m.* pleasure
plan *m.* plan
planeta *m.* planet

plano *m.* plane; **de** ∞ with the flat (of a sword)

planta *f.* plant, plan; ∞ **baja** ground floor

plantar to plant; **plantado -a** situated

plata *f.* silver

plataforma *f.* platform

platónico -a platonic

plaza *f.* place, square, fortified town; ∞ **de armas** place of arms (a station or depot in trench works for assembling troops); ∞ **fuerte** stronghold

plazoleta *f.* small square

plazuela *f.* (small) square

plegaria *f.* supplication

pleito *m.* lawsuit

pliego *m.* sheet, document

pliegue *m.* plait, fold

plomizo -a leaden

plomo *m.* lead, plummet; **a** ∞ perpendicularly

pluma *f.* plume, pen

plumaje *m.* plumage

plumero *m.* bunch of feathers, plume

poblar populate, people, fill

pobre poor, lacking

pobrecilla *f.* poor girl

pobrecito -a poor; *m.* poor fellow

poco -a little, slight; ∞**s** few; poco *adv.* little, not very; **poco a poco** little by little; **poco de** little; **poco menos** almost, nearly, almost the same; **poco tiempo** a short time; **un poco (de)** a little

poder be able; *m.* power; **puedo** I can, I may; **no** ∞ **con el alma** be exhausted; **no** ∞ **más** be able to endure no more; **no poder menos de** be unable to help; **no**∞**nada** be powerless; **no**∞**ver** be unable to endure; **pasar a** ∞ **de** pass into the hands of; **puede** it is possible

poderosísimo -a very powerful

poderoso -a powerful

podrido -a rotten

podrir decay

poesía *f.* poetry

poeta *m.* poet

poético -a poetical

polea *f.* pulley

polilla *f.* moth

Polonia *f.* Poland

polvo *m.* dust, powder; ∞ **de fuego** 79 17 fire-dust; **sacudir el** ∞ **a** thrash

pólvora *f.* powder (gunpowder)

pollo *m.* chicken

Pomar name of a street

pompa *f.* pomp, ostentation, finery

ponderar describe, emphasize

poner put, lay, station, set, set up, render, suppose; ∞ **atención** pay attention; ∞ **atento el oído** listen attentively; ∞ **de vuelta y media** 30 30 scold; ∞ **el pie en firme** set one's foot down firmly; ∞**en cuidado** occupy (some one's) attention; ∞ **en dispersión** scatter; ∞ **en duda** question; ∞ **gran empeño** show great ardor; ∞ **por**

caso say for example; ∽ **por tierra** cut to the ground; ∽ **un cercado a** place a blockade around; ∽**se** become, turn, put on; ∽**se a** begin (to); ∽**se de rodillas** get on one's knees; ∽**se en marcha** set out on the march; ∽**se en movimiento** move along; ∽**se en pie** stand up

poniente *m.* west

ponzoñoso -a venomous

popular popular

poquillo -a very little; **un ∽ a** (very) little

poquito -a very little; **un ∽ a** (very) little, a little while

por for, through, on account of, by, on, over, down, along, to, as, in, about, at, out of; ∽ **qué** why

pordiosero *m.* beggar

pormenor *m.* detail

porque because

porra *f.* club; *an interjection expressing usually surprise and anger*

porrazo *m.* blow with a club; **dar ∽s** strike blows, bang

portador *m.* bearer

portal *m.* gateway, doorway, entrance

portalón *m.* big door, gateway

portarse behave

portentoso -a marvelous

pórtico *m.* portico, porch

portillo *m.* aperture, gate; **el Portillo** name of a gate

porvenir *m.* future

posada *f.* lodging, lodging-house

poseer possess, hold, seize

posesión *f.* possession

posesionado -a in possession

posesionarse take possession

posible possible; **en lo ∽** as far as possible

posición *f.* position

poste *m.* post

posteridad *f.* posterity

postrar prostrate

potencia *f.* power

pozo *m.* well; **Puerta de los Pozos** name of a gate in Madrid

practicable practicable

practicante *m.* assistant

practicar practice, make

práctico -a practical

precaución *f.* precaution

precavido -a far-sighted

preceder (a) precede

precio *m.* price

precioso -a precious, beautiful

precipitación *f.* haste; **con ∽** precipitately

precipitadamente hurriedly, hastily

precipitado -a precipitate, hurried

precipitar precipitate, hurry

precisamente just

precisar specify

preciso -a necessary

precoz precocious

predicador *m.* preacher; **Predicadores** name of a street

predicar preach

preferir prefer

pregón *m.* (public) announcement, cry

pregunta *f.* question

preguntar ask, question

prematuro -a premature, early

premiar reward (for)

premio *m.* reward

prenda *f.* pledge, ornament, (beloved) object; **39** 31 my dear

preparar prepare; ∽se prepare

preparativo *m.* preparation

presa *f.* seizure; **hacer ∽ a** take hold of; **perro de ∽** bulldog

presbiterio *m.* chancel (the part of the church where the altar stands)

presbítero *m.* priest

presedir preside over

presencia *f.* presence

presenciar witness

presentar present, introduce

presente present

presentimiento *m.* presentiment

preservar preserve

presidente *m.* president, chairman

preso *m.* prisoner

prestar lend; **∽ atención** give attention; **∽ servicio** perform service

presteza *f.* speed, haste; **con ∽** quickly

prestigio *m.* prestige

presuroso -a hasty

pretender pretend, solicit, claim

pretendiente *m.* suitor

pretensión *f.* pretension

pretexto *m.* pretext

pretil *m.* wall, embankment

prevalecer prevail

prever foresee

previsión *f.* foresight, calculation

primer *see* primero

primero -a first, best; primero *adv.* first; **primero que** before

primitivo -a primitive, original, former, first

primogénito -a first-born; *m.* oldest son

primor *m.* beauty; **me la destrozan que es un ∽** they are destroying it so that it is a sight to see

primorosamente delightfully

principal principal, main, chief, leading, important

principalmente principally

principiar begin

principio *m.* beginning, principle; **a ∽s de** at the beginning of

prisa *f.* haste; **a ∽** in haste, quickly; **a toda ∽** at full speed; **de ∽** quickly; **más que de ∽** very quickly; **no haya ∽** don't be hasty; **qué ∽ tiene usted** what is your hurry; **tener ∽** be in a hurry

prisionera *f.* prisoner

prisionero *m.* prisoner

privilegio *m.* privilege

probabilidad *f.* probability

probable probable

probablemente probably

probar try, test, prove

proceder proceed

proclama *f.* proclamation

procurar try

prodigar (a) lavish (upon)

prodigioso -a marvelous

producir produce

proeza *f.* prowess, act of prowess, deed of prowess

profanar profane

proferir utter

profundamente profoundly

profundidad *f.* depth, depths

profundo -a profound, deep; **lo ∼** the depths

profusión *f.* profusion

prohibir forbid

prójimo *m.* neighbor

prolijo -a prolix

prolongar prolong

prometer promise

prontamente promptly, quickly

prontitud *f.* promptness

pronto -a quick; *m.* sudden act; pronto *adv.* soon, quickly; **de pronto** suddenly; **tan pronto . . . como** no sooner . . . than, **156** 27 now . . . again

pronunciamiento *m.* pronouncement, declaration of revolt

pronunciar utter

propagar propagate; **∼se** spread

propender incline

propietario *m.* owner

propio -a appropriate, own, self

proponer propose

proporción *f.* proportion

proporcionar afford, furnish

propósito *m.* design, propose

propuesto -a *p. p. of* **proponer**

prorrumpir burst out

proseguir continue, proceed

protección *f.* protection

protector *m.* protector

proteger protect, favor, help

provecho *m.* profit, benefit

proveer provide

provenir proceed

providencia *f.* providence

provincial provincial; **el ∼ de Soria** the regiment from (the province of) Soria

provisión *f.* provision; **provisiones de boca** food supplies

provisto -a *p. p. of* **proveer**

provocar provoke

provocativo -a aggravating

proximidad *f.* proximity

próximo -a next, nearest

proyectar project, cast, plan

proyectil *m.* projectile

proyecto *m.* project, plan

proza *f. see* **proeza**

prudencia *f.* prudence

prueba *f.* proof

Prusia *f.* Prussia

publicar publish

público -a public; *m.* public; **cosa pública** commonwealth

pudor *m.* shame

pué *dialectical for* **puede**

pueblo *m.* town, population, people

puente *m.* bridge

puerta *f.* gate, door, entrance

pues then, as, for, well, why; ∾ **bien** well then

puesto -a *p. p. of* **poner**; *m.* post, place; ∾ **de rodillas** kneeling down, on one's knees; ∾ **que** seeing that

pugnar fight, struggle

pulimento *m.* polish

pulmonía *f.* pneumonia

púlpito *m.* pulpit

pulverizar pulverize

punta *f.* tip, point; **en** ∾ **de los pies** on tiptoe

puntería *f.* aim

punto *m.* point; **a** ∾ **que** just when; **al** ∾ at once; **estar a** ∾ **de** be on the point of

puñado *m.* handful

puñetazo *m.* blow (with the fist)

puño *m.* fist

pupila *f.* pupil (of the eye)

pureza *f.* purity

puro -a pure, simple

púrpura *f.* purple

pusilánime pusillanimous

putrefacción *f.* putrefaction

Quadros surname of a soldier in Saragossa

que *rel. pron.* who, whom, which, that; **el, la, los, las** ∾ who, which, that; **lo** ∾ that which, what; *conj.* that, so that, for, since, when, until; *adv.* than, as

qué what, what a, how; **a** ∾ **for** what purpose, why; **para** ∾ for what purpose, why; **por** ∾ why;

∾ **tal** how, what; ∾ . . . **tan** what a, what

quebrantar break, weaken

quedamente softly

quedar remain, be; ∾ **en** agree (to); ∾**se** remain, be; ∾**se con** keep; ∾**se tan fresco 95** 24 act as if nothing had happened; **y no me queda duda 107** 12 and I have no doubt; **ya no me queda nada que ver** I have nothing left to do

quejarse complain

quejido *m.* moan

Quemada name of a street and gate

quemadura *f.* burn

quemar burn

querer wish, want, be willing, expect, love; ∾ **decir** mean; ∾ **más** prefer; **quiero** I will; **quisiera** I should like

querido -a beloved, dear

quicial *m.* jamb

quien who, whom, whoever, (the) one who, some one who, he who, *etc.*

quién who, whom

quieto -a quiet, still

quijada *f.* jaw

Quílez surname of a soldier in Saragossa

quincalla *f.* hardware, assortment (of various objects)

quintal *m.* hundredweight (an old measure)

quintar lose one in five, reduce by one fifth

quinto -a fifth

quitar take away, remove, deprive (of); ∽ **de en medio** remove; ∽**se** get rid of, remove, lose

quizá, quizás, perhaps

rabia *f.* rage; **perro con**∽ mad dog
rabiar rave, be anxious
rabioso mad, furious
ración *f.* ration
radiante radiant
radio *m.* radius
Rafael *m.* Raphael (given name of the famous Italian painter, 1483–1520)
raíz *f.* root
rajar crack
rama *f.* branch
rancho *m.* mess
rápidamente rapidly, swiftly
rápido -a rapid
rapiña *f.* theft
raro -a rare
rasgo *m.* trait, characteristic, feature
rasguear play (on a guitar)
rasguño *m.* scratch
raso -a clear, flat; **bala rasa** round shot; **en campo** ∽ in the open country
rastro *m.* trail
rasurar shave
ratero *m.* sneak thief
rato *m.* (short) time; **al poco** ∽ after a short time, in a short time; **de** ∽ **en** ∽ from time to time; **dentro de un** ∽ within a short time; **gran** ∽ a long time; **a** ∽**s** at intervals

ratón *m.* mouse
raya *f.* line
rayo *m.* ray, (lightning) flash, thunderbolt
razón *f.* reason, account; **a** ∽ **de** at the rate of; **en** ∽ **de** by reason of; **tener** ∽ be right
real real, royal; *m.* name of a coin worth about five cents
realidad *f.* reality
realizar realize, perform
realmente really
realzar heighten
reanimar reanimate, bring back to life; ∽**se** pluck up courage again
reanudar resume
rebajar lower
rebelarse rebel
rebosar overflow (with)
rebotar rebound
recelar fear
recelo *m.* suspicion
recibir receive
recibito *m.* (little) receipt
recibo *m.* receipt
recinto *m.* inclosure, precinct, depths
recio -a vigorous, violent; **lo más** ∽ the most violent part
recitar recite
reclamar claim
recobrar recover
recodo *m.* corner
recoger pick up, collect, protect
recompensa *f.* recompense, reward
recomposición *f.* repair

reconcentrar concentrate

reconciliar reconcile; ∼se become reconciled

reconocer recognize, reconnoiter

reconocimiento *m.* reconnaissance

reconquistar recapture

recordar recall, remember

recorrer traverse

recortadura *f.* chip; ∼s **106** 3 projecting places

recto -a straight

recuerdo *m.* recollection

recuerno *emphatic form of* cuerno (*see note to* **35** 16)

recurso *m.* resource

rechazar repel, repulse

rechinar creak

redactor *m.* editor

Reding surname of a Swiss soldier, general in the Spanish service

redoblar redouble

redondear round out

reducir reduce

reducto *m.* redoubt

reedificar rebuild

refectorio *m.* dining-room

referente referring; en lo ∼ a concerning; todo lo ∼ everything referring

referir relate; ∼se refer

reflejar reflect

reflejo *m.* reflection

reformar reform

reforzar reënforce

refractario -a refractory

refrenar restrain

refriega *f.* skirmish

refrigerio *m.* coolness

refugiado -a taking refuge, in refuge, who had taken refuge

refugiar shelter, afford refuge to; ∼se take refuge

refugio *m.* refuge

regalar give, present

regalito *m.* little present

regalo *m.* gift, present, luxury, gratification

regañar scold, reprove

regazo *m.* lap

regimiento *m.* regiment

región *f.* region

registrar search

regla *f.* rule; en ∼ according to rule, regular; en toda ∼ regularly

regocijar delight

regocijo *m.* rejoicing

regresar return

regularmente normally

reina *f.* queen

reinar reign

reino *m.* kingdom

reintegrar restore

reír laugh; ∼se (de) laugh (at)

reja *f.* grating

relación *f.* relation, narrative, connection

relámpago *m.* lightning flash

relativo -a relative; en lo ∼ a with respect to

relevar relieve

religión *f.* religion

religioso -a religious; *m.* monk, friar

reloj *m.* watch, clock

rematar finish, terminate, kill; ∽**se** be destroyed

remedar imitate

remediar remedy, avoid, help

remedio *m.* remedy; **sin** ∽ without fail

remendar patch up

remirar look again, review; **después de mucho mirar y** ∽ **66** 11 after looking again and again

remo *m.* oar; **a cuatro** ∽**s 4** 16 on all fours (*see note to* **147** 23)

remover move, stir up

rencorcillo *m.* little animosity, slight animosity

rencoroso -a spiteful, angry

rendición *f.* surrender

rendir overcome, wear out; ∽**se** surrender, give way, yield

Renovales surname of a colonel in Saragossa

renovar renew, restore; ∽**se** reform

renunciar (a) renounce

reparar repair; ∽ **(en)** reflect, consider

reparo *m.* objection

repasar pass back through

repartir distribute, divide

repeler repel

repente : **de** ∽ suddenly

repentino -a sudden

repertorio *m.* repertory

repetir repeat

repicar ring; *m.* ringing

replanteo *m.* replanting

replegarse fall back

replicar reply

reponer restore, reply; ∽**se** recover one's health

reporra *emphatic form of* **porra** (*see note to* **35** 16)

reportar repress

reposar rest

reposo *m.* repose, rest

representación *f.* representation

representar represent, appear to be

reprimir repress, suppress

reproducir reproduce

reptil *m.* reptile

república *f.* republic

repuesto -a *p. p. of* **reponer**; recovered

repugnante repulsive, disgusting

repulsión *f.* repulsion

requemar inflame

requesón *m.* curds

requisito *m.* requisite

rescatar redeem

rescoldo *m.* embers, glowing coal

resentimiento *m.* resentment

reserva *f.* reserve

reservar reserve

resguardar protect

resguardo *m.* guard

resignación *f.* resignation

resistencia *f.* resistance

resistir endure, resist, hold out, stand; ∽ **a** withstand; ∽**se a** hesitate to

resolver resolve, determine

resonar resound

respecto a with respect to

respetar respect

respeto *m.* respect

respiración *f.* breath

respirar breathe

resplandecer shine

resplandor *m.* gleam, brightness, light

responder reply, answer

responso *m.* response

respuesta *f.* reply, answer

restablecido -a recovered

resto *m.* rest, remnant; ∽s remains; **echar el** ∽ **91** 18 make the utmost efforts

resucitar bring back to life

resueltamente resolutely

resuelto -a *p.p. of* **resolver**

resultado *m.* result

resultar result, remain

resumen *m.* summary; **en** ∽ in short

resumir abridge; **en resumidas cuentas** in short

resurrección *f.* resurrection

retablo *m.* altar ornamentation (a collection of carved figures forming the decoration of an altar)

retaguardia *f.* rear-guard

retemblar tremble repeatedly

retener keep

retirada *f.* withdrawal, retreat

retirado -a retired, remote

retirar retire, withdraw, bring back, take away; ∽se retire, **12** 12 return

retoñar sprout again

retorcerse writhe

retórico -a rhetorical

retroceder draw back, retreat, withdraw, return

retruécano *m.* quibble

retumbar resound

reunión *f.* meeting, assembly

reunir join, assemble, unite, collect; ∽se meet, unite, assemble; ∽se a rejoin

revelar reveal

reventar burst, explode, crack

revolotear flutter

revolver move to and fro, overturn; ∽se turn back

revuelto -a *p.p. of* **revolver**; in confusion

rey *m.* king

reyerta *f.* quarrel

rezagado *m.* straggler

rezar pray

rezo *m.* prayer

ribera *f.* bank (of a river)

ribete *m.* fringe, touch, element; **con** ∽s **de místico 115** 7 with touches of the mystic

Ric surname of an official of Saragossa

rico -a rich

ridículo -a ridiculous

riego *m.* irrigation

riesgo *m.* risk

rígido -a stiff

rigor *m.* rigor, severity; **en** ∽ in truth, strictly speaking

rincón *m.* corner; **Rincón** surname; **el Rincón** name of a street

río *m.* river

risa *f.* laughter, burst of laughter; ∾s laughter

risueño -a smiling

robar rob, steal

robusto -a robust

rodar roll

rodear surround

rodela *f.* shield

rodilla *f.* knee; **puesto de** ∾s kneeling down, on one's knees

roer gnaw

rogar beg

rojizo -a reddish

rojo -a red

rollizo -a robust

romano -a Roman; **la Romana** title of a marquis, general in the Spanish army (1761–1821)

Romeu: **San Clemente y** ∾ surname of a merchant patriot of Saragossa

romper break, handle roughly; ∾ **el fuego** begin firing

roncar snore

ronco -a hoarse

rondar patrol

roñoso -a dirty

ropa *f.* clothes; ∾s clothes

Roque given name

rostro *m.* face, countenance

roto -a *p.p. of* romper

rotura *f.* tear, rent

rozadura *f.* scratch

rubí *m.* ruby

rudeza *f.* crudity

rudimentario -a rudimentary

rudo -a crude, rough, hard, severe

ruego *m.* entreaty

Rufas: **las** ∾ name of a street

rugir roar

ruido *m.* noise

ruin base

ruina *f.* ruin

ruindad *f.* meanness

ruinoso -a ruinous

Ruiz surname of a soldier in Saragossa

rumboso -a magnificent

rumor *m.* noise

rumorcillo *m.* slight noise

rum-rum *or* runrún *m.* rumor

sábado *m.* Saturday

sábana *f.* sheet

sabandijo *m.* reptile (*see note to* 53 19)

saber know, learn, know how to, taste; **sé** I can; ∾ **a bueno** taste well; ∾ **muy mal** 18 24 be very distasteful; **no sé qué** some . . . or other

sablaza *f.* saber stroke

sable *m.* saber

saborear relish, enjoy

saca *f.* sack

sacar take out, bring out, get, secure, gain, take, imitate, copy, pull; ∾ **adelante** help; ∾ **a paseo** take out walking

sacerdocio *m.* priesthood

sacerdote *m.* priest

saciar satisfy, satiate

saco *m.* bag

sacrificar sacrifice

sacrificio *m.* sacrifice

sacristán *m.* sacristan (an officer in a church in charge of the utensils etc.)

sacristía *f.* sacristy (a room in a church where the utensils etc. are kept)

sacudida *f.* shake

sacudimiento *m.* shaking

sacudir shake, shake off, remove; ∾ el polvo a thrash

sagrado -a sacred

Saint-March surname of a general in Saragossa

sal *f.* salt

sala *f.* hall, room, drawing-room

salamandra *f.* salamander

Salamero name of a merchant patriot of Saragossa

Salas de los Infantes *m.* name of a town in Old Castile, near Burgos

salida *f.* going out, departure, emergence, exit, egress; sortie, entrance

salir go out, come out, come to light; ∾ al encuentro (a *or* de) come out to meet, meet; llegar a ∾ turn out

salón *m.* hall

salpicar spatter, fly about

saltar jump, leap, jump over, move, fall, break

salto *m.* leap

saltón -ona leaping

salud *f.* health

saludar greet, bow to

salva *f.* salvo

salvaje savage, primitive

salvajemente savagely

salvar save

salvo -a safe; a salvo in safety

san *see* santo; San Agustín, San Clemente, *etc. see* Agustín, Clemente, *etc.*

Sancho surname of a heroine of Saragossa; name of a gate in Saragossa

sandio -a foolish

sangre *f.* blood; hospital de ∾ hospital for the wounded

sangriento -a bloody

sanguinario -a bloody

sanitario -a sanitary

sano -a healthy, uninjured, safe, whole

santa *f.* saint; Santa Engracia, Santa Fe, *etc.,* see Engracia, Fe, *etc.*

Santiago *m.* given name

santidad *f.* holiness

Santillana *f.* name of a town in the province of Santander in northern Spain

santo -a holy; *m. or f.* saint

santuario *m.* sanctuary

saña *f.* rage

sardina *f.* sardine

sargentazo *m.* (big) sergeant (*see note to* 173 18)

sargento *m.* sergeant

Sarriera surname

sartén *f.* frying-pan

Sas surname of a priest of Saragossa

Sástago name of a house in Saragossa, belonging to the count of Sástago

Satanás *m.* Satan

satánico -a Satanic

satisfacción *f.* satisfaction

satisfacer satisfy

satisfactorio -a pleasing, satisfactory

satisfecho -a *p.p. of* **satisfacer**

Savary surname of a French general (1774–1833)

sayón *m.* hangman, brute

sazón *f.* season; **a la** ∾ at that time

se himself, herself, itself, themselves; to (for) himself *etc.*; each other, to each other, one another, to one another, to him, to her, to you, to them; (*indefinite*) one, we, you, *etc.*

Sebastopol *m.* name of a city in southern Russia

secar dry

seco -a dry; **dejar seco** kill instantly

secreto -a secret; *m.* secret, secrecy

secular age-old

secundario -a secondary

sed *f.* thirst

sediento -a thirsting

segmento *m.* segment

Segorbino: Campo ∾ name given to a body of troops from Segorbe, in eastern Spain

seguida *f.* following; **en** ∾ at once, next

seguir follow, go, go on, continue, be; **la señora sigue tan abatida 126** 13 the lady is as dejected as ever

según as, according to (what), to judge by; ∾ **como** according to the way in which

segundo -a second

seguramente certainly

seguridad *f.* security, safeguard, sureness, certainty, confidence

seguro -a secure, certain, safe; **de** ∾ surely

seis six

sellar seal

semana *f.* week; **por** ∾ a week

semanal weekly

semblante *m.* face, countenance, appearance

sembrar sow

semejante such (a), similar, like, fellow; *m.* fellow (creature)

semejar be like, resemble

semicircular semicircular

seminario *m.* seminary

sencillez *f.* simplicity

senda *f.* path

sendos -as one apiece

seno *m.* bosom

sensación *f.* sensation

sensibilidad *f.* sensibility, sensitiveness

sensible sensitive

sentar seat, plant; ∾ **la mano a** strike; ∾**se** sit down

sentencia *f.* sentence

sentido *m.* sense, consciousness

sentimiento *m.* sentiment, feeling, regret

sentir feel, be sorry, hear; ∾se feel; *m.* feeling, expectation

seña *f.* sign, signal

señal *f.* signal, indication, mark

señalar signal, point to, point at

señor *m.* master, gentleman, sir, Mr.; **Señor** Lord

señora *f.* lady, madam, Mrs.; *see note to* **71** 26

señorita *f.* young lady, miss

Seo *f.* name of a cathedral in Saragossa

separar separate; ∾se separate

septiembre *m.* September

sepulcro *m.* sepulcher, tomb; name of a small chest in which the sacred host is preserved; **el Sepulcro** name of a field near Saragossa, and of a tomb and hill in the city

sepultar bury

sepultura *f.* burial, grave

sepulturero *m.* burier

ser be; *m.* being, creature; **a no ∾ que** unless; ∾ **de** belong to, become of; ∾ **de día** be day; ∾ **de noche** be evening, be night; ∾ **de ver** be worth seeing; **es que** **127** 22 it is because; **si es que** if it is true that, if indeed; **fué de los que** he was one of those who; **fué que** the result was that; **y allí fueron las demostraciones** and you should have witnessed the demonstrations

serenamente serenely

serenar calm

serenata *f.* serenade

serenidad *f.* serenity

sereno -a serene, clear

serie *f.* series

sermón *m.* sermon

sermonear deliver a sermon

serpiente *f.* serpent

serrana *f.* mountain girl

servicio *m.* service

servidor *m.* servant; *see note to* **8** 27

servir serve; ∾ **de** serve as; **de qué sirves** of what use are you; **darse por bien servido 9** 6 consider oneself fortunate

sesenta sixty

seso *m.* brain, brains, head, wisdom

severo -a severe

sexo *m.* sex

si if, whether, but, why, well, indeed; ∾ **bien** although; **cual ∾** as if; **por ∾** in case

sí yes, himself, herself, yourself; ∾ **mismo -a** himself *etc.*

siempre always, ever; ∾ **que** whenever

sien *f.* temple

siervo *m.* slave, servant

siete seven

siglo *m.* century, age

significar signify, mean

signo *m.* sign

siguiente following

silbar whistle

silencio *m.* silence

Silesia *f.* name of a district in eastern Europe, now divided among Germany, Poland, and Czechoslovakia

silla *f.* chair

sillar *m.* (square hewn) stone

sima *f.* abyss

simbolizar symbolize

símbolo *m.* symbol

simetría *f.* symmetry

Simonó surname of a captain in Saragossa

simpático -a attractive

simple simple

simpleza *f.* silliness, silly idea

simultáneamente simultaneously

sin without; ∾ **embargo** however, yet; ∾ **que** without

sincero -a sincere

singular strange, extraordinary

siniestro -a sinister

sinnúmero *m.* vast number

sino but, except, until; **no . . . ∾ (que)** only; ∾ **que** but, except that

sino *m.* destiny

síntoma *m.* symptom

sinuosidad *f.* winding

siquiera even; **ni ∾** not even

sistema *m.* system

sitiador -ora besieging; *m.* besieger

sitiar besiege

sitio *m.* place, spot, part, siege

situación *f.* situation

situar place, situate, station

so under; ∾ **color de** with the pretext of

soberbia *f.* pride

sobra *f.* excess; **de ∾** in excess

sobrar be more than enough; **le sobraba** he possessed in excess

sobre over, upon, on, about, above; **por ∾** over; ∾ **que** in addition to the fact that; ∾ **todo** especially

sobrehumano -a superhuman

sobresalir (de) excel, pass beyond

sobresaltar startle

sobriedad *f.* sobriety

sobrino *m.* nephew

social social, common

socorrer help, aid

socorro *m.* help; ∾**s** help

sofá *m.* sofa

sofocado -a choking, out of breath

sofocar quench, extinguish

sol *m.* sun

solamente only

solar *m.* ground, lot, site

soldadesca *f.* soldiery

soldado *m.* soldier

soledad *f.* solitude

solemne solemn

soler be accustomed

soleta *f.* sole; **tomar ∾** take to flight

solfa *f.* harmony, thrashing

solicitud *f.* solicitude

solidez *f.* solidity

sólido -a solid

solitario -a solitary

solo -a alone; **a solas** alone

sólo only; ∾ **que** except that; **tan** ∾ only

soltar let go, let out, set free, let loose, discharge, throw down, fire, give vent to

sollozo *m.* sob

sombra *f.* shade, shadow, ghost; **la Sombra** name of a street

sombrear cast a shadow

sombrero *m.* hat

sombrío -a gloomy

someter subdue

somnolencia *f.* somnolence

son *m.* sound

sonar sound, ring

sonreír smile

sonrisa *f.* smile

sonrojar blush

sonsonete *m.* jingling

soñar dream; ∾ **con** dream about

soportar support, endure

sordo -a deaf, dull

Soria *f.* name of a province and city of Old Castile, in north central Spain

sorna *f.* deliberation

sorprender surprise

sorpresa *f.* surprise

sortear draw by lot

sosegadamente calmly

sosegado -a peaceful, calm

sosiego *m.* tranquillity, calm

sospecha *f.* suspicion

sospechar suspect

sospechoso -a suspicious

sostén *m.* support

sostener sustain, support, hold, maintain

sótano *m.* cellar

Spandau *m.* name of a city in Germany near Berlin

Sr. = **señor**

su his, her, its, your, their

suave soft

suavidad *f.* softness

súbdito *m.* subject

subida *f.* ascent, slope, hill

subir climb, mount, go up, come up; ∾ **a** climb into; ∾**se** climb

súbitamente suddenly

súbito -a sudden; **de** ∾ suddenly

sublime sublime

sublimidad *f.* sublimity, act of sublimity

subordinación *f.* subordination

subsistir subsist, remain

substancioso -a substantial

subteniente *m.* second lieutenant

subterráneo -a subterranean, underground; *m.* (underground) vault

subyugador -ora subjugating, compelling

suceder happen

sucesión *f.* succession

sucesivamente in succession

sucesivo -a succeeding; **en lo** ∾ thereafter

suceso *m.* event

sucio -a dirty

sucumbir succumb, give way

Suchet surname of one of Napoleon's marshals (1770–1826)

sudor *m.* sweat

suegro *m.* father-in-law

suela *f.* sole

suelo *m.* soil, ground, floor

suelto -a *irr. p.p. of* **soltar**; fired, loose, in disorder

sueño *m.* sleep, dream; **descabezar un ∾** take a nap; **hablar en ∾s** talk in one's sleep

suerte *f.* fate, destiny, luck, good fortune

suficiente sufficient

sufrir suffer

sugerir suggest

suizo -a Swiss; *m.* Swiss

sujetar subdue, hold, grasp

suma *f.* sum; **en ∾** in short

sumamente exceedingly

suministro *m.* distribution

sumo -a extreme

suntuosidad *f.* sumptuousness

superficie *f.* surface

superfluo -a superfluous

superior superior, upper, above

superioridad *f.* superiority

superstición *f.* superstition, illusion

suplicar beg

suponer suppose; **es de ∾** it is to be supposed

supremo -a supreme

suprimir suppress

supuesto -a *p.p. of* **suponer**; **por ∾** of course

sur *m.* south

surcar furrow

Sursum Corda nickname (*see note to* **5** 31)

suspender suspend, hang

suspicaz suspicious

suspiro *m.* sigh

sustentar support

sustituir substitute, replace, take the place of

susto *m.* fright

suyo -a his, her, its, your, their; of his, *etc.*; **el suyo, la suya**, *etc.*, his, hers, its, yours, theirs; **lo suyo** what is his, hers, *etc.*, his (her, *etc.*) own property; **los suyos 124** 5 their people

tabicar wall up, close

tabique *m.* (partition) wall

tabla *f.* board, tablet

tablón *m.* board

tacañería *f.* meanness, closeness

tacaño -a stingy; *m.* miser

taciturno -a taciturn

taimado -a cunning

tal such, such a, a certain, some; **con ∾ de** provided; **con ∾ que** provided that; **el ∾, la ∾** the aforesaid, that; **∾ (. . .) cual** some . . . or other; **qué ∾** how, what; **un ∾** a certain; **∾ vez** perhaps

tala *f.* destruction

talante *m.* will

talar cut down

Talavera *f.* name of a city in the province of Toledo, in central Spain

taller *m.* workshop

tamaño -a so great; *m.* size

también also, too

tambor *m.* drum

tamiz *m.* sieve

tampoco neither, either, not that either

tan so, as, such, very; ∽ **sólo** only

tanto -a so much, as much, so great; ∽**s** so many; **tanto** *adv.* so much; **algún** ∽ somewhat; ∽ . . . **como** not only . . . but also; **en** ∽ meanwhile; **entre** ∽ meanwhile

tañido *m.* sound

tapar cover, fill

tapia *f.* mud wall, wall

tapial *m.* mold, framework (for making a **tapia**)

Tarazona *f.* name of a city about fifty miles northwest of Saragossa

tardar be long, delay; ∽**se** be long, delay

tarde *f.* afternoon, evening; *adv.* late; **al caer de la** ∽ at nightfall; **caída de la** ∽ nightfall; **buenas** ∽**s** good afternoon; **de** ∽ **en** ∽ occasionally; **más** ∽ **o más temprano** sooner or later

tarea *f.* task

tasajo *m.* jerked beef

taza *f.* cup

te you, to you, yourself, to yourself

tea *f.* torch

teatral theatrical

teatro *m.* theater, scene

techo *m.* roof, ceiling

teja *f.* tile

tejado *m.* roof (of tiles)

tejar *m.* tile works

tela *f.* cloth

telaraña *f.* cobweb

tema *m.* theme

temblar tremble

tembloroso -a trembling

temer fear, be afraid

temerario -a audacious, bold

temeridad *f.* temerity

temeroso -a fearful

temible formidable

temor *m.* fear; **por** ∽ **a que** out of fear that

temperatura *f.* temperature

tempestad *f.* tempest, storm

templado -a moderate, restrained, frugal, plucky

templar temper

Temple : **el** ∽ name of a street

templete *m.* small temple (an architectural adornment in the form of a temple)

templo *m.* temple

temprano -a early; **temprano** *adv.* early; **desde muy** ∽ very early; **más tarde o más** ∽ sooner or later

ten con ten *m.* moderation, composure

tenacidad *f.* tenacity

tender stretch, stretch out

tendero *m.* storekeeper

tener have, hold, keep, maintain, have the matter, be the matter; ∽ **buena mano** be skillful; ∽ **condescendencias** make compromises; ∽ **ganas de** feel inclined to, feel like; ∽ **gusto** be glad; ∽ **hambre** be hungry; ∽ **lugar** take place; ∽ **miedo**

(a *or* de) be afraid (of); no ∾ nada have nothing the matter; no ∾ para qué have no reason to; ∾ por consider; ∾ prisa be in a hurry; qué prisa tienes 21 29 why are you in a hurry; ∾ que have to; tengo que I must; qué tienes 170 28 what is the matter with you; ∾ razón be right; ∾ sed be thirsty; ∾se hold out, stand; ∾se en pie remain standing

tenería *f.* tannery; las Tenerías name of the eastern quarter of Saragossa

teniente *m.* lieutenant, substitute, alternate

tensión *f.* tension

tentación *f.* temptation

tentativa *f.* attempt

teñir dye

teología *f.* theology

teológico -a theological

teólogo *m.* theologian

teoría *f.* theory

tercer *see* tercero

tercero -a third

tercio *m.* regiment (an old term revived occasionally in modern times for patriotic reasons, as in Saragossa)

terminacho *m.* strange term

terminantemente conclusively

terminar end, finish

término end, term, boundary, limit; en ∾ que in such a way that; primer ∾ foreground

terrenal earthly

terreno -a earthy, of clay; *m.* terrain, land, ground

terrible terrible

terror *m.* terror

tertulia *f.* party, gathering

tesorería *f.* treasury

tesoro *m.* treasure

testero *m.* front, end

testigo *m.* witness

testimonio *m.* testimony

tétrico -a gloomy

tez *f.* complexion, skin

ti thee, thyself, you, yourself

tía *f.* aunt, old; la ∾ old; *see notes to* 20 11, 29 20

tibio -a lukewarm, warm

tiempo *m.* time, weather; a su ∾ 139 17 at the proper time; a un ∾ mismo at one and the same time

tienda *f.* store

tiernísimo -a very tender

tierno -a tender

tierra *f.* earth, land, ground

tiesto *m.* earthenware pot

tímido -a timid

tío *m.* uncle, fellow, old; el ∾ old; *see note to* 20 11

tirador *m.* marksman

tirar throw, pull, shoot

tiritar shiver

tiro *m.* shot, range; a ∾ de fusil with gunfire

tirón *m.* pull

tirotear shoot (commonly used of advanced posts); ∾se exchange shots

tiroteo *m.* irregular firing

tisú *m.* tissue

tocado *m.* ornament

tocador *m.* toilet

tocante touching, relating; en lo ∾ a with respect to

tocar touch, knock, ring, play, reach; ∾ a fall to the lot of, be allotted to; ∾ a alarma sound the alarm; ∾ a generala sound a general call to arms; ∾ a llamada sound the call

todavía still, yet

todo -a all, every, whole, complete, any; *pron.* all, everything; ∾s everybody; ∾s los every; así y ∾ nevertheless; con ∾ nevertheless; hay de ∾ there are all kinds; sobre ∾ especially

toesa *f.* an old measure equivalent to about two yards

toldo *m.* awning

tolerar tolerate

tomar take, capture, assume, bear; ∾ el gusto acquire a taste; ∾ en boca a mention by name; ∾ la palabra take up the conversation; ∾ las armas bear arms; ∾ por su cuenta assume responsibility for

Tomás *m.* Thomas

tonel *m.* barrel, cask

tono *m.* tone, hue

tonta *f.* fool

tontería *f.* foolishness; ∾s foolishness

tonto *m.* fool

topar con run against, encounter

topógrafo *m.* topographer

toque *m.* peal

torbellino *m.* whirlwind; ∾ del viento whirlwind

torcer twist, turn

tormento *m.* torment

tornar return

torno *m.* turn; en ∾ mío around me; en ∾ suyo around him, around her

toro *m.* bull; ∾s 169 1 bull fights

torre *f.* tower, country house

torrente *m.* torrent

torreón *m.* tower (built for defense)

Torrero *m.* name of a mountain south of Saragossa

Torresecas name of a street

torta *f.* cake, bun

tostar toast, burn

trabajador *m.* workman

trabajar work

trabajillo *m.* a little work

trabajo *m.* work, labor, difficulty

trabajosamente laboriously, with difficulty

trabar join, engage (in), begin, fight; ∾se become entangled

tradicional traditional

traducir translate, express

traer bring, keep; ∾se bring with one; *m.* bearing, appearance

Trafalgar *m.* name of a cape in the province of Cadiz, in southern Spain

tragaluz *f.* skylight

tragar swallow; ∾se swallow up

trágico -a tragic

trago *m.* swallow

traición *f.* treason, treachery

traidor -ora treacherous; *m.* traitor

traílla *f.* leash; **en ∽** on a leash

traje *m.* garment, dress, clothes; **∽s** clothes

tramar plot

tramposo-a deceitful; *m.* swindler

trance *m.* peril; **a todo ∽** at any cost

tranquilamente calmly

tranquilidad *f.* tranquillity

tranquilizar calm, reassure

tranquilo -a tranquil, calm, in peace

transacción *f.* arrangement

transcurrir pass

transeunte *m.* passer-by

transfigurar transfigure, transform

transformación *f.* transformation

transformar transform

tránsito *m.* passage

transportar transport, move; **∽se** move

transporte *m.* carrying

trapo *m.* cloth, rag

tras (de) after, behind

traspasar transfix, pierce, cross, be excessive, be penetrating

trastornar reverse; **∽ el seso** turn one's head

trastorno *m.* upheaval

trastos *m. pl.* goods, furniture

tratar treat, discuss, deal with; **∽ de** try to; **∽se 84 13** be a question

través *m.* inclination to one side; **al ∽ de** across, through

travieso -a mischievous

trayectoria *f.* trajectory (curved path of a projectile)

traza *f.* trace, appearance

trazar trace, devise

trece thirteen

trecho *m.* space, distance; **al poco ∽** at a short distance; **buen ∽** a considerable distance; **de ∽ en ∽** from place to place, at certain distances

tregua *f.* truce, respite

treinta thirty

trémulo -a trembling

Trenque *m.* name of a hill; **Arco del ∽** name of an arch

trepar climb

tres three; **las ∽** three o'clock

trescientos -as three hundred

triángulo *m.* triangle

tribulación *f.* tribulation, affliction

tribuna *f.* gallery

Trillo: Antón ∽ name of a street

trinchera *f.* intrenchment, trench

trinitario -a Trinitarian; **Trinitarios** name of a monastery

Tripería: la ∽ name of a street

triplicar triple

triste sad, gloomy

tristeza *f.* sadness

tristísimo -a very sad

triunfal triumphal

triunfo *m.* triumph

trivial trivial

triza *f.* mite, small piece; **hacer ∿s** tear to pieces

tronar thunder

tronera *f.* embrasure (for a gun)

tropa *f.* troop, troops

tropel *m.* bustle, confusion, throng; **en ∿** in a throng

tropezar stumble; **∿ con** stumble over, stumble upon, stumble against

tropiezo *m.* stumbling, obstacle

trozo *m.* piece

truco *m.* name of a game something like billiards

trueno *m.* thunder-clap

tu thy, your

tú thou, you

tubo *m.* tube, pipe

Tudela *f.* name of a city in the province of Navarra, about sixty miles northwest of Saragossa

tullida *f.* cripple

tumba *f.* grave

tumulto *m.* tumult

turba *f.* throng

turbación *f.* confusion

turbar disturb

tutear call **tú**; **17** 31 address in terms of intimacy

tuyo -a thy, your, thine, yours, of you; **el ∿, la tuya,** *etc.* thine, yours; **los tuyos 155** 24 your people

u or

últimamente recently

último -a last; **por ∿** finally

ultrajar outrage, disgrace

ultraje *m.* outrage

umbral *m.* threshold

un, una a; **unos -as** some

unánime unanimous

unánimemente unanimously

unanimidad *f.* unanimity

único -a only

uniforme *m.* uniform

unir unite; **∿se a** join

universidad *f.* university

universo *m.* universe

uno -a one, one *indefinite*; **∿s** some; **∿ mismo** one and the same; **∿ y otro** both; **∿s a otros** (to) each other; **unas contra otras 26** 22 against one another

urgir be urgent

Urreas: los ∿ name of a street

Urries surname (*see note to* **76** 12)

usar use, practice, wear

usía you (*colloquial for* **Vuestra Señoría** your Lordship)

usted you

ustés *colloquial for* **ustedes**

usura *f.* usury

usurero *m.* usurer

usurpación *f.* usurpation

utensilio *m.* article

útil useful

vaca *f.* cow; **carne de ∿** beef

vaciar empty

vacilar vacillate

vacío -a empty

vadear ford

vagabundo -a vagabond

vagar wander

vago -a vague

vaivén *m.* alternation

vajilla *f.* table service

Val : Santo Domingo *or* **Dominguito del** ∾ *see note to* **72** 23

Valencia *f.* name of a city and province on the eastern coast of Spain

valentía *f.* courage, bravery

valer be worth, avail, secure; ∾ **la pena de** be worth while, be worth the trouble of, deserve to; ∾ **más (mejor)** be better; **válgame Dios** good heavens; **válgame Dios con el chico 48** 24 good heavens what a boy

valeroso -a valorous, brave

valiente valiant, brave

valientemente valiantly

valor *m.* valor, courage, value

vanagloriarse boast

vanaglorioso -a vainglorious

vano -a vain, empty, useless

vara *f.* an old measure nearly equivalent to a yard

variable variable

variar change; ∾ **de parecer** change one's mind

vario -a various; ∾**s** various, several

varón *m.* man; *adj.* male

varonil manly

vaso *m.* glass

vástago *m.* offspring, child

vastísimo -a (very) vast

vasto -a vast, huge

Vauban surname of a famous French military engineer (1659–1731)

vecindad *f.* neighborhood

vecindario *m.* neighborhood

vecino -a neighboring, adjoining; *m.* neighbor, citizen, inhabitant

vehemencia *f.* vehemence

vehemente vehement

veinte twenty

veinticuatro twenty-four

veintidós twenty-two

veintinueve twenty-nine

vejamen *m.* vexation, taunt

vejete *m.* little old man

vela *f.* candle, watch; **en** ∾ awake

velar be awake

velay lo and behold (*an interjection used to confirm or support something*)

veloz swift

velozmente quickly

vena *f.* vein

vencedor *m.* victor, conqueror

vencer overcome, conquer, capture

venda *f.* bandage

vendaje *m.* bandage

vendar bandage

vender sell, betray

vendimia *f.* vintage

veneciano -a Venetian

veneno *m.* poison

venenoso -a poisonous

venera *f.* badge

venerar venerate, worship

venganza *f.* vengeance

vengar avenge

vengativo -a vengeful

venida *f.* coming

venir come; ∾ **al caso** be pertinent; make a difference; ∾ **de 129** 18 have just; **no** ∾ **mal** not to be amiss; **a qué viene 99** 21 what is the use of; ∾**se** come (down); ∾**se abajo** come down; ∾**se encima a 85** 13 come down upon

ventaja *f.* advantage

ventana *f.* window

ventanilla *f.* little window

ventanillo *m.* small window-panel

ventanucha *f.* small window

ver see; **a** ∾ let us see; **alcanzar a** ∾ descry, perceive; **no poder** ∾ be unable to endure; **ya no me queda nada que** ∾ I have nothing left to do; **como se ve 17** 30 as is easily seen; **ya se ve 119** 10 now you see, certainly; **estar viendo** be looking at; ∾**se las caras** have it out; **vérselas con** settle with

veracidad *f.* veracity

veras: de ∾ really; **ir de** ∾ be serious

verdad *f.* truth; *adj.* true; **no es** ∾ isn't it true *etc.*; ∾ **que** it is true that

verdaderamente really

verdadero -a true, real, genuine; **lo** ∾ **160** 27 the truth

verde green

verdoso -a greenish

verdugo *m.* executioner

vergüenza *f.* shame

vericueto *m.* rough place

verificar verify, perform, carry out; ∾**se** take place

verso *m.* verse

vértice *m.* vertex, crown, top

vertiginoso -a dizzy

Veruela *f.* name of a famous old monastery in the province of Saragossa

vestido *m.* dress, costume, clothing, clothes

vestiglo *m.* monster

vestir dress, clothe, wear; *m.* dress; **a medio** ∾ half dressed

vez *f.* time, turn; **a la** ∾ at the same time; **alguna** ∾ on some occasion; **cada** ∾ constantly, continually; **de** ∾ **en cuando** from time to time; **de una** ∾ once for all; **en** ∾ **de** instead of; **otra** ∾ again; **por primera** ∾ for the first time; **tal** ∾ perhaps; **una** ∾ once; **las más de las veces** the majority of times

vía *f.* way, road, street

viajar travel

viaje *m.* journey

vibración *f.* vibration

Vicente *m.* Vincent

vicio *m.* vice

víctima *f.* victim

victoria *f.* victory

Victoriano *m.* given name

victorioso -a victorious

vida *f.* life; **con** ∾ alive; **en tu** ∾ **22** 33 never

vidrio *m.* pane (of glass)

viejecito *m.* little old man

viejísimo -a very old

viejo -a old; **los Viejos** name of a street

Viena *f.* Vienna

viento *m.* wind; **beber los ∽s 133** 33 solicit with great eagerness; **dar al ∽** give to the winds, give forth

viga *f.* beam

vigilia *f.* wakefulness

vigoroso -a vigorous

vil vile, cowardly; *m.* coward

vileza *f.* act of meanness

Villacampa surname of a lieutenant colonel in Saragossa

Villavicencio: Azlor y ∽ surname of the Countess of Bureta

vínculo *m.* bond

vino *m.* wine

violencia *f.* violence

violentamente violently

violento -a violent

virgen *f.* virgin

Virgilio *m.* Virgil

virginal virginal

viril virile, of manhood

virtud *f.* virtue

visera *f.* lookout post (a protected post with a peep-hole)

visita *f.* visit, call

visitar visit

víspera *f.* day before

vista *f.* view, sight, glance, gaze, eye, eyes; **a la ∽** in sight; **golpe de ∽** panorama

visto -a *p.p. of* **ver**; evident

visual visual; *f.* line (the line that goes directly from the eye of one observing to the object observed)

vítor *m.* hurrah

vituallas *f. pl.* victuals

viuda *f.* widow

viva *m.* hurrah

vivac *m.* bivouac, quarters

víveres *m. pl.* provisions

viveza *f.* liveliness, rapidity

vivir live; *m.* living; **viva** long live

vivísimo -a very lively

vivo -a living, lively, quick, strong, loud

vocablo *m.* word

vocación *f.* vocation, calling

vocal *m.* (committee) member

vocecilla *f.* little voice

vocerío *m.* shouting

vociferar shout

voladura *f.* explosion

volar fly, blow up

volcán *m.* volcano

voluntad *f.* will

voluntario *m.* volunteer

voluptuoso -a voluptuous

volver turn, return, go back, make; **∽ a** (do something) again; **∽se** turn, return

vomitar vomit (out), eject, discharge

voracidad *f.* voracity

vosotros -as you

voz *f.* voice, cry, word, report, roar; **en ∽ alta** out loud

vuelo *m.* flight

vuelta *f.* turn, circuit; **dar la ∽ a** go around; **dar media ∽** turn (half way) around; **de ∽** back; **dar una∽** take a walk; **describir una ∽** describe a curve; **poner de ∽ y media 30** 30 scold

vuestro -a your, of yours, yours; **el vuestro, la vuestra,** *etc.* yours

vulgar ordinary

vulgarmente vulgarly, commonly

vulgo *m.* populace

Walker surname of a lieutenant colonel in Saragossa

walono -a Walloon (name applied to the inhabitants of southern Belgium)

y and; **entre . . . ∽** half . . . half

ya already, now, exactly, yes, of course, well, indeed, certainly; **no . . . ∽** no longer; **∽ que** now that, seeing that; **∽ . . . ∽** now . . . now

yacer lie

yerba *f.* herb, grass; **∽s** grass

yerto -a stiff, motionless

yeso *m.* plaster

yo I, myself

zaguán *m.* vestibule, entrance

zanja *f.* ditch, trench

zapa *f.* spade, mining; **herramienta de ∽** digging tool

zapato *m.* shoe

Zaragoza *f.* Saragossa

zaragozano -a of Saragossa; *m.* Saragossan, man of Saragossa

zarandajas *f. pl.* trifles, nonsense

zarpa *f.* claw; **echar la∽a** grab, clutch

zig-zag *m.* zigzag; *see note to* **33** 2

zócalo *m.* base, pedestal

zona *f.* zone

zoquete *m.* piece, morsel

Zuera *f.* name of a town about twenty miles north of Saragossa

zumbar buzz, resound

zumbido *m.* hum, humming, roar